L'ÉTÉ GREC

DÉJÀ PARUS DANS
TERRE HUMAINE/POCKET

TERRE HUMAINE / POCHE
COLLECTION
FONDÉE ET DIRIGÉE PAR JEAN MALAURIE

L'ÉTÉ GREC

Une Grèce quotidienne de 4000 ans

par

JACQUES LACARRIÈRE

*Nouvelle édition revue, corrigée
et augmentée d'une postface*

PLON

© Plon, 1975.

ISBN : 2-266-11981-8

RACINES

Il ne faut pas confondre les livres qu'on lit en voyage et ceux qui font voyager.

André Breton.

Mon premier voyage en Grèce eut lieu en 1947, le dernier à l'automne 1966. Ma dernière image : une île de la mer Egée, sans arbres, avec un unique village et un paysage dénudé où misère et beauté s'allient comme deux versants d'une même colline. Misère et beauté. Alliance des contraires, comme cette phrase d'Héraclite que les paysages des Cyclades ne cessent d'épeler en leur lumière : « L'harmonie suprême est coïncidence des contraires. Tout se fait, tout se défait par la discorde. » Si l'image de cette île perdue demeure en moi avec tant de force, c'est peut-être qu'elle fut la dernière. Pourtant, avec le recul des années, je me rends compte à quel point les souvenirs se mêlent en ma mémoire comme en un jeu énigmatique. Pourquoi certains d'entre eux, si anonymes d'apparence, restent-ils avec insistance comme s'ils voulaient souligner un message, dont le sens m'échappe encore ? Celui-ci, par exemple, né d'une rencontre au crépuscule sur un chemin du mont Athos :

> « En regagnant le monastère où je logeais, après une longue marche vers les grottes des ermites, je tombai en arrêt devant un paysage déjà connu et pourtant fantastiquement nouveau, un versant où s'étageaient de petites bâtisses, couvert d'oliviers et d'orangers avec la tache blanche d'une terrasse

ombragée d'une treille, la rondeur d'une coupole dressée comme un sein vers le ciel. A travers le tamis des arbres (où l'on devinait, invisible, la présence des moines) des voix, des sons, des cris parvenaient avec une netteté exceptionnelle en dépit de leur éloignement. Et je restai ainsi à écouter le miaulement des chats, le bruit sec d'une branche qui casse, le murmure des conversations dont je parvenais presque à distinguer les mots, perdant toute conscience du temps comme si ce paysage, ces cris et ces couleurs étaient devenus fragments d'éternité. Puis brusquement quelque chose se vida, en moi et autour de moi, comme une lumière se retirant des arbres et du ciel et ce ne fut alors qu'un soir comme les autres. »

De tels instants se sont reproduits quelquefois au cours de ces séjours en Grèce et je me dis que ce qui demeure durablement de ces années grecques, ce sont ces moments-là. Quand il m'arrive de les revivre, plus que jamais présents, et de chercher leur sens, je pense à ces augures antiques qui lisaient le destin des hommes et des cités dans le vol des oiseaux, ou le bruissement du vent dans les chênes. Si le fortuit, si l'accidentel sont porteurs de message (et qu'y a-t-il de plus fortuit, de plus accidentel que le vol des oiseaux ou que le bruit du vent ?), alors ces images sans cesse surgissantes sont elles aussi autant d'énigmes, autant de langages secrets jalonnant un chemin qui, sans nul doute, remonte à mon enfance.

Enfant, j'ai souvent rêvé de la Grèce. Mais les premières images formulables surgirent au lycée, quand débutèrent les cours de grec ancien. L'école primaire avait été surtout l'école de la nature. Les leçons de choses vous faisaient vivre au rythme des saisons. On apportait des têtards à la fin du printemps, des hannetons au mois de juin, des pommes en automne. Ce qui m'a le plus frappé dès que je connus le lycée, ce fut le sentiment d'entrer dans un univers où les saisons n'existaient plus. On y enseignait des matières intemporelles, comme les mathématiques, le latin et le grec. Le latin, surtout, me donna cette impression de langue hors du temps, plus encore que le grec. Sans doute parce que ses mots, son alphabet, son esprit trop familiers ou trop proches des nôtres en faisaient un monde parallèle et désuet, comme ces cousins éloignés dont on oublie sans cesse l'existence bien qu'ils fassent partie de la famille. Le grec au contraire m'introduisit d'emblée au cœur d'un autre monde. Par son alphabet tout d'abord, les dessins mystérieux de ses lettres dont certaines m'apparaissaient comme des hiéroglyphes chargés d'énigmes : l'oméga Ω, serrure magique ouvrant sur des chambres secrètes; le psi ψ, trident surgi de la mer Egée, tout ruisselant d'algues et d'écume; le thêta θ, bouclier dur et mat orné de figures héraldiques; le xi ξ, escalier ou labyrinthe menant vers le ciel ou les profondeurs de la terre. Plus tard s'ajouta la découverte de la mythologie, monde fantastique où tout prenait le contre-pied des règles quotidiennes. En dépit des voiles, des symboles plus ou moins obscurs qui masquaient l'arc-en-ciel des légendes, je devinais un univers sexualisé dont le code et les processus m'échappaient. Zeus surtout m'intriguait, ce prodigieux Don Juan céleste qui séduisait indistinctement déesses, nymphes et mortelles et prenait pour ce faire les apparences les plus inattendues : taureau, pluie d'or ou cygne. Je me souviens très bien que ce dernier cas (les amours de Zeus-cygne et de Léda) alimenta longtemps les conversations du jeudi : comment un cygne peut-il séduire une femme, par où et avec quoi? Il y avait aussi Artémis, déjà en mini-jupe, les cheveux dans le vent et le sein découvert; Aphrodite jaillissant des vagues une main sur son sexe d'écume; Athéna (l'*Athéna pensive* de la stèle du Céramique), ma déesse préférée, ma fiancée secrète que je trouvais la plus jolie de toutes malgré son harnachement guerrier, sa cuirasse et sa lance. Ce qui alors nous intriguait profondément, mes camarades et moi, c'est que le sexe n'apparaissait jamais normalement dans ces mythes : ou ces dames

étaient farouchement vierges comme Artémis et Athéna
(et alors, malheur à qui les approchait !) ou elles étaient
férocement femelles comme Aphrodite (et alors, malheur à qui les ignorait !). Comment des inspecteurs
d'Académie, dont l'unique occupation semblait être
alors de veiller au moral de leur troupe d'élèves, ont-ils
pu inscrire ces délires olympiens, ces fornications forcenées au programme des classes de grec ? C'est alors que
je compris – ou plutôt que je sentis confusément –
l'importance des mythes dans la formation des images
qui gouvernent nos vies. Par eux, à travers eux s'éveillè-
rent en moi les premières visions de l'amour, la première
révélation d'un monde férocement proscrit par la famille
et par la société. Certains de ces mythes proposaient
même, derrière la beauté ou l'absurdité apparente des
récits, la plus subversive des nourritures spirituelles.
Zeus, Dionysos, Artémis, Athéna, Aphrodite, voilà qui
furent alors mes maîtres et mes maîtresses. Découvrir les
mythes grecs à cet âge, c'est forcer malgré soi les portes
des interdits, violer innocemment le monde adulte, pressentir, au-delà des murs gris des lycées, l'existence d'une
terre d'azur et de sang – la Grèce – que je rêvais
intensément de rencontrer.

A l'inverse des mythes, l'histoire, la littérature, la
philosophie grecques ne m'apportèrent qu'un cortège
d'images trompeuses, conventionnelles mais incroyable-
ment tenaces puisque, pour beaucoup, elles continuent
de signifier la Grèce. Ces images étaient celles d'une
terre de ruines, de colonnes, de frontons écroulés, de
tombeaux éventrés au milieu de l'humus des forêts. Des
humains meublaient parfois ces ruines mais ils avaient la
fixité du marbre; drapés dans de blanches tuniques, ils
regardaient la mer ou le ciel, en poses hiératiques,
comme si le temps, l'histoire, la durée grecques
n'avaient été qu'une longue méditation figée. Ces images, bien des livres me les montraient. Les gravures
illustrant *Le voyage du jeune Anacharsis en Grèce* de

l'abbé Barthélémy, celles des *Poésies* d'André Chénier, les peintures d'Hubert Robert figuraient toutes un monde romantique et stéréotypé où se lisait la mort éternelle des Grecs.

Or, justement, l'essentiel de ce que j'appris au cours de mon premier voyage, c'est que la Grèce existait toujours. Il y avait bien ici et là des ruines (d'accès difficile et même impossible à l'époque) mais il y avait aussi et surtout une terre qui s'appelait encore la Grèce et qui était peuplée de Grecs. Et ces Grecs se trouvaient justement plongés en 1947 en pleine tourmente politique, en plein cœur de la guerre civile. On la sentait peu à Athènes – qui était alors pacifiée – mais il suffisait de quitter la ville, surtout vers les régions du nord, pour en voir partout la présence. Je n'en donnerai ici qu'un seul exemple pour moi le plus révélateur car il contribua à chasser à jamais les images idylliques et factices de mon adolescence.

Ce premier voyage, je le fis avec la troupe du Théâtre Antique de la Sorbonne. Nous venions de monter *Les Perses* et l'*Agamemnon* d'Eschyle, représentés à Paris avant d'être joués à Athènes et à Epidaure pour le centenaire de l'Ecole Française d'Archéologie. Passer des mois à vivre l'histoire de Mycènes et de ses lignées légendaires puis quelques semaines en Grèce pour retrouver sur les lieux mêmes les ombres et les fantômes d'Agamemnon était comme la consécration d'un rêve. Je me souviens avoir vécu cette époque et les premiers jours du voyage dans une sorte d'extase. Déjà, tandis que nous répétions à Paris sous la direction de Maurice Jacquemont l'histoire d'Agamemnon, d'Oreste, de Clytemmestre, maintes visions surgissaient en moi : la plaine d'Argos écrasée de soleil, les couloirs du palais où Clytemnestre préparait le meurtre d'Agamemnon, les chambres obscures où la mort rôde...

Au lendemain des premières représentations données à Athènes au pied de l'Acropole, je décidai de me rendre à Delphes avec deux amis de la troupe et un archéologue de l'Ecole Française. Delphes, au contraire de Mycènes, n'évoquait rien de précis dans mon esprit. Ce n'était

qu'un mot, deux syllabes, un site, une Pythie assise
sur un trépied, des vapeurs de laurier, mais rien de
charnel ni d'intense comme les trois syllabes de Mycènes.

Delphes était alors aux mains des partisans de
l'E.L.A.S. – Armée Populaire de Libération Nationale –
et il était en principe impossible de s'y rendre. A force de
démarches et d'insistance, nous finîmes par obtenir des
autorités militaires un laissez-passer pour franchir les
derniers postes tenus par l'armée gouvernementale aux
environs de Livadia. Le reste : gagner Delphes par la
route, prendre contact ou non avec les partisans, était
notre propre affaire. Restait à dénicher un chauffeur de
taxi qui voulût bien prendre le risque de nous y emmener. On finit par en trouver un, propriétaire d'une
voiture Ford, décapotable et haute sur roues, un modèle
à faire rêver les collectionneurs aujourd'hui mais qu'on
trouvait encore fréquemment en Grèce à l'époque. Il ne
posa qu'une seule condition : mettre deux petits drapeaux français sur les ailes pour qu'on nous reconnaisse
de loin. Le passage des derniers postes gouvernemen-
taux s'effectua sans trop de problèmes bien que les
officiers nous aient regardés comme de véritables candidats au suicide. L'un d'eux nous lança même, au
moment du départ : « Allez donc vous faire égorger par
les communistes, si ça vous chante ! »

Evidemment, nul ne nous égorgea. Le temps était
radieux, le ciel transparent. La route étant minée, nous
n'avancions que très prudemment. A chaque bosse ou
taupinière suspecte, le chauffeur coupait par les champs,
ce qui n'arrangeait guère la suspension de la voiture,
mais à part ces quelques détours, aucun incident ne
survint. Nous traversâmes le village d'Arachova sans voir
âme qui vive et arrivâmes à Delphes au début de
l'après-midi. Le village était silencieux, comme mort. Pas
un seul habitant visible, à l'exception du garde champêtre et du gardien de l'Ecole Française, installé dans les
ruines du sanctuaire. Les partisans tenaient le Parnasse
juste au-dessus de nous et descendaient parfois la nuit
pour se ravitailler mais, durant les vingt-quatre heures

que nous restâmes à Delphes, aucun d'entre eux ne se montra.

Ainsi, tout l'après-midi, je pus errer seul dans les ruines. Silence. Solitude. Pas un seul bruit vivant, si ce n'est par moment le cri des gypaètes traçant des cercles dans le ciel ou sur le flanc des Phaedriades. Plus bas, dans la vallée du Pleistos, un chemin serpentait jusqu'à la mer parmi les oliviers, un chemin désert, sans un seul être humain. Delphes était vide, abandonné, livré à tous les fantômes de l'histoire. On était à la mi-septembre et l'automne se faisait sentir à la mordorure des feuillages, au froid et à l'ombre plus denses de la nuit. Sur le stade, au-dessus du sanctuaire, le vent faisait tourbillonner des trombes de poussières comme des fantômes affolés. Et sur la Voie Sacrée, laissée à l'abandon depuis des années, les herbes folles recouvraient le chemin. Que retrouver ici? Le passé mort, véritablement mort ou le présent, mort lui aussi, mais où se devinaient les forces silencieuses, tapies, sournoises de la guerre? Je me souviens m'être rendu compte – alors que j'étais assis sur le théâtre, juste à la tombée de la nuit, ne pouvant détacher mes yeux de ce paysage inouï – de l'étrangeté de ce voyage en Grèce. J'étais venu ici, poussé par les fantômes et les mirages du passé, pour jouer devant les Grecs d'aujourd'hui les drames et les horreurs de la guerre de Troie alors qu'une autre guerre se déroulait en ces lieux mêmes. Une guerre civile, plus lourde et meurtrière que celle des Grecs et des Troyens. Ce jour-là, dans cette nuit de Delphes et ce silence des montagnes où nous épiaient, sans aucun doute, les partisans, je sentis qu'une Grèce mourait en moi et qu'une autre naissait.

Cette mort et cette naissance inattendues, je les ressentis plus fortement encore le soir quand le gardien nous fit visiter le musée. La plupart des statues avaient été enterrées ou enfermées dans de grandes caisses en bois, pour les protéger des obus. Sauf quelques-unes, encore visibles dans leurs emballages entrouverts. Je me souviens du Sphinx de Naxos émergeant de son lit de paille comme un dieu absorbé par des sables mouvants. Naissait-il? Mourait-il? Les statues, elles aussi, étaient à mi-chemin de la mémoire et de l'oubli, comme des détenues d'une autre époque enfermées dans les prisons de notre temps.

Depuis lors, mes sentiments ont évolué. Je suis revenu à Delphes plusieurs fois, à l'automne de préférence, dans la maison que l'Ecole des Beaux-Arts a construite au-dessus du sanctuaire, face à celle du poète Sikélianos. Mais je dois à ce premier séjour à Delphes, à cette rencontre avec la guerre, de m'avoir délivré à jamais du mirage des pierres. Tel fut, cette année-là, mon premier contact avec la Grèce et son ancienne histoire.

LE MONT ATHOS

Trois voyages dans la Montagne Sainte

« *Nous humanisons Dieu au lieu de déifier l'homme.* »

Nikos Kazantzakis,
Lettre du mont Athos.

I. PRÉLUDE

Il existe maintes voies pour aborder la Grèce et je me suis souvent dit que pour connaître véritablement un pays, il serait tentant de le découvrir selon les itinéraires de sa propre histoire. Ainsi, selon que l'on se sent l'âme égéenne ou indo-européenne, selon qu'on appartient aux peuples de la mer ou à ceux de la terre, on aborderait la Grèce par le sud, c'est-à-dire par la Libye et par la Crète ou par le nord, par l'actuelle trouée de l'Axios. Les voies d'invasion sont toujours restées depuis des millénaires des voies de communication et aujourd'hui encore, les voitures Paris-Athènes de l'Orient-Express suivent en partie l'itinéraire des envahisseurs doriens. Peut-être, par la suite un tourisme plus sélectif essaiera-t-il de retrouver ces voies et proposera-t-il un jour au voyageur de Grèce un itinéraire pélasgique, achéen, dorien ou romain.

A mon premier voyage, j'abordai la Grèce en bateau par le sud du Péloponnèse. Le canal de Corinthe – partiellement détruit par les Allemands – n'était pas encore réparé et les navires venant de Marseille ou de Gênes devaient contourner tout le Péloponnèse. Blaise Cendrars dit quelque part – dans *Bourlinguer*, je crois – que lorsqu'il approchait de Gibraltar, il pouvait découvrir les yeux fermés le moment précis où le bateau abordait la Méditerranée : au moment même où l'air sentait l'ozone (1). Peut-être existe-t-il entre les mers – là où leurs eaux se mêlent – une frontière d'odeurs qui permet de déceler leur rencontre. Peut-être les terres elles-mêmes ont-elles de loin une odeur à elles qui les annonce au large, même au cœur de la nuit. Je me souviens qu'à un moment, vers le soir du troisième jour, alors qu'aucune terre n'était visible à l'horizon, le vent apporta brusquement des senteurs chaudes et parfumées. Quelques heures plus tard, les premiers feux de la côte du Péloponnèse apparaissaient dans la nuit. Et jusqu'à l'entrée du golfe Saronique, ces odeurs ne nous ont plus quittés.

En 1950, je décidai de retourner en Grèce et comme je n'avais pas d'argent, je m'y rendis en auto-stop. Je partis d'Avignon (où le groupe du Théâtre Antique de la Sorbonne venait de jouer *les Choéphores* dans la cour du Palais des Papes) et me postai, un matin de juillet, sur la route d'Aix-en-Provence. Je devais avoir en poche tout juste trois cents francs d'aujourd'hui mais je savais que rien ne pourrait m'empêcher d'arriver jusqu'en Grèce. Un mois plus tard exactement, je débarquai à Corfou d'un caïque grec qui m'avait pris à Brindisi et qui se rendait à Ithaque.

A cette époque, il n'existait aucune relation officielle entre la Grèce et l'Italie (l'état de guerre venant tout juste de cesser entre les deux pays) ni aucune communication par mer. Un seul bateau venait, tous les trois mois, d'Ithaque à Brindisi, un minuscule caïque qui effectuait du cabotage entre les îles ioniennes. Le hasard – mais un hasard qui tenait du miracle – voulut qu'il y aborde le lendemain de mon arrivée. Et c'est ainsi qu'un matin d'août, je partis de Brindisi à destination de Corfou, malgré un vent fort et défavorable qui heureuse-

(1) J'ai écrit ces lignes de mémoire. Mais renseignement pris (c'est-à-dire après une relecture quasi complète de *Bourlinguer* et de quelques autres ouvrages de Cendrars), la référence se trouve dans *L'Homme foudroyé* (chapitre : Le Vieux port) et l'odeur en question n'est nullement celle de l'ozone : « Quand on franchit Gibraltar, écrit Cendrars, cela sent comme chez nous. La Méditerranée sent l'armoire à linge et le placard à confitures. »

ment faiblit un peu au crépuscule. Le capitaine put stopper le moteur, hisser la voile et le voyage se continua ainsi. Le temps était si merveilleux, les promesses de la traversée si intenses que je ne pus fermer l'œil de la nuit. Je la passai à regarder le ciel, à écouter le vent, les grincements du mât. Je devinai, dans le noir, la silhouette du capitaine, debout à la barre, aux braises de sa cigarette que le vent effeuillait dans la nuit. Le rythme lent du bateau, le glissement de l'eau contre la coque, les mille chuchotements de la mer, tous ces bruits réguliers et scandés me remirent en mémoire un poème, écrit à l'âge de quinze ans et intitulé *Pénélope*, qui me parut cette nuit-là étrangement prémonitoire et qui se terminait ainsi :

Et dans le soir brumeux ta voix mande aux
　　　　　　　　　　　　　　[Gémeaux
Si sur l'onde égéenne où brillent leur émaux
Ils n'ont point vu voguer le noir vaisseau d'Ulysse.

Les hauteurs boisées de Corfou surgirent le lendemain vers midi, à peine distinctes tout d'abord (les deux marins de l'équipage me les montraient depuis quelque temps mais au début je ne vis rien qu'un horizon plat et des nuages bas). Puis, soudain, des montagnes vert sombre couvertes de taches claires montèrent des flots. De grandes méduses brunes aux franges orangées ondulaient sous la surface tout autour du bateau. Et l'équipage riait de me voir immobile à la proue du caïque, fixer ce rivage avec intensité car il me donnait le curieux sentiment non de le découvrir pour la première fois mais de revenir en un lieu depuis très longtemps familier.

*
**

Cette année-là, je passai plusieurs mois en Grèce. Je visitai surtout la Crète, les îles et par la suite la Béotie et le mont Athos. Depuis longtemps, mon peu d'argent avait fondu et je vivais au jour le jour, couchant à la belle étoile lorsqu'aucune autre solution ne se présentait, me

nourrissant de pain noir, d'olives, de tomates ou accep-
tant au hasard des villages l'hospitalité que souvent on
m'offrait. Je me souviens surtout qu'en rentrant à Athènes au terme d'un assez long séjour en Crète (1), j'eus
aussitôt envie de repartir. Athènes est une ville qui ne
m'a jamais plu ou tout au moins qui jamais ne me donna
l'envie d'y vivre. L'automne s'annonçait beau et je
décidai de me rendre à Athos avant que l'hiver et les
premières neiges ne rendent le voyage difficile. Je logeais
alors chez un ami grec architecte qui, justement, en
revenait (2). Il me montra des photos et l'une d'elles me
fit une impression inoubliable : elle représentait un
monastère aux murs massifs et hauts, juché sur un piton
rocheux, avec d'innombrables passerelles courant sur le
vide tout au long des murailles. On eût dit une lamaserie
thibétaine, quelque vision surgie d'un Orient fabuleux.
La seule vue de cette photo me donna aussitôt l'envie de
partir à Athos et le lendemain matin – un matin d'octobre avec une lumière douce et infiniment colorée – je me
postai sur la route d'Eleusis.

Refrain des routes, de l'asphalte incertaine parsemée
de trous et de fondrières. Couplet des haltes dans les
tavernes accueillantes, sous un toit de vigne vierge ou de
maïs séché tandis que j'essaie de raconter par gestes
mon voyage au camionneur qui m'a pris à son bord. A
l'avant du camion, vieux modèle au moteur essoufflé,
aux articulations grinçantes, chargé de meubles entassés
l'un sur l'autre comme un défi aux lois de l'équilibre, je
regarde entre Thèbes, Lamia et Larissa défiler les rangées de cyprès, les champs de coton, la croupe terne des
montagnes, le vitrail éblouissant de la mer scintillant

---

(1) Décrit plus loin dans le chapitre *l'Ombre de Digénis*.
(2) Cet ami – Aris Constantinidis – a publié depuis en 1975 à Athènes
un très beau livre intitulé *Eléments d'auto-connaissance* et sous-titré
« Pour une architecture véritable » qui révèle par des photographies de
façades, d'objets, de dessins, de décorations populaires le génie inventif
et architectural du peuple grec.

dans les échancrures de la côte. Des pancartes portent
partout des noms évocateurs : Chéronée, Pharsale, Ther-
mopyles. Cimetières des batailles défuntes gardés par des
lions de marbre ou le portail des rocs. Nos haltes sont
brèves. Un bonjour, un ouzo, un bonsoir. Puis de
nouveau la route, les silhouettes de paysans cueillant les
derniers cotons dans les champs, poussant leurs troupeaux sur l'asphalte. Çà et là, un cheval aux yeux
bandés tourne la roue d'une noria. Vignes. Oliviers. La
terre est sèche et rouge. Les montagnes érodées ruissel-
lent de pierres et de rocs. Champs torrides que le bleu de
la mer toute proche est impuissant à rafraîchir. Plaines
interminables où l'on croit deviner contre l'horizon la
poussière soulevée par les armées d'Alexandre ou de
Pompée, en marche vers l'Attique. Puis, le soir, dans
l'éclat d'un immense soleil rouge, les maisons blanches
de Larissa.

La ville de Larissa n'est guère éloignée des monastères
des Météores. Je n'avais pas pensé m'y rendre mais la
rencontre le soir même d'un photographe qui m'héber-
gea chez lui pour la nuit et me parla des Météores où il
séjournait fréquemment me fit changer d'avis. Je me
réveillai tôt le lendemain et dès l'aube attendis le premier
camion, à la sortie de Larissa. Une heure après, au
moment même où le soleil inondait la vallée, je me
trouvai à Kastraki, au pied des monastères. Ils se dres-
saient, à quelques centaines de mètres du village, falaises
massives aux formes fantastiques, pics érodés par l'action des eaux, creusés de petites gorges entre les parois
abruptes des rochers. Ainsi estompés dans le brouillard
de l'aube, ils évoquaient des draperies de pierre, des
cataractes immobiles, tout un monde qu'une main
géante aurait poli et façonné par jeu ou par ennui. Au
sommet de l'un des pics, on voyait les toits d'un monastère et le long des murailles, l'escalier taillé dans le roc.
Je m'allongeai un instant dans la prairie couverte de
rosée. Des troupeaux de moutons paissaient un peu plus

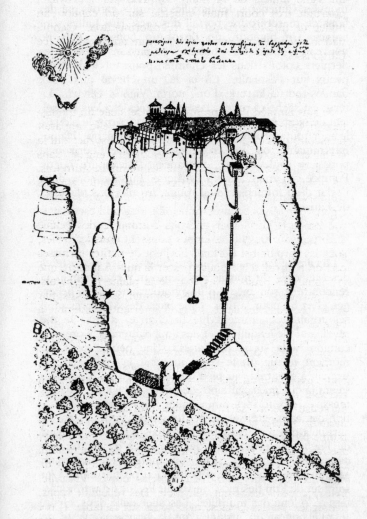

Monastère d'Aghios Varlaam aux Météores.

loin. Un chien vint me flairer. Le berger le siffla et me fit
un signe amical de la main. Harassé par le voyage,
pourtant très court mais effectué sur un camion au
milieu de fûts de mazout, je m'endormis avec, comme
ultime vision, les rayons du soleil levant au pays de la fée
Carabosse.

Je suis au pied de la première falaise, celle du monastère d'Aghios Varlaam. Vue d'en bas, elle apparaît
beaucoup plus raide que je n'imaginais. L'escalier qui la
côtoie est assez large et sans danger. Je m'y engage, sans
toutefois m'amuser à en compter les marches. Autrefois,
on hissait les voyageurs dans des filets remontés par des
treuils. On ne les utilise plus aujourd'hui, si ce n'est pour
les marchandises encombrantes. Le long de l'escalier, le
roc est dur, effrité par endroits comme le dos écaillé
d'un poisson. Des fleurs jaunes poussent dans les failles,
sous les surplombs. Certains abritent de petites terrasses
où l'on pourrait à la rigueur passer la nuit. A mesure que
je monte, les bruits et les voix de la plaine m'apparaissent plus nets et plus clairs. Au sommet, je suis saisi par
le délabrement des lieux. La cour intérieure ressemble à
celle de quelque ferme que ses habitants auraient quittée
en hâte. Les cellules des moines sont vides pour la
plupart. Dans l'une d'elles devenue poulailler, des galli-
nacées s'en donnent à cœur joie. Dans un coin de la
cour, assis face au soleil, j'aperçois un vieux moine. Il
tremble de tous ses membres : froid, fièvre, maladie
nerveuse? Je ne sais. Il semble prêt à s'écrouler au
moindre souffle et regarde devant lui, sans rien voir. Un
moine plus jeune et plus gaillard m'aperçoit, me hèle et
me fait signe de le suivre. Il me conduit dans sa cellule.
C'est le plus ahurissant des taudis. Sur un châssis de
bois, la paille dégouline du matelas crevé. Vaisselle,
livres, icônes s'entassent pêle-mêle. Des reliefs de repas,
dédaignés par les poules, moisissent sur la table. Il me
fait signe de m'asseoir sur le lit et s'affaire pour me
préparer un café. Il porte des caleçons longs dépassant

sous son pantalon et une robe noire, serrée par un solide ceinturon. Il doit dormir tout habillé à en juger par les froissures de ses vêtements. Toute la pièce exhale une odeur rance et aigre que le parfum du café chaud est impuissant à dissiper. Il me parle avec force gestes et je hoche la tête, essayant de comprendre. De quoi veut-il absolument me persuader? De temps à autre, il rassemble ses doigts boudinés, réunis vers le haut comme la corolle de quelque fleur obèse, en répétant : *oraio, oraio* – c'est beau, c'est beau! Une fois le café bu, il m'entraîne vers l'église. Le délabrement s'y répète, plus choquant encore en ce lieu. Apparemment, on ne l'entretient guère. Les saints peints sur les fresques s'effacent sous un enduit grisâtre laissant tout juste deviner leurs silhouettes émaciées. Ils semblent émerger d'une nuit séculaire, de la crasse des siècles où seuls leurs yeux, leur barbe blanche, leur nimbe d'or ont encore un éclat perceptible.

A l'autre monastère, celui des Météorôn, plus vaste et plus riche, l'aspect général n'est guère différent. Seuls l'église et le *xénôn*, la pièce réservée aux étrangers, y sont un peu moins négligés. Mais je me sens brusquement l'envie de m'en aller. Je n'imagine pas de passer une nuit ici au milieu de ces moines hébétés et, une fois de plus, je redescends d'interminables escaliers le long des murailles et des rocs. Au passage, sur la route menant vers Aghios Stéphanos, je grimpe à nouveau vers Aghia Triada, la Sainte Trinité. La cour est déserte. Je pousse la porte d'une pièce spacieuse qui doit être le xénôn. Personne. La porte de l'église est ouverte, elle aussi. Une veilleuse brille devant l'iconostase. Personne. Nul n'habite plus ce monastère, ouvert à tous les vents. Je sors sur la terrasse et regarde le soleil qui gagne l'horizon. D'ici, on saisit mieux tout à l'entour le travail inouï des siècles et des eaux. Rochers arrondis, bosselés, craquelés par endroits de gerçures comme de gros pachydermes broutant les abysses de la terre. Il émane de ce paysage une sorte de douceur tranquille, ce grand calme qui suit les cataclysmes apaisés. De la plaine, j'entends monter le grincement des charrettes sur les

graviers, le tintement des clochettes, l'appel lointain
d'un homme. L'ombre a recouvert toute la vallée, les
maisons du village et cette marche de la nuit sur les
carcasses des montagnes, ce monastère abandonné où,
dans l'église, l'unique veilleuse éclaire un peuple de
fantômes, ont quelque chose d'angoissant. Je quitte le
lieu à la nuit noire, descendant l'escalier à tâtons, me
guidant sur le roc. Au loin, sur une autre crête, brillent
les lumières d'Aghios Stéphanos. C'est là que je passerai
la nuit, après avoir dîné dans une pièce propre et chaude
en compagnie de l'higoumène, gros homme au visage
épanoui, à la barbe soignée, aux yeux rieurs dont la
jovialité chassera vite, cette nuit-là, l'ombre éphémère
des fantômes.

Athos. *Aghion Oros*. La Sainte Montagne. Pendant des
siècles, elle fut le lieu saint de l'Orient orthodoxe, le
mont sacré où la Vierge aurait un tombeau secret, la
presqu'île légendaire, la terre miraculeuse où moines et
ermites vivent encore hors du monde et du temps. Ce
mot d'Athos alors n'évoquait pour moi qu'une image :
celle de ce monastère aérien, suspendu entre ciel et
terre, zébré de passerelles. Je ne savais rien de cette
montagne sainte, de son histoire, de ses légendes. A
l'encontre de Mycènes ou de Delphes, elle était pour moi
un monde vierge, inconnu, un monde que je n'attendais
pas. Et c'est ainsi qu'elle m'apparut, à l'aube de mon
arrivée, dans les notes prises par la suite chaque jour et
dont je citerai le début :

« Dimanche 8 octobre 1950. Je suis arrivé à
Athos à l'aube, après une nuit en mer sur le pont du
caïque qui, deux fois par semaine, assure le service
entre Salonique et Daphni, le port d'Athos. Il s'appelle l'*Aghios Ioannis*. C'est un bateau qui me
paraît bien minuscule et bien chétif pour affronter
une mer qui a, autour d'Athos, mauvaise réputation, surtout en cette saison. Mais comme tous les

caïques en Grèce, son air vétuste est signe de
longévité : puisqu'il est là, c'est qu'il n'a pas encore
coulé ! Sur le quai, une dizaine de personnes attendent son départ, moines, ouvriers, paysannes et
enfants car l'*Aghios Ioannis* dessert aussi les escales
des deux presqu'îles avant Athos. Le capitaine nous
fait signe d'embarquer et je me retrouve coincé
entre un vieux pope chargé de baluchons et une
paysanne à la face rubiconde, entourée d'une montagne de paniers. C'est là qu'il me faudra passer la
nuit, sans trop pouvoir bouger. Le moteur est mis
en marche, un Diesel à deux temps dont j'aperçois
les tubulures raccordées ici et là par des chiffons
graisseux. Il halète péniblement, comme un monstre cacochyme qui aurait à tout instant d'inquiétantes extra-systoles. Par chance, il fonctionnera tout
au long du voyage qui se passera sans incident. Le
caïque s'est arrêté plusieurs fois le long des deux
presqu'îles de Longos et de Cassandra pour y
déposer voyageurs et colis. Et chaque fois ce fut
dans la nuit la même vision étrange, aperçue dans
un demi-sommeil : un homme, pieds nus, sur le
rivage, tenant à la main une lampe à acétylène dont
le vent rabat la flamme en creusant des ombres
folles sur son visage, et des gens absorbés par
l'obscurité. Après la dernière escale, au moment
même où l'aube pointe, le caïque met le cap sur
Daphni. Il ne reste plus à bord qu'un vieux pope,
un moine et un homme au teint hâve, coiffé d'un
immense chapeau, qui ne soufflera mot durant tout
le voyage. La silhouette d'Athos occupe tout l'horizon et je distingue déjà la masse sombre des forêts,
les taches blanches des monastères et les détails de
leurs façades : les longs balcons de bois courant
d'un mur à l'autre, les minuscules fenêtres, les
coupoles charnues. Tout ce versant regarde l'ouest
et le soleil ne l'éclaire pas encore. Mais à droite, la
pointe de la montagne étincelle déjà. Toute cette
région aride et chaotique forme un curieux
contraste avec la masse luxuriante du reste de la

presqu'île. C'est, me dit-on, le domaine des ermites, perdus dans des cabanes ou des grottes qu'on ne distingue pas d'ici. L'impatience me prend de débarquer, de suivre ces sentiers que je devine au flanc du mont. Le bateau a stoppé son moteur, il erre au ralenti en traçant sur la mer deux rides rectilignes et bleutées. Sur le môle, j'aperçois des mulets, des gens debout qui nous appellent. Le caïque accoste doucement. Un homme me tend la main pour grimper sur le quai, un homme avec un sourire chaleureux. »

II. MOINES ET MONASTÈRES (1)

Un voyage à Athos, c'est d'abord un voyage dans le temps. Malgé sa luxuriance, le paysage n'a rien qui le distingue essentiellement du reste de la Grèce. On y trouve toutes les essences végétales des rivages méditerranéens, du maquis et de la montagne : conifères, chênes, hêtres, châtaigniers, érables, oliviers, cyprès, platanes, eucalyptus, orangers, jujubiers, mimosas que le voisinage de la mer et de la montagne a miraculeusement réunies, ramassées en une grande réserve naturelle. Le temps, lui, a une substance différente. Athos est une survivance, une parcelle de Byzance enclose en notre époque. Et le monde des vivants y reproduit avec tant de rigueur celui des morts et des ancêtres que les moines donnent parfois l'impression d'être des icônes animées, des silhouettes d'autrefois égarées dans notre présent. Oui, c'est bien une sorte de miroir invisible qu'on franchit en traversant le golfe de Longos au bout duquel tremblent ce mont et ce monde des ombres. Cette fixité, cette pérennité du temps d'Athos n'est pas une impression romantique ou forcée. La vie quotidienne a beau y être souvent relâchée, l'esprit religieux livré à la décadence, le temps lui-même paraît intact comme si Athos était un de ces lieux secrets, une de ces montagnes magiques où le temps se fige et s'englue. Un monde proche de celui que René Daumal décrit dans *Le mont analogue* et qui serait celui d'un temps, d'un espace incurvés, soumis à d'autres lois, porteur d'autres

coutumes. C'est moins l'étrange, le pittoresque ou l'insolite qui surprennent ici que l'existence, au sein d'un pays
comme la Grèce, de cet îlot intemporel où nombre de
valeurs sont inversées. Et c'est cela d'abord qui vous
saisit dès les premiers instants : cet air autre, cette odeur
du temps, comme si la durée athonite avait une épaisseur, un écoulement qui lui soient propres.

*
**

« J'écris du premier monastère où j'ai passé la
nuit, au nom de mousse et d'eau : Coutloumoussiou. Les monastères d'Athos ont tous des noms
évocateurs : l'Enfant au Framboisier (Vatopédi),
le Fleuve Sec (Xéropotamos), le Resserré (Esphigménos), le monastère du Peintre (Zographos), le
monastère des Mille (Chilandari), le monastère des
Ibères (Iviron). D'autres tiennent leur nom de ceux
à qui ils sont consacrés : le Tout-Puissant (Pantocrator), Saint-Paul (Aghios Pavlos), Simon Pierre
(Simon Pétra), La Croix Victorieuse (Stavronikita). »

Je me souviens très bien de cette toute première
impression quand je déchiffrais sur la carte, au soir de
mon arrivée, les noms des monastères et des lieux que
j'allais visiter : le sentiment d'avoir à explorer un pays
clos, tout en montagnes et en forêts et où seraient
nichées, comme des châteaux de fées, les demeures du
rêve, de la méditation ou de l'extase. Ainsi de Coutloumoussiou – qui tient son nom d'un prince turc converti à
l'orthodoxie – et qui se trouve à proximité du village de
Karyès, la capitale de l'Athos. C'est un village entièrement peuplé de moines avec des maisons aux tuiles
ocres, des balcons de bois où sèchent des tomates, des
magasins où brillent, dès la tombée du jour, de grosses
lampes à acétylène. Toutes ces boutiques sont tenues par
des moines qui y vendent de multiples denrées : conser-
ves, pâtes, pétrole et le produit du travail des ermites :

paniers tressés, chapelets de coquillages, combologues de noix de jujubier, icônes fraîchement peintes et du plus mauvais goût. Les seuls laïques du village sont les employés de la poste et le médecin qui dirige un petit hôpital. Juste à côté se dresse le bâtiment du conseil de la Sainte Communauté qui délivre à chaque visiteur le laissez-passer ou *diamonitirion* sans lequel on ne peut circuler à Athos.

Dès qu'il apparaît de loin au milieu des arbres, Coutloumoussiou évoque plus une ferme fortifiée qu'un monastère. Beaucoup d'entre eux donnent cette impression à Athos avec leurs murs hauts et massifs, percés d'étroites fenêtres, les balcons surplombant le vide comme autant d'échauguettes, les lourdes portes qui se ferment à la tombée du jour. Cette impression s'accentue quand on pénètre dans la cour intérieure : les galeries à arcades, les cellules, les magasins, les réserves enserrent un monde clos, replié sur lui-même. Çà et là, sur les toits de lauzes plates et grises – sorte de schiste dont le mica brille et aveugle sous le soleil – émergent des cheminées, des croix haubannées, les bulbes des chapelles. Le *katholikon* – église principale – est au centre, entouré d'ossuaires ou de phiales, destinées aux ablutions et aux baptêmes. Murs et coupoles sont peints en rouge sombre – le sang du Christ. D'autres sont peints en bleu – couleur de l'azur du ciel ou des ailes des Chérubins.

Chaque monastère possède son *xenôn*, aile réservée aux visiteurs laïques et étrangers. On y dort, selon les cas, dans une cellule individuelle ou dans un dortoir. Ma chambre est située au premier étage et donne sur la cour. L'*archontaris* – le père hôtelier –, vieillard au visage bouffi mais dont les yeux pétillent d'une malice millénaire, m'y mène en ahanant ! Il parle avec volubilité, sans paraître se soucier de savoir si je le comprends. Je regarde par la fenêtre. La cour est déserte. Juste au-dessus, j'entends sur le toit roucouler des pigeons. La nuit va bientôt tomber et la cour est couverte d'ombre.

Juste après le repas du soir, pris avec l'archontaris

dans la cuisine du xenôn (1), je me suis promené dans
les couloirs du monastère. Ils sont interminables et
pratiquement déserts. Des veilleuses éclairent par
endroits les galeries. Le vent fait trembler leur flamme.
J'ai l'impression de parcourir les coursives d'un grand
navire abandonné par l'équipage. Où sont les moines ? Il
y en avait deux cents autrefois, dans ce seul monastère.
Ils sont une vingtaine aujourd'hui. Cet abandon donne à
ces lieux l'aspect et l'atmosphère de grandes demeures
provinciales où l'aïeul survivant aurait cherché refuge
dans une unique pièce. Les seules présences vivantes
rencontrées ce soir-là furent celles des chats. Ils sont
légion ici. Mais ils ne ressemblent guère à ceux qu'on
voit en France. Ils sont plus fins, plus sauvages aussi. Ils
ont un museau gracile et des yeux en amande. Noirs, on
les croirait de bronze ou de jais comme ces chats
égyptiens, compagnons de la déesse Bastet, habitants des
ténèbres et instruits des secrets de la nuit. Le contraire,
pour tout dire, de ces boules avachies, somnolentes
et gavées de pâtées qu'on dorlote dans les appartements de l'Occident, images de nous-mêmes. A Athos,
les chats sont libres et fiers. Ils sont partout chez eux,
dans les cuisines, dans les églises. Et ils seront sans
doute les derniers survivants de la Sainte Montagne
quand l'ultime moine aura rendu l'âme en l'ultime
cellule.

La règle veut que tout candidat à la vie monastique
laisse pousser librement sa barbe et ses cheveux dès
l'instant où il met le pied à Athos. Ainsi tous ici portent
les cheveux longs et une barbe fournie. Les cheveux sont
ramenés en chignon sur la nuque sauf chez les jeunes,
lorsqu'ils sont encore courts. Comme la plupart de ces
novices n'ont pas beaucoup de barbe, ces cheveux qui

(1) Tous les mots grecs de ce livre seront mentionnés dans leur forme
nominative, sans tenir compte de leur déclinaison, pour plus de clarté et
de simplicité.

leur tombent sur les épaules leur donnent un air efféminé, ou, plus souvent encore, asexué comme les anges des peintures florentines. Leur voix qui mue ajoute à l'asexualité des traits : entre deux âges, entre deux mondes, ils sont aussi entre deux sexes. Chez les adultes, les cheveux peuvent atteindre une longueur insoupçonnée. Il m'est arrivé d'en voir se peigner : chez beaucoup, les cheveux tombaient jusqu'à leurs pieds. Et quand ils sont âgés, cette chevelure immense et blanche confère aux moines un air presque édenique. Au monastère de Saint-Pantéleimon, je me souviens d'avoir surpris trois vieux Russes entièrement nus prenant un bain de soleil sur une terrasse retirée. Ils s'enfuirent à mon arrivée mais j'eus le temps d'entrevoir trois corps roses et dodus avec une barbe et des cheveux tombant jusqu'aux genoux courant dans la liberté et l'innocence du soleil.

Cette coutume n'est pas propre au mont Athos puisque tous les popes en Grèce portent eux aussi les cheveux longs, ramassés en chignon. Mais ici, on en connaît bien l'origine : elle découle d'une chrysobulle de l'empereur Constantin Monomaque, datant du XIe siècle et qui est toujours en vigueur. Elle interdit l'accès de la Montagne Sainte « à tout animal femelle, toute femme, tout eunuque et tout visage lisse (1) ». Le poil, la barbe sont signes de masculinité et seul un homme pleinement viril peut se faire moine, s'engager à la chasteté. Mais la règle – qui n'exige que les preuves visibles de la virilité – n'implique pas d'avoir les cheveux longs. Cette dernière coutume provient sans doute des anciennes traditions du désert où le refus du monde, l'ascèse des anachorètes s'accompagnaient d'un abandon presque total des soucis et des soins du corps. Laisser pousser ses cheveux et sa

---

(1) A propos de ce *typikon* ou édit religieux, un lecteur très averti des choses de l'Athos me précise que les termes exacts sont : « *Il est interdit de recevoir et de tonsurer des eunuques et des imberbes. Il est interdit de les garder dans les monastères ou les cellules. Ils doivent être chassés de la Sainte Montagne.* » Cette règle n'est plus en usage aujourd'hui, du moins pour les enfants imberbes, car j'en ai vu plusieurs lors de mes séjours.

barbe était une des façons de marquer la rupture des hommes du désert avec le monde profane. Très vite, par l'exemplarité de leur vie, ce qui ne fut à l'origine que le trait d'une époque et d'une communauté précises devint règle pour le monachisme chrétien.

C'est à Coutloumoussiou justement que ces réflexions me vinrent à l'esprit après ma première rencontre avec Panaghiotis, un novice de dix-huit ans. Il vint me voir un matin avec une bouteille de raki, cet alcool de raisin ou d'arbouse qu'on fabrique à profusion au mont Athos. Il n'était dans ce monastère que depuis un an et demi et n'avait pas encore l'apparence d'un vrai moine. Une barbe indécise cernait ses joues, ses cheveux couvraient son front de touffes et d'épis rebelles. Bien sûr, dans son enthousiasme pour la vie monastique, il était impatient de ressembler à ses aînés, de devenir un jour un *géron-tas*, un respectable et respecté vieillard. Sa jeunesse, bizarrement, semblait l'embarrasser comme un obstacle sur la voie du salut. Mais il portait encore sur son visage, par tous ses gestes, les marques du monde profane, le parler, les habitudes de son village. Il était originaire de Samothrace, une île pas très éloignée de l'Athos, et il me montra une photo de ses années d'antan. Comme tous les enfants pauvres en Grèce, il avait alors le crâne entièrement rasé. Il était photographié dans un champ, assis sur une aire à battre, avec toute sa famille, pendant la moisson. A ses côtés, ses frères et sœurs. Derrière, debout, ses parents et les voisins fixant l'appareil, droit devant eux, avec cet air grave et guindé des paysans pour qui chaque photo est encore un événement. Panaghiotis la regarda, la retourna puis écrivit au dos : *Pour mon ami Iakobos, en souvenir de son frère Panaghiotis.* En me la tendant, il ajouta : « Range-la vite et surtout ne dis pas que je te l'ai donnée. »

Regardant aujourd'hui cette photo, je me dis : quelle différence entre ce visage tendu, dévoré par le désir d'ascèse et celui de l'archontaris, ce Silène bouffi qui passe son temps à boire du raki en cachette et à marmonner seul dans sa cuisine, comme s'il voulait convertir les courges et les tomates! Ni l'âge ni la durée

ne sont ici en cause mais le mode de vie athonite qui
très vite transforme chaque novice en un futur
vieillard comme si, en ce monde de squelettes morts
ou vivants, la chair elle-même était de trop sur les
visages.

♣♦

Les monastères d'Athos, au nombre de vingt, se
répartissent tout au long de l'immense presqu'île, longue
d'une cinquantaine de kilomètres, de chaque côté d'une
ligne imaginaire qui joindrait Tripiti, au nord de la
montagne, aux falaises du sud. Ils s'échelonnent le long
de chaque versant, à plus ou moins grande distance de la
mer, les uns regardant l'est, les autres l'ouest. A ces
monastères, il faut ajouter les skites, à l'origine *askitika*
– lieux d'ascèse – bâtiments de moindre importance,
disséminés ici et là autour des principaux couvents, dont
elles ne sont, au fond, que l'annexe sylvestre. A quoi,
aussi, il faut ajouter les nombreuses *kalyvia* ou cabanes
où vivent quelques moines (de deux à six en général) et
les *kellia* ou cellules des ermites, réparties dans tout le
sud de la montagne.

Tout cela représente, sur l'étendue d'Athos, des dizaines et des dizaines de bâtiments reliés entre eux par des
sentiers serpentant au bord de la mer ou quadrillant
l'intérieur des terres. Toute la Montagne Sainte est ainsi
parcourue par un réseau de sentes enchevêtrées où il est
très facile de se perdre. Ce sont en général des chemins
de pierre plus ou moins bien entretenus ou de simples
sentiers à travers la forêt. Aucun panneau, aucune
inscription ne précise leur direction. Il faut avancer sans
cesse avec une carte en cherchant les chemins les plus
usuels et les plus sûrs, reconnaissables au crottin frais
des mulets.

Le plus usuel et le plus sûr de ces chemins est celui qui
relie Karyès au monastère de Vatopédi, l'un des plus
importants d'Athos. On y croise à tout moment des
convois de mulets et des popes ventrus à califourchon

KAMMENA : Skites

Chilandari : Monastères idiorythmiques

ZOGRAFOS : Monastères cénobitiques

Les Portes : Principaux ermitages

CHROMITSA
KAMMENA
ESPHIGMENOS
Chilandari
ZOGRAFOS
Vatopédi
CONSTAMONITE
Dochiarios
XENOPHON
KARYES
Pantocrator
Stavronikita
COUTLOUMOUSSIOU
ROUSSIKON
Xéropotamos
Iviron
DAPHNI
Philothéos
CARACALLA
SIMON PETRA
GREGORIOS
DIONYSIOS
AGHIOS PAULOS
SOMMET D'ATHOS
1953 mètres
Lavra
Aghios
Nectarios
AGHIA ANNA
Kérasia
PRODROMOS
Les Portes
Gabriel
Katounakia
Karoulia
CAPSO-KALYVIA
AGHIOS
BASILIOS

0   5   10 KM

sur des ânes (1). Rencontres qui sont souvent l'occasion
d'une halte, d'une brève conversation. Les sources sont
fréquentes tout au long du chemin et constituent des
lieux de rendez-vous. Parfois un oratoire – avec son
icône de la Vierge, une veilleuse, un bouquet de fleurs
fraîches ou fanées – se dresse à côté de la source,
comme les antiques statues d'Hermès établies aux points
cruciaux des chemins grecs. Mais tous ne sont pas aussi
nets. La plupart du temps, des bifurcations surgissent
sans cesse ici et là, menant à quelque coupe dans la
forêt, à un ermitage abandonné et l'instinct seul dicte le
choix du voyageur. L'instinct et, peu à peu, cette
connaissance qu'on acquiert à force de marcher et de
s'être égaré et qui fait pressentir le chemin qu'il faut
prendre à l'usure de ses pierres, la froissure de ses
herbes, à mille détails révélateurs et, au début, indiscernables.

*
**

Vatopédi : une ville plus qu'un monastère. J'y suis
arrivé par un matin ensoleillé. Une fontaine bruissait
près du porche d'entrée. Le moine portier, étendu sur
un banc de pierre, me regarda venir sans même bouger.
Je lui tendis le diamonitirion qu'il prit d'un air blasé. Il
se leva comme à regret, quittant la fraîcheur du porche
pour traverser la cour torride. Je le suivis jusqu'à une
chambre, propre et vaste, qui donnait sur la mer.

Dans la cour, les ruelles pavées tracent entre les
bâtisses de minuscules labyrinthes, tout un réseau de
courettes, de passages entre les masses rouges, bleues et
ocre des bâtiments. C'est cela qui vous frappe dès
l'abord : cette abondance, cette luxuriance des couleurs.
Il y a le rouge des églises, le bleu des cellules, l'ocre des
façades. Ce sont là les trois couleurs symboliques
d'Athos : le sang, le ciel, la terre. Par endroits, des
surfaces fraîchement passées à la chaux ajoutent leur

---

(1) Ce chemin a été remplacé aujourd'hui par une route asphaltée
reliant le port à Karyès, où circule un autobus.

miroitement blanc, comme une mer étale. Certaines laissent apparaître, entre les couches de crépi, les stries rouges des briques montées sur chant. D'autres murs sont nus, faits de ce schiste micacé qu'on rencontre partout ici. Ainsi traverse-t-on une ville bariolée où la multitude des coupoles, des croix, des haubans, des toits de pierre étincelants évoque ces villes fantastiques dessinées par Gustave Doré. Mais pour peu que l'on s'enfonce au cœur de certains quartiers, on surprend derrière ce faste la vétusté et le délabrement des lieux. Presque partout, l'enduit s'écaille. Ailleurs, des poutres s'affaissent, les galeries extérieures ploient sous le poids d'invisibles colosses. Luxuriance et délabrement, faste et misère, voilà ce qu'on surprend dès le premier regard.

Dans le xenôn par contre le luxe éclate, un luxe excessif et désuet. Fauteuils recouverts de tissus à fleurs, canapés, bibelots, petites tables ouvragées. Aux murs, des portraits de la famille royale, du patriarche de Constantinople. Où suis-je? Dans l'antichambre d'un sérail, le salon Louis-Philippe d'un gouverneur de province? Une odeur de cire et de poussière flotte dans la pénombre. Les rideaux sont tirés en raison du soleil. Une guêpe s'affole entre leurs plis.

Salon baroque, salon pompeux qui, pour moi, en évoque un autre, dans un des monastères de la côte est, oublié le plus souvent des visiteurs : Stavronikita. Depuis quand, lorsque j'y pénétrai, ce salon était-il resté dans la nuit? L'archontaris s'escrima longtemps sur la serrure rebelle. Quand enfin la porte s'ouvrit, je découvris un antre de fantômes. Les meubles étaient couverts de housses blanches mais la poussière avait tout envahi : les éternelles photos de la famille royale, les bibelots, le service en verre posé sur un guéridon. Aux murs s'étiolaient des tentures délavées. Une odeur de renfermé, âcre et intense, vous prenait à la gorge. Et tout en s'efforçant de tirer les rideaux, le moine centenaire, squelette noir à barbe blanche, murmurait : « Vieux, nous sommes trop vieux. Plus personne ne vient ici. Il n'y a plus de jeunes... Excusez-nous. Nous sommes vieux, trop vieux... » Un autre moine arriva avec une

bouteille de raki, des loukoums et des verres. Tous trois
nous bûmes en silence. Les deux squelettes me regardaient fixement sans dire mot et je lus dans leurs yeux
l'intense nostalgie de la jeunesse (1).

Dire monastère, c'est dire existence communautaire.
Mais cela n'est pas entièrement vrai au mont Athos. La
Montagne Sainte a suscité un genre de vie particulier, ce
qu'on appelle ici l'*idiorythmie*. Les monastères athoni-
ques appartiennent en effet à deux types différents. Ceux
qu'on appelle cénobitiques, autrement dit communautai-
res où tout : repas, liturgies et travaux s'effectue en
communauté. Et ceux qu'on nomme ici idiorythmiques,
où chacun vit, littéralement parlant, selon son propre
rythme. Les moines y ont des cellules particulières,
prennent leurs repas chez eux (à l'exception de certaines
fêtes annuelles) et peuvent conserver les biens qu'ils
possédaient au moment de leurs vœux. Ces biens ne
reviendront au monastère qu'après leur mort. En contre-
partie, le moine doit assurer sa propre nourriture. La
collectivité ne lui fournit que les denrées essentielles : le
pain, le vin (deux cents litres par an), l'huile et l'alcool
(vingt litres par an.) Le reste, le moine se le procure par
son travail personnel (chapelets, vanneries, icônes ou
entretien du monastère) et en cultivant son propre
potager. Même les liturgies, en ces étranges communautés, restent facultatives, à l'exception de l'office de nuit.
Ceci explique qu'on voit souvent fort peu de moines
dans l'église pendant les offices de jour. On ne peut aussi
qu'être frappé par les différences régnant entre les
moines : certains habitent de véritables appartements
avec chapelle privée, d'autres de modestes cellules.

Cet état de choses surprend au premier abord
puisqu'il perpétue au cœur de la vie monastique les

(1) Depuis l'année – 1950 – de cette rencontre, un certain nombre de
jeunes moines et d'étudiants en théologie se sont installés à Stavronikita
et ont redonné vie au monastère.

inégalités du monde profane. Cette règle, apparue dès le XIVᵉ siècle, a d'ailleurs été violemment combattue par les partisans de la vie cénobitique. Mais elle a subsisté en dépit de tout et, maintenant encore, elle est suivie par neuf des vingt monastères athonites. En fait, je crois qu'elle représente une voie originale pour créer des communautés plus ouvertes que celles des monastères cénobitiques, atténuer certains effets sclérosants de la vie collective intégrale. On pourrait presque y voir une sorte de prolongement des écoles philosophiques de l'ancienne Grèce où la cohérence du groupe reposait davantage sur l'adhésion personnelle des disciples, le rayonnement particulier d'un maître que sur des règles extérieures et impératives. L'idiorythmie est comme la résurgence, au sein du monde grec orthodoxe, d'un esprit qu'on peut appeler païen. Mais cette voie présente aussi nombre d'inconvénients. Elle favorise l'inertie, la paresse du moine. La collectivité se réduit à un simple cadre, accueillant mais fragile, dont la survie exige plus d'effort et de discipline individuelle que dans les coenobia dont les règles sévères forment un rempart contre l'action corrosive du temps. C'est pourquoi la plupart des monastères idiorythmiques portent plus que les autres les signes de l'agonie.

Ici, le temps ne se mesure pas comme ailleurs. Il y a des horloges à Athos mais elles marquent rarement la même heure. Sur cette montagne, le mot minuit n'existe pas. Cet instant arbitraire des ténèbres, imperceptible à tout autre instrument qu'une horloge, n'a pas de place ici puisque seul le soleil est le maître du temps. La plupart des monastères ont conservé le comput byzantin où minuit – ou 0 heure – correspond au coucher du soleil. Mais il est un comput plus ancien, d'origine hébraïque et qu'on appelle ici, j'ignore pourquoi, chaldéen, en usage dans le monastère d'Iviron, situé sur la côte est : 0 heure au lever du soleil. Enfin, comme pour compliquer les choses, le monastère de Vatopédi a adopté le système légal en usage dans le reste du monde. Ainsi, il peut être en même temps 0 heure à Iviron, 6 heures à Vatopédi, midi dans tous les autres monastères, en cette saison de l'année où les jours et les nuits s'équivalent. Mais on apprend vite à Athos à ne pas se soucier des horloges. Le temps ici ne sert qu'à indiquer le début et la fin de chaque liturgie. Le soleil seul décide de toute chose, sans se soucier des méridiens puisqu'Athos, pour les moines, est le centre du monde. Le seul méridien qui compte, c'est cette échine qui divise la montagne en deux versants regardant l'est et l'ouest et où, d'Iviron à Saint-Pantéléimon, le temps se mesure à l'envers, cette échine qui partage le flux des heures comme d'autres l'écoulement des eaux.

Presque toutes les liturgies ont lieu la nuit. Nuit qui n'est pas seulement recueillement, silence, enfouissement dans l'ombre mais protection, muraille et densité du temps. Chaque nom de liturgie invoque ou rappelle l'axe nocturne des offices : l'*hespérinon*, le crépusculaire – les vêpres; l'*apodipnon*, l'après-dîner – les complies; le *nyktérinos*, le nocturne, qui est la principale liturgie; l'*agrypnion*, le sans-sommeil, la vigile. Seul, l'*orthros*, qui signifie aurore, et se célèbre à l'aube comme les laudes, est un rappel du jour. Oui, la nuit comme les eaux de la mer possède ici des épaisseurs multiples, des densités dont nous avons oublié l'existence, des résonances, des assonances que seul nous restitue le vieux français quand il nomme *Leçons de Ténèbres* les offices du Vendredi Saint.

Je ne suis resté que deux jours à Vatopédi. Ce monastère modernisé (le seul d'Athos à posséder l'électricité, fournie par un moteur Diesel) a quelque chose de fade, d'ennuyeux. J'aurais pu y prolonger mon séjour pour étudier en détail les manuscrits de la bibliothèque. Les monastères d'Athos possèdent des myriades de manuscrits anciens, païens et chrétiens, dont l'inventaire n'a été achevé que récemment. Certains d'entre eux portent même des miniatures de premier ordre sur lesquelles les moines veillent jalousement. Car au siècle dernier les visiteurs ne se gênaient guère pour arracher ces miniatures ou les découper au rasoir. Aussi, depuis ce temps, ne laisse-t-on plus les étrangers fouiller seuls dans les bibliothèques.

Je n'ai jamais eu de culte excessif pour les manuscrits ni pour la calligraphie. En regardant certains d'entre eux à Vatopédi, sous l'œil tenace et soupçonneux d'un moine, en touchant ces parchemins ridés comme la peau d'un vieillard momifié, je me sentais partagé entre l'admiration et l'agacement. Cette minutie dans le détail, cette écriture muée en dessin, cette patience méticuleuse et souvent tatillonne dénotent peut-être un certain amour du contenu mais plus encore le culte de l'écriture en tant que telle. C'est une fascination dangereuse que cette vénération du Livre pour le Livre. Chose étrange, elle fut surtout le fait de religions à caractère radical, comme le manichéisme et l'islamisme. On y devine le souci de préserver à tout prix la parole première sous une forme *ne varietur*, afin d'éliminer les variantes et les hérésies. Mais cela entraîne inévitablement, dans la matérialité de l'écrit, une dévotion à l'égard de la forme qui explique l'importance des scribes dans ces deux religions. A Vatopédi, devant cet entassement d'Evangiles, de Psautiers, de Synaxaires, de Ménologes, de Martyrologes, je me pris à rêver d'une religion dont le message serait : *oubliez tous les livres!* La vue de ces milliers de textes, dépositaires d'une parole qui fut si libératrice en son temps pour n'être plus aujourd'hui qu'un verbe historié, me donnait le vertige. Un vertige que la lumière éblouissante du dehors, après la pénombre des lieux, mit fort longtemps à dissiper.

*
**

Assis sur une petite colline dominant la mer, ombrée de pins et de chênes-verts, je regarde à mes pieds le monastère d'Esphigménos. C'est un monastère cénobitique, occupé par une vingtaine de moines et situé dans le nord d'Athos, à deux heures de marche de Vatopédi. Ferme-forteresse, château fort prêt à tous les assauts, les mêmes mots reviennent pour décrire ces bâtiments isolés au milieu des bois ou dressés au flanc des montagnes. Je distingue les potagers, juste au pied des murailles. Trois moines s'y activent. Le vent porte jusqu'ici le bruit sec de leur pioche heurtant les pierres. Carrés de choux, de betteraves et plus loin treilles chargées de grappes. Un mur de pierres sèches isole les potagers des collines environnantes, parsemées d'oliviers, de térébinthes, de buissons odorants. Plus à gauche, juste au bord de la mer, l'*arsanas*. C'est le nom qu'on donne à Athos aux bâtisses du rivage, au « port » de chaque monastère. Elles servent d'entrepôt et aussi de lieu d'hébergement pour les visiteurs arrivant après la tombée de la nuit. Car tous les monastères ferment leurs portes au crépuscule. C'est là une très vieille tradition du désert dont la raison donnée aujourd'hui encore est d'empêcher l'intrusion nocturne des démons. Dès le soleil couché, ils sortent en foule des zones où la lumière les a tenus tapis durant le jour et rôdent autour des monastères pour y tenter les moines. Cette croyance est si vive chez certains d'entre eux qu'en arrivant un soir à la skite de Sainte-Anne, j'eus le plus grand mal à obtenir la cellule que je désirais. A chaque demande, l'archontaris me répondait : « Vous serez beaucoup mieux dans l'autre bâtiment, celui qui donne sur la mer. » Je finis par lui faire avouer que le premier était hanté par les démons. Des moines venus de Grèce y avaient récemment passé une nuit épouvantable, blottis sous leurs couvertures tandis que l'air retentissait de ricanements, de grincements, de cris affreux. Ainsi, m'explique-t-il, les démons rôdent ici partout, parce qu'Athos est une montagne sainte et ils sont si nombreux que si Dieu, dans son omniscience, ne les avait pas créés invisibles, ils obscurciraient en plein jour la lumière du soleil !

Chaque soir, on ferme donc soigneusement toutes les ouvertures des monastères. Bizarrement, il semblerait que ces créatures subtiles, rusées et immatérielles ne puissent franchir les portes des couvents. Ce ne sont d'ailleurs ni les murs ni les vitres qui les en empêchent mais plus vraisemblablement l'icône « de garde » à chaque entrée. On peut la remarquer sous un petit auvent, protégée par un cadre en verre. C'est elle la gardienne des lieux, la protectrice des moines, l'ennemie et la terreur des démons. Si donc un voyageur se présente après le coucher du soleil devant un monastère, il y trouvera porte close. Il n'aura alors d'autre ressource que de dormir dans l'arsanas, petite bâtisse prévue à cet effet, près du porche d'entrée, « mirador » juché en pleine terre ennemie, poste avancé de la lutte contre les forces de la nuit. Je n'eus à y dormir que deux fois, durant mes trois séjours. Paisiblement d'ailleurs car les démons n'y vinrent pas.

L'historien russe Vassili Varsky publia à Saint-Pétersbourg en 1887 la relation détaillée de ses voyages au Proche-Orient. Il accompagna ses récits de dessins tout à fait remarquables, concernant notamment les monastères des Météores et du Mont Athos. De tous ceux que j'ai vus pendant des années, ils sont les seuls à restituer – par leur naïveté et finalement leur maladresse – l'atmosphère si singulière de ces lieux. Sur le dessin représentant le monastère d'Esphigménos, on voit un moine s'activer dans le potager, un autre contempler la mer, debout sur le rivage, deux autres dans une barque s'attaquer à un énorme poulpe. A droite du potager, sur la rive d'un petit ruisseau, l'auteur a dessiné un rond avec le mot *alôni*, aire à battre le grain. On devine, à travers ce témoignage familier, la permanence d'un monde pastoral et autarcique où les moines tirent de la terre et de la mer l'essentiel de leur subsistance. Mode

de vie qui n'a guère changé. Aujourd'hui encore, les
monastères vivent en grande partie sur leurs propres
ressources : pêche, cultures maraîchère et fruitière. Les
oliviers fournissent l'huile, les vignes le vin, les sources
de l'eau. Seules les céréales n'y sont plus cultivées, à la
suite d'un *typikon*, d'un édit du XVIᵉ siècle toujours en
usage. La farine est achetée à l'extérieur ainsi que les
pâtes, le pétrole nécessaire aux lampes, le cuir, les
vêtements et les différents matériaux d'entretien, à l'exception du bois fourni par la forêt. Mais les moines font
leur vin, leur alcool et leur pain eux-mêmes. Par contre,
sont interdits tous les produits issus des animaux femelles : lait, beurre, fromage et œufs. La nourriture athonite
est donc tributaire des saisons mais comme les bras
jeunes et valides manquent de plus en plus, on recourt
surtout aux féculents pour se nourrir. En dehors du
printemps et de l'été, on risque fort de n'avoir à manger
que des pommes de terre, des pâtes, des haricots et des
lentilles. Il est vrai que l'imagination de l'archontaris
pallie souvent ces insuffisances. Celui d'Esphigménos en
manquait totalement. Apparemment, il détestait faire la
cuisine et avait mis au point un système des plus
rationnels pour s'épargner toute fatigue inutile. Il faisait,
une fois par semaine, une énorme *phasolada*, soupe de
haricots secs à l'huile d'olive et aux tomates, et en
emplissait d'avance un certain nombre d'assiettes pour
les éventuels visiteurs. Si l'on avait la chance d'arriver
un jour de cuisine, on mangeait le plat chaud. Sinon, il
fallait absorber une soupe refroidie depuis des jours, que
l'huile figée recouvrait d'une peau épaisse, ridée et
toujours saupoudrée de poussière et d'insectes.

** PAIN

C'est à Athos que j'ai découvert le pain grec. Jamais
jusqu'alors je n'avais réfléchi au pain que je mangeais.
En France, le pain est devenu une denrée si banale, si
industrialisée, qu'étant enfant, je m'étonnais toujours
quand certains jours mes parents trouvaient le pain
mauvais. Le pain, pensais-je, se fabrique comme des

allumettes : comment pouvait-on ne pas le réussir ? A Athos, les moines font leur pain, une fois par semaine, dans des fours chauffés au feu de bois. C'est un pain complet, presque noir et peu levé. Les moines le moulent en blocs quadrangulaires qui sont entreposés pour la semaine. Il ne se garde pas frais très longtemps et arrive vite – surtout dans les skites et les kalyvia éloignés où on le prend une fois par mois – à avoir la dureté du bois. On le met alors à tremper dans l'eau, quelques heures avant les repas. Ce mouillage lui donne un goût d'humus qui n'a rien de désagréable. Il m'est arrivé très souvent, dans les skites et ermitages retirés, de n'avoir que du pain trempé dans le vin ou l'huile d'olive pour toute nourriture. Et je conserve encore dans la bouche ce goût d'humus et de paille, de réglisse et de terreau humide, le goût du pain d'Athos.

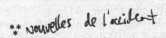

** nouvelles de l'occident

Les monastères d'Athos ne sont pas seulement isolés entre eux par l'épaisseur des forêts ou la distance des chemins. Beaucoup le sont plus encore du monde extérieur, de l'histoire présente, de l'évolution même de notre vie. C'est surtout le cas des monastères non grecs, comme les monastères russe, serbe, bulgare et roumain. Les moines qui s'y trouvent sont tous venus ici avant la dernière guerre, certains même avant la Révolution de 1917 et ils n'ont plus sur leur propre pays que des notions désuètes ou follement manichéennes.

Je pense surtout, en écrivant ces lignes, au monastère serbe de Chilandari, situé à une heure de marche au nord d'Esphigménos. La forêt l'entoure de toutes parts et l'on se rend compte ici du travail médiéval de ces moines, contraints de défricher sans cesse la nature pour gagner ou regagner quelques arpents sur les arbres. Après la dernière guerre, ils se sont trouvés entièrement coupés de leur pays d'origine et le recrutement s'est totalement interrompu. Les nouvelles de l'extérieur ne circulaient que de bouche à oreille, comme autant de rumeurs incertaines qui enfièvraient les imaginations. A l'époque de mon passage, l'une d'elles, colportée par un visiteur serbe, avait jeté l'émoi dans tout le lieu : Tito allait, disait-on, envoyer une centaine de jeunes novices pour « noyauter » le monastère ! Bien entendu, rien ne se produisit mais je me rendis compte combien ces monastères slaves vivaient en dehors des réalités du présent. Ni journaux ni radios : de leur pays, de leur famille, les moines ne savaient que ce qu'en disaient les rares Yougoslaves qui séjournaient chez eux. Encore s'agissait-il presque toujours de ragots, de « on dit » cheminant par routes et sentiers, en provenance de tous les milieux d'émigrés. Moi-même d'ailleurs je dus jouer involontairement ce rôle d'informateur improvisé. Le jour même de mon arrivée, l'archontaris se précipita sur moi. J'étais le premier étranger non Serbe à venir d'Occident et il voulait savoir si le roi Pierre II vivait encore. Sans réfléchir, pour apaiser la folle angoisse que je lisais dans ses yeux, je m'entendis répondre : « Bien sûr ! Je l'ai même entendu parler à la radio avant mon départ de Paris. » Il poussa un véritable rugissement et courut annoncer la nouvelle. Quelques instants plus tard, l'higoumène entouré de tous les dignitaires me recevait solennellement dans l'habituel salon baroque. En voyant la joie illuminer tous les visages, les cruches de raki passer de mains en mains, les signes de croix se répéter frénétiquement, je commençais à regretter ma réponse imprudente. Et si ce damné roi était mort ? J'ignorais tout de lui, son existence, son nom, son âge, son visage. Mais il était trop tard. Déjà, rêves et délires allaient bon train. Le roi Pierre, puisqu'il vivait, n'allait pas rester inactif. A coup sûr, il allait reprendre son trône, chasser l'usurpateur Tito (« Un Croate », m'expliqua un moine avec un rictus de haine et de mépris que je n'oublierai pas), redonner à son pays la foi perdue ! La soirée s'acheva dans une folle ivresse. Je me souviens d'avoir regagné ma cellule soutenu par un compagnon aussi ivre que moi. Mais j'eus le temps, avant de sombrer sur mon lit, de voir le cortège des moines se diriger en titubant

vers l'église, entamant des actions de grâces d'une
bouche pâteuse.

** *le moine isolé +slav*

De la frontière nord d'Athos jusqu'au premier monastère construit sur le rivage, celui de Dochiarios, la côte
ouest n'est qu'un grand désert blanc. Seules, trois skites
édifiées à l'écart du rivage, au sommet des collines,
peuvent servir de halte au voyageur. Deux d'entre elles
tout au moins car la troisième, où je m'aventurai le soir,
était abandonnée. J'allai dormir dans la plus proche – où
deux moines m'accueillirent – et le matin, je descendis
sur le rivage. C'était une immense plage de galets où
s'accumulaient des bois polis, des coquillages, tout un
monde d'objets brisés et sculptés par la mer. Un monde
naturel et vierge. Ici, pas de jouets d'enfants, de poupées
éventrées, de bouteilles en plastique, de mottes de
mazout. Rien qu'un monde minéral et blanc, un monde
de pierre et de nacre étincelant sous le soleil. La mer est
calme, transparente. Aucune voile en vue, aucun bruit
de moteur. Matin de fin d'octobre, translucide, immobile, où les grillons s'en donnent encore à cœur joie.
   Une autre plage succède à la première, plus vaste et
plus blanche encore. A son extrémité, j'aperçois un
bâtiment d'aspect vétuste. A mesure que j'approche, le
délabrement se précise : l'unique balcon s'incline vers le
sol, les pierres du toit manquent en beaucoup d'endroits,
les fenêtres ont perdu leurs vitres. Plus loin, près d'une
glissière en bois, une barque est couchée sur le sol. Une
barque vétuste elle aussi mais qui sert encore à la pêche :
des chiffons humides recouvrent ses parties pontées.
Quelqu'un doit vivre ici, un ermite, un pêcheur. J'appelle : nul ne répond. J'entre dans la maison. Une odeur
de poisson pourri, d'intense moisissure me saisit à la
gorge. J'entends des pas sur les galets. Je vois un être
hirsute trébucher dans la lumière, un être couvert de
guenilles, qui gesticule dans ma direction. Il a une barbe
blanche, un lourd pardessus tombant jusqu'à ses pieds,
un sourire immense et bienveillant. Je me dis : c'est un

père Noël égaré dans l'été des Tropiques! Et voilà qu'avant même de parler, il se jette sur moi, m'embrasse, me presse, m'écrase contre lui, rit, pleure et pour finir me crie des mots dans une langue incompréhensible, une langue slave apparemment. Il me pousse dans la maison, m'assied sur l'unique chaise, se poste devant moi et me regarde, me dévore des yeux. Je le regarde aussi. Mes yeux tombent sur ses pieds. Quels pieds! A force de marcher depuis des années sans chaussures et sans être lavés, ils ont pris une teinte, une matière indéfinissables. Ce n'est ni de la crasse ni de la corne mais une sorte de croûte inaltérable, un vrai sabot fendillé de crevasses. Les doigts s'en détachent, trapus et ronds comme des pattes de gecko, ces petits lézards à ventouses qu'on voit courir sur tous les murs en Grèce. Des pieds d'Anthropien, que dis-je, de Primate! Les miens, bien que burinés par la mer, le soleil, semblent à leur côté ridicules et fragiles. Des pieds novices de Néanthrope. Je lui demande ce qu'il fait de sa barque : comment parvient-il à la tirer tout seul jusqu'à la mer? Il me regarde avec stupeur et m'explique de sa bouche édentée, dans un grec approximatif avec un fort accent russe, des choses si étranges que je le fais répéter pour être sûr d'avoir compris. Mais non, j'ai compris : la barque est à terre depuis très longtemps. A quoi bon pêcher puisque la mer, m'explique-t-il, n'a plus aucun poisson? Et il se lance dans un récit qui commence à l'aurore des temps et s'achève avec l'Apocalypse.

Cette histoire a toutes les apparences d'un conte russe et fantastique que l'on pourrait intituler *Histoire des septs moines de Kiev*. Car Tatian Koutcherenko – nom profane qu'il a conservé – est venu en ce lieu aride et calciné avec six autres moines, originaires comme lui de Kiev. Ils vinrent ici il y a environ cinquante ans, bien que, dans l'esprit de Tatian, les ans ne comptent plus mais les siècles et les millénaires. Ils élirent cet endroit (qui dépend du monastère russe de Saint-Pantéleimon), fabriquèrent une barque, défrichèrent la terre à l'entour et vécurent de pêche et de cultures. Puis les moines moururent un à un. Quand l'avant-dernier succomba, en

1942, Tatian se retrouva seul avec le cadavre. Il l'ensevelit comme on fait à Athos, à même le sol, sans
cercueil. Mais la mort de son ultime compagnon dut
éprouver quelque peu son esprit car depuis cette date, il
laissa tout à l'abandon. La pêche elle-même ne l'intéressait plus. D'ailleurs, les poissons eux-mêmes avaient
abandonné la mer, avertis sans doute de la fin imminente du monde. Car notre univers va finir, m'expliqua
Tatian. Les nouvelles de l'extérieur lui étaient parvenues
par bribes au cours de ces années, au hasard des visites
que lui faisaient des moines vagabonds ou des voyageurs
de passage. C'est ainsi qu'il apprit le déclenchement de
la Seconde Guerre mondiale, la chute de l'Axe, la
capitulation du Japon, l'explosion de la bombe atomi-
que. Cette dernière nouvelle le frappa plus encore que
les deux autres. « C'est le signe de l'Antéchrist, me
cria-t-il, les yeux étincelants. La fin du monde est pour
bientôt. Dans vingt ou trente ans tout au plus. D'ailleurs,
c'est écrit. » Et il m'entraîne dans la chapelle, ou plutôt
ce qui fut jadis une chapelle. Aux murs pendent des filets
de pêche. Sur le sol, des fruits sèchent un peu partout au
milieu d'un essaim de guêpes assourdissantes. A travers
ce brouillard d'insectes, je distingue vers le fond des
icônes. Tatian s'empare d'une énorme Bible, feuillette
fébrilement les dernières pages, celles de l'Apocalypse.
Puis il les lit ou plutôt les crie, les chante, les mime, les
danse en s'arrêtant parfois pour compter les millénaires
sur ses doigts. Sa conclusion est péremptoire : quand les
Rouges et les Américains se seront entretués dans une
guerre générale, alors le Christ reviendra pour annoncer
la fin du monde. Le tout, entrecoupé de citations sur la
Bête écarlate, d'invectives à l'égard de Staline et de
Roosevelt (dont il ignore la mort), de danses endiablées
mimant la reddition du Mikado, au milieu des guêpes
affolées par ses gestes et ses cris.

Au-dehors, la chaleur est intense. Tatian va vers sa
barque, marchant pieds nus sur les galets brûlants. Il
mouille les chiffons dans la mer, les étend sur le bois du
bateau. « Juste avant l'arrivée du Christ, la mer aura de
nouveau des poissons. Il y aura un court répit car

ensuite elle se mettra à bouillir » murmure-t-il d'une voix
soudain paisible en disposant ses vieux chiffons avec des
gestes délicats, comme on lange un bébé.

L'arrivée au monastère russe de Saint-Pantéleimon –
qu'on appelle plus communément ici le Roussikon –
procure une impression d'immense sérénité, après les
délires apocalyptiques de Tatian Koutcherenko. Du chemin serpentant sur le bord de mer, on voit surgir de loin,
au milieu des cyprès, les bulbes des églises et les immenses bâtiments destinés à la foule ancienne des visiteurs.
Ce monastère a une histoire curieuse qu'il n'est pas dans
mes intentions de raconter ici mais qui est bien révélatrice des querelles intestines des églises orthodoxes. Avec
ses centaines de cellules, réparties en plusieurs bâtisses,
sa vastitude, sa somptuosité, la puissance aujourd'hui
bien défunte qui émane de cettte ville monastique, le
Roussikon apparaît comme un ultime vestige de la
Sainte Russie. Dès qu'on pénètre en cette Atlantide
engloutie dans l'épaisseur du temps, on devine que ce
monastère fut conçu et construit pour un autre destin
que celui qu'il connaît aujourd'hui. Mais la Révolution
de 1917, en interrompant net le recrutement des moines,
scella le sort du Roussikon. Les quelques moines qui y
vivaient encore à ma dernière visite étaient tous venus à
Athos avant 1917. Cet isolement à l'égard des autres
monastères, ce repliement sur un rêve jamais réalisé
expliquent sans doute pourquoi, dès qu'on entre dans la
vaste cour, on éprouve le curieux sentiment de franchir
une frontière invisible, de passer brusquement de la
Grèce byzantine au pays des staretz. On le voit d'emblée
à l'architecture, inspirée des constructions baroques du
XVIIIe siècle, façades bariolées, bulbes gonflés comme des
mongolfières prêtes à l'envol, croix lourdement haubannées, dédales de ruelles et d'escaliers. A l'intérieur, tout
le mobilier est venu de Russie, depuis les lourdes tables
jusqu'au moindre samovar. Cellules et salons sont décorés des portraits des familles impériales depuis l'époque

de Pierre le Grand, de vues de Saint-Pétersbourg, de la laure Saint-Serge de Zagorsk, de la vie provinciale de l'ancienne Russie. En ce paysage torride de Méditerranée, on se sent brusquement transporté en quelque roman de Tolstoï ou de Dostoïevski. Et dans cet univers aujourd'hui silencieux, en ces couloirs ornementés de fresques où se trouve tout le charme des icônes populaires – ascètes dodus, ours placides mangeant dans la main d'un anachorète des forêts, églises en bois dominant la steppe infinie –, quelques silhouettes de moines vont et viennent. La plupart d'entre eux ont une allure douce et sereine qui contraste avec la rudesse de bien des moines grecs. Ainsi, tout au bord de la mer, au milieu des cyprès, des oliviers, des lauriers-roses, ce monastère a un air étranger. Les pierres elles-mêmes semblent en exil comme si les murs du Roussikon séparaient à jamais deux mondes qui se côtoyèrent sans s'être vraiment mêlés.

*
**

« J'éprouve le besoin d'écrire, sans trop savoir à qui. Il y a, dans cette beauté d'Athos et l'agonie du monde qui le peuple, quelque chose d'angoissant, de stérile. Pour qui chantent toutes ces cigales ? Pour qui volent tous ces oiseaux, ces êtres vivants dans ce paradis oublié ? La vie des moines sent la mort. On ne parle que de fin du monde, d'Enfers, d'Apocalypse. Comme si une haine inconsciente habitait chacun d'eux contre tous ceux qui vivent heureux ou insouciants dans le monde. Dans le ciel et sur la mer les plus calmes, chacun ne voit que les orages qui vont fondre ou les tempêtes à venir. Je pense à tous ceux que j'ai rencontrés comme s'ils venaient de quelque autre planète. Je pense à leur visage. Il m'intrigue et m'obsède car il exprime un monde qu'on ne trouve qu'ici, surgi des profondeurs du temps, jailli des fresques et des icônes. C'est à Athos que m'apparut la loi secrète des visages. La ressemblance, ici, est si parfaite entre

les traits imaginaires des saints et les visages réels
que les détails extérieurs – la barbe, les cheveux,
l'indifférence à la toilette – n'en sont pas seuls
responsables. Comment s'effectue dans les corps,
les os, les chairs, ce lent pétrissage, ces subtils
agencements qui modèlent peu à peu les visages
vivants sur ceux des morts? Il est fréquent, dans
maintes sociétés, que l'homme ait voulu déformer
son visage pour le reformer à l'image d'un autre.
Un masque idéal coïncide alors peu à peu dans la
conscience ou l'inconscience de chacun avec les
chairs de la naissance. Ne s'agirait-il pas ici de
donner à chacun le visage de l'autre, de conférer à
la communauté des traits uniques? Ceci explique
pourquoi, sur tant de fresques byzantines, les visages de la foule se ressemblent. Ce n'est pas là
indigence du peintre ou maladresse du pinceau
mais l'image anticipée des foules de l'autre monde,
de ce grand visage anonyme qui sera un jour celui
de tous. »

** funerals

L'archontaris du Roussikon est jeune, disons la cinquantaine et il n'est là que depuis trois ans. Sa présence
s'est avérée indispensable, en raison des rapports que le
monastère entretient avec le monde extérieur et les
autres couvents d'Athos. En cette saison, au début de
novembre, il n'y a plus de visiteurs et il est tout heureux
de ma présence qui lui permet de bavarder. Le soir,
seuls dans l'immense cuisine, nous buvons et conversons
des heures. Il sort un grand carafon de vin noir et âpre,
fabriqué ici même avec l'aide de jeunes moines venus
des monastères avoisinants, apporte quelques poivrons,
des olives, des fruits confits, des cigarettes. On a l'impression que, tout le jour, il n'a fait qu'attendre cet
instant. Il parle d'une voix légèrement aiguë, qui devient
même agaçante à la longue et porte une barbe courte et
drue qui se redresse comiquement vers le haut comme
un moignon vindicatif dès qu'il s'enflamme. Au cours de

ces trois soirées, il m'apprit un grand nombre de choses sur les coutumes et sur la vie du mont Athos. Je me souviens surtout, pour l'avoir noté au sortir de ces entretiens, de ce qu'il me conta sur les rites funéraires d'Athos.

Quand un moine meurt, on le vêt du grand habit, le *megaloschima*, après avoir lavé son corps d'un peu d'eau mêlée d'huile et de cendres (1). On dit l'office des morts et on l'ensevelit tel quel, sans cercueil, le visage tourné vers l'orient. Puis, trois ans plus tard, on déterre le corps, on recueille les ossements qu'on conserve dans un ossuaire. En général, les corps se dessèchent vite ici. Mais il arrive parfois que la chair adhère encore au squelette, signe que le moine est mort en état de péché. Dans ce cas, on reprend ses restes, on les lave avec du vin et on les expose dans l'église pour une messe de rachat. Je n'ai jamais assisté personnellement à cette liturgie mais plusieurs moines m'en ont parlé. Tous tenaient pour évident que seul un corps totalement dénudé, réduit à un squelette blanc, était signe de pureté spirituelle. Cette croyance est si forte que le degré de pureté ou d'avancement spirituel d'un moine est jugé *post mortem*, selon l'état de son cadavre. Et beaucoup de récits circulent à Athos sur tel moine qui menait une vie exemplaire mais dont le corps partiellement desséché révéla qu'il devait s'adonner à des vices cachés. Il restait secrètement attaché à la chair, c'est pourquoi sa chair restait attachée à ses os.

On voit bien l'idée plus ou moins explicite que suppose cette croyance : le retour à la poussière originelle, l'absorption intégrale dans le sein de la terre sont la

---

(1) Il y a trois degrés dans la vie d'un moine athonite. Le premier est celui de *rasophore* ou porteur de *rasos*, sorte de coule noire. Le second, celui de *mikroschima* ou Petit Habit. Le dernier, celui de *mégaloschima* ou Grand Habit. Cet habit est un scapulaire noir muni d'un capuchon et recouvert de broderies représentant des croix à deux branches, la lance, l'éponge de la Passion, un crâne et des tibias entrecroisés. Il n'est porté, en fait, que pour la communion ou sur le lit de mort et seulement par les moines ayant atteint un stade parfait d'ascèse. Il se peut donc que j'aie mal compris à l'époque ce que me dit l'archontaris de Pantéléimon.

preuve et la condition essentielle du salut (1). Pourquoi, alors, comme on le fait ici, conserver ensuite le crâne et les os restants? Je me souviens à ce sujet d'une conversation singulière que j'eus, dans le Sud de l'Athos, avec un ermite russe dont je reparlerai plus longuement. Dans une petite pièce attenante à son ermitage, je vis des crânes rangés sur une étagère dont chacun portait le nom du défunt. Je dis alors, en souriant, à l'ermite : « Croyez-vous que Dieu ne saura pas reconnaître les siens au Jugement Dernier et risque de donner à tel ermite ressuscité la tête d'un autre? » Il me répondit, du même ton souriant : « Les noms ne sont là que pour démontrer la permanence de la foi, la grande famille des saints à travers les siècles. Quand Dieu nous rendra nos corps et notre chair – pas notre chair terrestre mais un corps allégé et glorieux, comme celui du Christ en son Ascension – nous n'aurons plus besoin de noms car nous aurons tous le même visage, les mêmes traits. » Et il ajouta : « Vous avez sûrement remarqué ici les visages des saints et des ascètes sur les fresques? Ils se ressemblent tous. Ce n'est pas parce que le peintre ignorait l'art des portraits. C'est parce que dès cette vie leur sainteté ou leur ascèse a déjà transformé leur visage, leur a donné l'apparence que nous aurons tous dans la vie éternelle. C'est cela, l'égalité dans le Seigneur. Nous serons tous identiques et différents. Comme sont identiques et différents tous les points d'une circonférence par rapport à son centre. »

Essayant aujourd'hui, vingt ans plus tard, de me remémorer mes impressions d'Athos, je me rends compte à quel point le temps joue un rôle ambigu. A chaque voyage en Grèce, je voyais choses et gens se modifier. A Athos, rien ne se modifiait. Comment saisir,

(1) Ce qu'exprime aussi la malédiction populaire : *na min liossoun ta kokkala sou* : que tes ossements jamais ne se décharnent. Autrement dit : que tu sois damné.

même en trois ans, le changement des chairs, l'altération du temps sur ces corps qui n'ont plus d'âge? Ils me faisaient songer à la pérennité apparente des insectes qui subissent le temps eux aussi mais dont la carapace ne porte jamais de rides et qui passent, sans dégradation apparente, de la vie à la mort. Peut-être est-ce pour cela que j'éprouve tant de mal, lorsqu'il s'agit d'Athos, à fixer des repères précis aux différents séjours. Malgré les notes prises à l'époque, les souvenirs se mêlent étrangement dans ma mémoire. Le cahier marqué *Athos 1950*, un cahier à gros quadrillage acheté dans une librairie de Salonique, ne comporte que des notations superficielles, des impressions qui me paraissent aujourd'hui forcées et sujettes à caution. J'y découvre en les relisant un enthousiasme romantique devant les merveilles entrevues mais aussi une propension naïve à ne voir que mirages et que féeries. Le fait, alors, de ne pouvoir parler le grec, d'être réduit à suivre les liturgies, les conversations sans deviner grand-chose de leur contenu explique sans doute cette fuite vers un monde de légende, réduit à son seul pittoresque. Je ne vis d'Athos, cette année-là, que des monastères bariolés, des visages émaciés, des églises rutilantes d'ors, d'icônes et un paysage enchanteur. Le second voyage, entrepris à l'automne 1952, corrigea cette première vision. Mais c'est surtout lors du troisième voyage, l'année suivante, que je pénétrai véritablement les domaines entrevus les années précédentes. Je parlais et comprenais enfin le grec. Dans les notes rapportées de ce dernier voyage on découvre davantage le quotidien, l'histoire interne, un réel épuré de rêves trop faciles. En ce monde que j'avais cru intemporel, je percevais l'écoulement de l'histoire et le travail érosif du temps. Mais ils ne pouvaient suffire encore à masquer l'impression première, cette pérennité sensible des choses et des êtres. Et c'est cela qui demeura en moi de ces voyages, cela que je transcrivis dans le livre publié après mon troisième séjour – mon premier livre – intitulé *Mont Athos. Montagne sainte* (1) :

(1) Editions Pierre Seghers, 1954.

« ... car les visages ici surgissent d'un autre monde que le nôtre, ils fermentent, se reproduisent entre eux depuis des siècles. A mener pendant des années une vie de fresques, à toujours se comporter comme s'ils posaient pour les peintures de leur propre chapelle, à s'immobiliser le plus possible, rien d'étonnant que les moines ressemblent tant à leur modèle. Sur leur lit de mort, la ressemblance doit être définitive et on l'imagine d'autant mieux que bien d'entre eux sont déjà des cadavres, prêts à être plaqués tels quels autour du Christ en gloire. »

Telle fut l'image qui marqua tout entière ce premier livre : celle d'une sérénité et d'une pérennité isolées entre ciel et terre, habitées de visages immobiles, nimbées d'un rêve surgi à l'aurore de Byzance. Les photos que j'avais rapportées (et qui, dans mon esprit, devaient illustrer un texte qu'en fait je n'écrivis jamais) finirent par jouer le premier rôle. Et l'ouvrage devint un album d'images opposant le clair et l'obscur selon qu'elles restituaient les cours aveuglantes de lumière ou la pénombre des églises peuplées de noires soutanes. Une certaine magie d'Athos s'y exprimait indiscutablement mais l'histoire se perdait trop dans le dédale des légendes. Le texte lui-même insistait sur l'insolite, l'anachronique. Sous-hommes ou surhommes, les moines n'apparaissaient que rarement dans leur domaine propre. Ils étaient comme des rescapés de Byzance, des Robinsons perdus sur une terre isolée dans le temps. Et sans doute a-t-il fallu le recul de toutes ces années – pendant lesquelles Athos sortit entièrement de ma mémoire, de mes désirs – pour que je puisse à nouveau reprendre ici ces notes d'une saison au Pays des vieillards.

III. MOINES ET MONASTÈRES (2)

Parmi les souvenirs les plus nets qui me restent d'Athos figurent les odeurs. Les monastères d'Athos ont une odeur à eux, lourde et riche, faite d'effluves multiples et constamment mêlés : encens, cuisine, latrines. Ces odeurs n'ont par elles-même rien de particulier et c'est leur mélange, leur voisinage qui surprennent, peu habituels pour un odorat citadin. La plus violente, en fait, est celle des latrines. Simples édicules surplombant le vide, avec un caisson de bois creusé d'un trou, on les repère vite à l'odeur qui s'insinue partout, parfois jusque dans l'église. En ces lieux, les courants d'air sont maîtres et ce n'est pas une mince affaire que d'arriver à ses fins au-dessus de ce vide inquiétant, environné de tourbillons sournois qui font remonter brusquement le papier qu'on s'ingénie en vain à lester pour le faire descendre. Des mouettes attirées par ces aubaines chues du ciel, se livrent sous vos yeux à un tapage assourdissant. Une simple planche de bois isole l'un de l'autre les différents compartiments, mais non les bruits. La pudeur anale est ici inconnue. Les musiques du corps ne gênent apparemment personne et semblent même ravir tout un chacun.

A cette odeur s'ajoute celle des cuisines. On fait beaucoup de fritures à Athos avec les pommes de terre, les aubergines, les courgettes, les tomates et ces odeurs emplissent les couloirs du xénôn. A mesure toutefois qu'on approche de la cuisine, on sent percer un arôme plus subtil et plus alléchant : celui du raki, offert en permanence au visiteur.

Les moines utilisent toujours de l'encens au cours des liturgies. Il en existe de toute sorte, en poudre et en grains, mais la plupart sont extraits de certains arbres, sous forme de résines : mastic, benjoin, balsamon. Ce dernier, le plus courant, est appelé *moscolivano*. On trouve aussi en Grèce (mais j'en ai vu très peu au mont Athos) des encens importés des Indes ou d'Arabie : gommes, safran, santal. Aux parfums des encens se mêlent ceux qui proviennent des veilleuses. Elles brûlent en permanence devant l'iconostase principale et certaines icônes, avec une mèche trempant dans une huile en général bon marché : de sésame ou de chènevis. Seuls la Vierge et le Christ ont droit à des veilleuses d'huile d'olive. Tous ces parfums épicés, capiteux, finissent par imprégner les murs et les pierres de l'église et procurent même, à la longue, une sorte de vertige, d'ivresse légère qui n'a rien de désagréable.

J'ai aussi à Athos le souvenir de certains sons. Le plus caractéristique est celui des simandres. Ce sont des pièces de bois – certaines pleines, d'autres creuses – grossièrement équarries que l'on frappe avec un maillet de bois pour indiquer le début des offices. L'usage des simandres est très ancien et s'est perpétué jusqu'à nos jours, sans jamais être véritablement détrôné par celui des cloches. Certaines de ces simandres, lourdes et massives sont suspendues à l'entrée de l'église. Toutes rendent un son mat, étouffé mais qui, renvoyé par les murs, s'entend dans tout le monastère et vous réveille même la nuit.

Les bruits quotidiens d'Athos n'ont en principe rien de particulier et pourtant ce ne sont pas les bruits habituels d'un monastère occidental ou d'un village. Il y manque le bruit des animaux femelles. Les cris qu'on y entend sont tous des cris de mâles : braiement des ânes, hennissement des mulets et les voix humaines, des voix d'hommes. Ces voix et ces rumeurs occupent toute la matinée puis, vers midi, les bruits s'arrêtent. Les moines se retirent dans leur cellule pour la sieste. Les laïques travaillant ici et là s'étendent à l'ombre. Seul, le Diesel d'un caïque ponctue parfois de ses deux temps le silence de la mer. Plus rien ni personne ne bouge jusqu'à l'heure des vêpres, marquée par la simandre.

Je me souviens, en ces heures écrasantes de chaleur, d'une aventure drolatique survenue dans le monastère d'Iviron. J'arrivais de Karyès d'où j'étais parti vers midi et quand je parvins au monastère, vers deux heures et demie, tout le monde était déjà couché. La cour déserte étincelait sous le soleil sans une âme qui vive. Je m'étendis à l'ombre du porche, sur le rebord de pierre où les moines aiment venir s'asseoir à la fraîche. A cet instant, je vis à l'autre bout de la cour une silhouette noire me faire des signes et venir dans ma direction. C'était un moine d'aspect plutôt âgé et d'allure, disons vénérable. Il parut étonné de me voir seul ici. « Si vous n'êtes pas trop fatigué, me dit-il, nous pouvons attendre la fin de la sieste en visitant le monastère. Nous pourrions commencer par le donjon. » J'acceptai pour ne pas le vexer car j'étais plutôt éreinté et je le suivis dans la cour. Il s'effaça devant la porte du donjon pour me laisser passer. Après la lumière éblouissante du dehors, je ne vis goutte à l'intérieur. En tâtonnant, je trouvai l'escalier, un escalier fort raide, en colimaçon. Je me mis à monter lentement, essayant de ne pas trébucher sur les marches. Le moine me suivait. Mais pourquoi soufflait-il ainsi comme un phoque? J'en eus vite l'explication. Je n'avais pas gravi trois marches qu'il se jetait littéralement sur moi, tout en cherchant à m'embrasser. Une lutte sourde eut lieu dans le noir, lèvres serrées, sans un seul mot. Je parvins à me libérer et me précipitai vers le haut où je me ruai sur le balcon. Il me suivit, s'installa à côté de moi et commença, d'une voix de guide, à me décrire l'histoire et les beautés du monastère. Je n'avais pourtant pas rêvé. Tout à l'heure, il haletait à l'idée de me coincer dans le donjon et maintenant, d'une voix grave, il me parlait des miracles et d'une icône qui, paraît-il, avait quitté plusieurs fois l'église pour se poster toute seule devant le porche! D'une main, il désigna l'endroit et de l'autre voulut à nouveau m'enlacer. Je l'écartai et il n'insista pas. Au retour, je le priai fermement de passer le premier pour descendre. Il hésita puis, résigné, s'y résolut. Au pied du donjon, il posa la main sur son cœur et s'inclina sentencieusement (1).

** pervert #2

Au cours de mes trois séjours à Athos, des incidents de ce genre se reproduisirent plusieurs fois. Tous ne finirent pas aussi simplement. Mais peu à peu – et l'expérience aidant – j'appris, non à me méfier, mais à prévoir. Lorsqu'à maints signes qui ne sauraient tromper, je pressentais un assaut imminent, je m'arrangeais pour m'esquiver discrètement. Une seule fois, mon instinct m'avertit trop tard. Il faut dire que le moine en question avait largement dépassé la soixantaine. De plus, il portait une longue barbe blanche de patriarche, qui le faisait ressembler à Karl Marx. Et j'étais loin de me douter, tandis que je bavardais avec lui dans sa cellule, des pensées qu'il devait rouler dans sa tête. Cette année-là, je m'étais mis à l'aquarelle et j'avais avec moi un petit attirail de peintre. Comme ce moine était lui-même peintre d'icônes, il m'avait demandé, le jour de mon départ, de venir lui montrer mon travail. Nous étions donc en train de bavarder depuis un certain temps quand brusquement son souffle devint court et je vis ses traits se figer. Je crus qu'il avait un malaise et me levai pour appeler quelqu'un. Alors, je croisai son regard. Dans ce visage de patriarche, le désir avait littéralement tordu les traits, retroussé les lèvres, dessiné un masque si tragique que je restai paralysé. Il se jeta sur moi et m'embrassa sur la bouche si violemment que je lâchai toutes mes affaires. Je me débattis comme je pus, sans vouloir, bien sûr, le brutaliser. Je m'arrachai à cette étreinte gluante, ramassai mes pinceaux et mes gouaches dispersés dans la pièce et partis sans me retourner.

---

(1) Un lecteur, retour du mont Athos, m'écrit tout récemment (mars 1983) qu'il vient d'être victime de la même mésaventure au même endroit du même monastère !

La porte refermée, je perçus un son étouffé : « Karl Marx » pleurait comme un enfant !

On a écrit tant et tant de choses insipides sur l'homosexualité des moines à Athos que je n'ai ni le désir ni le goût d'en parler longuement. Aujourd'hui, les incidents dont je fus la victime m'apparaissent – et m'apparurent même à l'époque – plus burlesques que choquants. Certains ont même laissé en moi un souvenir attendri, tant je perçus parfois de détresse, de lutte intérieure en certains moines. Et si j'ai évoqué ces incidents c'est avant tout parce qu'ils ont fait partie, à chaque voyage, de mon expérience athonite. C'est d'ailleurs grâce à eux – une fois les choses mises au point – que je pus avoir avec certains moines des conversations précises et éclairantes sur ce sujet. Ainsi du père hôtelier d'un monastère où je séjournais à chacun de mes voyages et qui, lors d'un de mes passages, avait essayé en pleine nuit de forcer la porte de ma cellule. Je lui fis nettement comprendre qu'il n'avait rien à espérer et les choses en demeurèrent là. Le lendemain, il parut même si gêné de cet incident que je dus, pour le mettre à l'aise, l'assurer que nul n'en saurait jamais rien. Et de ce jour, nous devînmes d'excellents amis. En revenant à ce monastère quelques jours plus tard, je vis d'ailleurs qu'il s'était consolé : il avait élu pour conjoint un ravissant novice qui l'aidait dans ses tâches quotidiennes. Il ne m'avoua jamais clairement sa liaison mais un jour que je mangeais dans la cuisine, il désigna du menton l'éphèbe qui s'activait à la vaisselle et me fit un clin d'œil qui en disait long. Mais quand, l'année suivante, je revins à ce monastère, l'atmosphère avait totalement changé. Nous étions au début d'octobre et je compris que les vendanges avaient été fatales à son amour. Le novice en question était tombé amoureux d'un jeune moine venu pour la récolte et ne voulait plus fréquenter le « vieux » – c'est ainsi qu'il appelait l'archontaris. Celui-ci faisait peine à voir. Il ne mangeait plus, ne dormait plus, passait son

temps à boire du raki. Des scènes pénibles durent se
produire entre eux car, quelque temps plus tard, le
novice obtint de quitter ce monastère et de s'installer
dans un autre. Je l'y revis d'ailleurs quand j'y passai
moi-même. Mais il semblait gêné par ma présence et
m'évita ostensiblement. Je me rendis compte alors combien, au cours de mon premier voyage, j'avais été
aveugle à ces drames secrets, à ces passions couvant
dans l'ombre des cellules. Il est vrai que tous les couples
ici ne vivent pas dans ces drames et que certains font
penser à de vieux ménages établis dans leurs habitudes.

Un des moines à qui je m'ouvris un jour ouvertement
de ces problèmes était un homme très cultivé, bibliothé-
caire d'un des plus importants monastères de l'Athos. Il
avait fait en France des études de philosophie avant de
retourner en Grèce et, sur le tard, de venir à Athos. Il ne
parut nullement surpris quand je lui relatai mes aventures. « L'homosexualité existe au mont Athos. Il ne sert à
rien de se voiler la face. Mais il serait tout aussi faux de
lui accorder trop d'importance. Elle n'est le fait que
d'une minorité et de tous les péchés des moines, ce n'est
pas à mon sens le plus grave. C'est un péché de chair
qui viole le vœu de chasteté – mais qui peut être aussi
source d'amour. La plus dangereuse des tentations qui
guettent le moine, c'est l'orgueil et le doute. Car celles-là
rongent et détruisent l'âme. Et c'est l'âme, en ce lieu
que nous voulons retrouver et sauver. »

*
**

Du port de Daphni à la pointe méridionale, la moitié
sud de l'Athos apparaît très différente du reste de la
montagne. Sur la côte ouest, les plages se raréfient, le
littoral se creuse de calanques, se gonfle de promontoires
où s'édifièrent des monastères. Le chemin s'écarte souvent de la mer, grimpe sur les versants pour contourner
une gorge abrupte et redescend vers le rivage. C'est sur
cette côte que se succèdent les trois monastères les plus
impressionnants d'Athos : Simon Pétra, Grégorios, Dio-

nysios. Juchés au sommet d'un piton rocheux ou sur
une avancée en bordure de mer, ils donnent plus que les
autres le sentiment d'une architecture fantastique, d'un
défi lancé par un architecte génial ou dément, décidé à
vaincre l'impossible. Cette audace architecturale avait
bien sûr une raison et un sens : assurer aux moines la
meilleure protection possible contre les razzias des pirates et les convoitises des Turcs. Le reste découle de cette
exigence première : la cour centrale étant par priorité
réservée à l'église, il fallut calculer au plus juste, comme
en quelque vaisseau pétrifié, la place réservée à « l'équipage », construire sur le vide nombre de cellules, les
relier par des passerelles extérieures. Pourtant, cette
impression première et fantastique demeure ineffaçable
et elle explique sans doute que l'histoire de ces monastères – celle surtout de Simon Pétra, le plus impressionnant des trois – se soit muée en légende au point d'en
faire l'œuvre des anges. Regardons Simon Pétra, du
chemin qui le domine au-dessus des falaises. Ses murs
s'élancent sur une hauteur de dix étages à partir d'un
piton rocheux qu'on ne pouvait alors ni élargir ni
aplanir. Il fallut, pour y accéder, enjamber la gorge du
nord-est à l'aide d'un pont à arcades. Des passerelles
courent sur les murs – quatre aux extrémités et sept
dans la partie centrale – solidement étayées et bordées
d'un grillage protecteur mais qui donnent malgré tout
une impression de fragilité, surtout quand le vent souffle. Etant donné qu'il fallut monter les pierres l'une
après l'autre, on conçoit que des accidents aient eu lieu
et que de nombreux ouvriers aient payé de leur vie la
construction du monastère. Un jour, une des passerelles
s'effondra et dix ouvriers tombèrent dans le vide. Aussitôt, dix autres se présentèrent pour les remplacer. Le
constructeur, Simon Pierre, un ermite d'Athos, (plusieurs nuits de suite, il avait vu une étoile briller au-
dessus du piton et comprit que Dieu lui désignait ainsi le
lieu où matérialiser son rêve) voulut les remercier de
leur courage. Il alla chercher du raki, de l'eau, des
verres et revenait vers eux quand à son tour il chuta
dans le vide. Il fit une prière et l'archange Gabriel

intervint : il arrêta l'ermite dans sa chute, le fit remonter dans les airs et du plateau rempli de verres qu'il tenait, pas une goutte n'était tombée !

Cette situation exceptionnelle, cet isolement angoissant entre terre et ciel, ce vertige qui vous saisit du haut des passerelles à la seule vue du vide donnent à l'atmosphère de Simon Pétra quelque chose de militaire. On se croirait en quelque fortin avancé où les moines-soldats veillent aux frontières d'un pays ennemi. Devant soi, on ne voit que la mer. Derrière, au-delà des ravins, un paysage de montagnes arides jusqu'au sommet d'Athos. Moines-soldats ou plutôt moines-guetteurs, comme ces *akrites* qui veillaient autrefois aux marches de l'empire byzantin, face aux déserts d'Anatolie, aux plateaux de Cappadoce ou aux montagnes d'Arménie. En ce monastère où les horaires sont stricts, où toute vie est collective, les habitants silencieux de Simon Pétra évoquent ces ombres, ces silhouettes décrites par Dino Buzatti dans *Le désert des Tartares*, à cela près que les Tartares, ici, ne sont plus les pirates ou les Turcs mais les milliers de démons qui, pour les moines, assaillent sans cesse cette forteresse des âmes.

A mon premier passage, j'arrivai au couchant, à l'heure où débutaient les vêpres. L'archontaris s'apprêtait à s'y rendre. Il me dit de l'accompagner, si je voulais.

Selon une très vieille tradition, les églises d'Athos ouvrent toutes sur l'ouest. Le sanctuaire regarde donc vers l'est. Ceci explique que là où les murs n'arrêtent pas ses rayons, le soleil couchant illumine toujours les églises au moment des vêpres. Ce jour-là, il colorait l'iconostase, les veilleuses et les chandeliers d'un or chaud, comme féerique. L'église était de petite dimension et tous les objets qui s'y accumulaient prenaient un relief saisissant. Il y a toujours, dans ces églises byzantines, un incroyable entassement d'objets de culte qui donnent l'impression de pénétrer au cœur d'un labyrinthe : les icônes d'abord, réparties dans la nef, sous des châsses de verre, ou dans un *proskynitarion* ou reposoir; les lustres, chandeliers et veilleuses, les uns descendant du plafond, les autres brûlant devant les icônes; les pupitres des chantres; les stalles de bois alignées tout au long de la nef.

Les rayons du soleil découpaient dans ce labyrinthe des îlots d'ombre et de lumière où se devinaient les silhouettes immobiles des moines. Et dans cet antre où les nuages d'encens effilochaient leurs nappes, les chantres se répondaient d'une voix nasillarde et traînante. Une atmosphère presque étouffante régnait en cet espace confiné. Et je sentis alors combien, au contraire des cathédrales et même des églises romanes, les églises byzantines incitaient au repliement plus qu'à l'élan. Elles vous enferment au cœur d'un monde qui évoque à la fois le ciel et la caverne. Ciel est la coupole centrale avec en son sommet le Christ omnipotent. Caverne est le sanctuaire, situé derrière l'iconostase, où seuls accèdent le prêtre officiant et ses aides. Et pour qui saurait lire en détail, déchiffrer les objets, les gestes, les paroles et les chants qui composent une liturgie athonite, celle-ci apparaîtrait comme la répétition, la représentation de l'Evénement fondateur : la naissance, la vie et la Passion du Christ. Il n'est nul besoin de se rendre aux antipodes pour saisir dans toute la force du vécu le pouvoir permanent des mythes. Ici, il se traduit par tous les rites, en tous les instants de l'office. Le sanctuaire comporte deux annexes : la *prothésis*, niche ou salle de la Proposition où le prêtre consacre les Espèces, en l'occurrence du pain levé et fermenté et non ces hosties fades et azymes de la liturgie catholique, et le *diakonikon* qui sert de sacristie. Les Espèces sont déposées dans l'*artophorion*, coffret recouvert d'un voile dont le nom seul, *aër*, venu du grec ancien, évoque le ciel, l'azur et l'air. C'est la voûte céleste recouvrant le corps divin sans aucun contact avec lui car il repose sur un *astérique*, support de lames métalliques surmonté de l'étoile de Bethléem. Il s'agit d'une représentation grossière des anciennes cosmogonies où le ciel reposait sur quatre piliers qui le tenaient écarté de la terre. C'est, si l'on veut, un *ciborium* en réduction, baldaquin de forme ronde, rectangulaire ou octogonale, qui recouvre aussi

bien l'autel du sanctuaire que le trône de la Vierge ou, à
Byzance, celui des empereurs. Des étoiles étaient peintes
sous sa voûte, pour figurer le ciel dominant, protégeant
le souverain terrestre ou céleste. Lors de la consécration
des Espèces, un aide agite un *hexaptère*, éventail ou
disque de métal à six ailes, fixes ou mobiles, qui symbo-
lise le battement des ailes des Séraphins.

Il y aurait dans tout cela d'autres sens à découvrir
mais l'on voit bien le lien symbolique qui relie tous ces
gestes aux événements primordiaux qui fondent et diri-
gent le rite : consécration des Espèces dans la caverne,
établie sous le regard des Séraphins; entrée du Christ à
Jérusalem (sortie du prêtre par la petite porte de l'iconostase); répétition de la Passion (le prêtre transperce les
Espèces comme la lance transperça le corps christique
sur la Croix). Ce passage du sanctuaire à la nef peut être
interprété selon maints schémas symboliques : passage
de l'ombre à la lumière, de l'intelligible au sensible, du
germe à la manifestation. Tout cela constitue comme un
spectacle, beaucoup plus chargé de symboles et d'images que celui de la liturgie catholique et où l'on pourrait
retrouver, lors de la liturgie pascale notamment, bien des
vestiges des tragédies antiques ou des cultes populaires.
La mémoire du corps – la plus enracinée des mémoires
humaines – prolonge ici des attitudes ancestrales que le
christianisme a perpétuées dans la conscience grecque,
témoins ces chœurs et ces cortèges de femmes qui, le
jour du Vendredi Saint, suivent en se lamentant le suaire
brodé portant l'image du Christ mort – l'*épitaphios* –
comme si se continuait par les rues des villages l'antique
déploration des dieux de la végétation.

Au sortir des vêpres, je fis un tour sur la passerelle
pour regarder la nuit descendre. Partout, le ciel se
chargeait de nuages. Un vent frais se levait qui ridait de
frissons toute la baie de Longos. Il apportait jusqu'ici,
mêlées à l'encens de l'église, des odeurs de sel et
d'embruns.

Le lendemain, je fus réveillé par des chants, tout près
de ma cellule. On célébrait l'orthros, l'office du matin. Le
ciel était entièrement couvert. Une pluie fine tombait

doucement sur les toits. Dans la tiédeur du lit, l'engour-
dissement du demi-sommeil, ces chants avaient des
accents infinis, comme si à mi-chemin de la conscience
et du rêve, on célébrait les funérailles de quelque héros
inconnu. Un coup bref, frappé contre la porte, me tira
de ma rêverie. L'archontaris m'apportait mon petit
déjeuner : une tasse de café, du pain, des olives et un
grand carafon de vin noir. Il me parut bien tôt pour
m'adonner à la boisson. Mais tel est le rite ici, après les
longues heures nocturnes passées à officier. Et je dus
avaler, sous l'œil insistant de l'archontaris, tout ce vin
sombre et âpre qui laisse aux lèvres un goût de cendre
tiède et de framboise, le vin de Simon Pétra.

** leçon d'histoire

Depuis que je parcours ces sentiers, ces chemins entre
mer et montagne, que j'assiste à ces liturgies où se
mêlent odeurs, musiques, voix et gestes, je me
demande : suis-je toujours en Grèce ? Cette orthodoxie
(cette *croyance droite*, puisque tel est le sens de ce mot)
prend-elle racine dans l'ère nouvelle inaugurée par le
christianisme ou est-elle, par d'autres voix et d'autres
rites la continuation d'une sensibilité née bien avant,
dans les siècles païens ?

Cette question, je ne me la posai pas pour résoudre
quelque problème d'histoire mais parce que chaque jour
la vie du mont Athos me révélait des images et des
comportements inattendus. J'y découvrais une Grèce
ignorée, reléguée dans les manuels d'histoire de l'Occident à la fin des chapitres ou dans les notes en bas de
page : la Grèce byzantine. Bien qu'Athos n'en présente
plus qu'une image partielle et figée, quelque chose y
persiste – et seulement ici – de la grande époque
théocratique de la Grèce. Bien sûr, il faut faire un effort
d'imagination pour retrouver derrière les visages des
empereurs et des impératrices de Byzance (ces visages
aux yeux noirs, ces silhouettes bariolées, somptueuse-
ment baroques) les traits, la permanence ethnique de
leurs ancêtres païens. C'est qu'avec Byzance la Grèce

s'orientalise ou plutôt s'installe dans ce mirage de l'Orient – qui la fascine et qu'elle refuse en même temps – qui la portait depuis longtemps déjà à chercher vers l'Asie une autre part d'elle-même. C'est à Athos justement, au milieu de ces fresques, de ces liturgies, de cet univers si différent en apparence du monde antique, que j'eus une certitude intuitive : savoir que le bouleversement majeur de l'histoire grecque, celui qui marqua, par une mutation radicale, le passage du monde antique au monde médiéval, fut moins l'œuvre du christianisme que des entreprises d'Alexandre. C'est lui qui bouscula les données de l'histoire antérieure et les contraintes de la géographie, qui suscita aux marches orientales de son empire des rencontres et des échanges novateurs et créa justement le terrain sans lequel la Grèce christianisée n'eût pu vivre totalement sa nouvelle religion. Dès l'instant où il déplaça vers l'Orient le centre de gravité de la culture grecque, où la Ville Eternelle devint Byzance et non Athènes, la Grèce antique et continentale était destinée à mourir. Par ces échanges, par ces alliances avec le monde achéménide (où ses ancêtres n'avaient vu qu'une mosaïque de satrapies barbares), Alexandre semait les gènes qui allaient fournir à la Grèce byzantine un nouveau corps dans un nouvel espace. La preuve en est que là où son entreprise ne s'exerça jamais, en ces régions oubliées que furent longtemps l'Epire ou le Magne, l'apparition du christianisme ne modifia jamais profondément l'attitude religieuse du peuple. Partout ailleurs, la Grèce connut une histoire et une culture renouvelées, qui la marquent aujourd'hui encore et qui déplacèrent vers l'est le problème de ses frontières et de ses choix. Déplacements, courants, flux et reflux entre les étendues d'Anatolie et le socle continental qu'on retrouve jusqu'à ce jour dans les aspirations, les déchirements, l'inquiétude propres à l'âme grecque. Et on les retrouve justement – et surtout – dans tout l'art byzantin. Si rigide et austère qu'il paraisse (bien à tort d'ailleurs), il fut précisément une tentative pour résister à ces mirages impériaux, à ces somptuosités charnelles qui furent à l'origine de ses premières formes. La tension n'est plus seulement esthétique, elle s'inscrit dans tous les horizons de la conscience et de la sensibilité. Sur les traits, les ombres, les lumières qui cernent le visage du Pantocrator, ce Christ omnipotent qui trône au sommet des coupoles, se lit la lutte intense entre l'Ascète et le Despote, le Sage et le Tyran, ces deux pôles de la Grèce ancienne.

*
**

Quand on regarde le Pantocrator, au pied de la coupole qu'occupe son visage, on ne peut s'empêcher de penser à ces géants que les mythes ont situés à l'aurore du monde. Mais le gigantisme du dessin, de cette face zénithale dominant et surveillant le monde (comme si le ciel tout entier s'était mué en visage) n'est que l'attribut, non l'essence du dieu. Son essence, il faut la lire dans ce regard farouche et noir qui devient, par son éloignement dans l'empyrée, regard de juge et de vengeur. Comme l'hébraïque, la religion byzantine fut religion de la puissance. Une puissance qui voit, qui juge, qui écrase. Le Christ est le chef suprême d'une armée de soldats, immatériels et matériels, qui des novices aux séraphins quadrillent l'espace religieux de l'âme grecque. Les titres eux-mêmes, les épithètes des archanges et des saints, sont empruntés au vocabulaire militaire : saint Michel est appelé *archistratège*, général en chef des milices célestes. Il commande à tout un état-major d'anges-officiers, de *taxiarques*, de commandants de corps, nantis d'armes absolues : glaives de feu, ailes et épées de flammes. Les saints eux-mêmes sont enrôlés dans cette hiérarchie, ceux du moins qu'on nomme justement les saints militaires : saint Démètre, saint Georges, saint Pakôme, saint Mercure, saint Artémis, saint Théodore et saint Minas. On les voit sur les fresques armés de lances et d'épées, bardés de cuirasse, de chlamydes et de genouillères dont le revers est peint en forme de visage effrayant, curieux vestige des figures apotropaïques des boucliers antiques. Contre les monstres et les barbares de la terre, ils mènent la même lutte que les anges et les archanges contre les démons de l'éther. A travers cette mythologie combattante, on devine combien religion et cité furent associées dans le monde byzantin, comme elles le furent dans la *polis* antique. A cette différence près que le mythe a changé d'échelle : la divinité des chrétiens n'est plus un dieu poliade, un dieu fondateur de cité, mais une divinité *cosmiade*, si l'on accepte ce néologisme, fondateur du cosmos tout entier. Il fallait donc, pour la cohésion de la cité et de l'empire, que Byzance fût elle aussi un reflet de la cité céleste. C'est bien le rôle qu'elle se choisit et qu'elle assuma jusqu'au bout. Quand elle combat ses ennemis aux frontières de l'empire, elle ne livre pas une simple guerre contre des adversaires appartenant au même monde ou au même ordre humain. Elle seule incarne le véritable monde, les autres peuples, ennemis du Christ, étant un faux monde, ou mieux un anti-monde encerclant l'empire de vérité. Et à Byzance, la salle du trône (qui reproduit le ciel avec sa voûte peinte en bleu), les candélabres dont les flammes évoquent les étoiles, les animaux (lions, griffons, oiseaux en or massif peuplant le paradis), les arbres aux feuilles d'or qui décoraient la salle, réplique de l'Eden, et l'empereur lui-même, ce *basileus* en majesté dont la puissance est si terrible qu'on ne l'approche qu'après s'être longuement prosterné, tout cela exprime la nature et le rôle évident de la royauté byzantine : représenter sur terre le pouvoir céleste. L'administration de l'empire est censée refléter elle aussi l'organisation de l'empire céleste, la hiérarchie de ses milices. Titres et grades en sont la preuve. La langue grecque a ceci de particulier qu'elle se prête admirablement, par un simple jeu de préfixes, à l'expression de toutes les hiérarchies. Il suffit de mettre *pan*, *proto*, *hyper*, *archi*, *sébasto* devant un radical. Et si l'on combine entre eux ces préfixes, on obtient une variété presque infinie de grades. Byzance, à la fin de sa vie, a connu cette inflation des titres où les préfixes s'emboîtent les uns dans les autres comme une échelle sémantique dressée vers le ciel des mots. Il existait ainsi auprès de l'empereur un dignitaire au titre de *pansébastohypertatos*, le superaugustissime, et un autre au titre de *protopansébastohypertatos*, qu'on pourrait traduire à peu près par suprêmosuperaugustissime !

Rien d'étonnant alors de retrouver sur les fresques d'Athos les images de cette puissance du ciel, à travers les soldats angéliques ou humains qui l'expriment. Mais quelle différence, précisément, entre ces saints farouches (qu'on n'aurait guère envie de contrarier car ils ont l'épée ou la lance facile) et ces anachorètes aux corps nus qui n'ont, eux, pour toute arme, que la prière et le dénuement ! Les uns tuent, massacrent, égorgent. Les autres prient et se laissent tuer. Là encore, d'une façon extraordinairement sensible, on retrouve cette polarité, cette tension décrites à propos du Pantocrator entre l'ascète et le despote et qui explique la double nature de Byzance : civilisation et religion de la puissance et du désert, du triomphe et de la souffrance. Quoi qu'on en dise, on est bien loin ici de la mythologie sirupeuse et édulcorée des catholiques avec leurs saints bêlants, leurs bergères en mal de visions. A l'intérieur de l'univers indo-européen qui est le nôtre, Byzance est la seule culture qui se soit construite et cimentée autour de ces deux contraires : la violence absolue et la non-violence absolue.

Ces réflexions, je les formule aujourd'hui d'une façon évidemment élaborée et repensée mais elles me sont venues justement lors de mon séjour dans ces trois monastères du sud : Simon Pétra, Grégorios, Dionysios. Leur atmosphère y fut sans doute pour quelque chose. On n'y retrouve pas la bonhomie ou le relâchement qui sévit dans beaucoup d'autres. Au réfectoire, les repas se font en silence tandis qu'un moine lit du haut de l'*ambon*, de la chaire, un passage des Synaxaires ou de la Vie d'un saint. La nourriture y est plus que frugale : légumes bouillis avec de l'huile, pain, olives, eau ou vin. Un jour, tandis que je dînais à Grégorios, la vue de ces silhouettes courbées et silencieuses me rappela un épisode de la vie de Pakôme, ce saint copte qui fonda, dans le désert de Haute-Egypte, il y a plus de quinze siècles, le premier monastère chrétien. Les moines alors, pour rivaliser d'ascétisme, avaient coutume de se lever de table sans même avoir touché à leur assiette. Il suffisait qu'un seul d'entre eux défie ainsi les autres – en jeûnant ostensiblement – pour que personne n'ose plus manger. Pakôme imagina alors de confectionner d'amples capuchons que chaque moine dut revêtir pour les repas. Le capuchon recouvrait le moine et le plat et nul ne pouvait savoir si son voisin jeûnait ou mangeait. Tel est, d'après ce texte copte, l'origine du capuchon monacal !

Cette atmosphère de dépouillement, de rigueur, de sobriété se retrouve dans les cellules. Toutes sont nues avec des murs blancs et chaulés, une icône, une veilleuse, une table en bois. Pour lit, une simple planche avec une peau de chèvre ou de mouton. Ces peaux ne sont évidemment jamais lavées et regorgent d'une vie grouillante. Elles sont le domaine d'élection des puces, punaises et poux. D'autres animaux, au nombre varié de pattes, fréquentent aussi les chambres : moustiques, araignées, scorpions, scolopendres, iules et geckos. Aussi ai-je toujours avec moi, en plus du sérum contre les piqûres de scorpion, une boîte de D.D.T. aussi indispensable pour le salut du corps que la prière pour le salut de l'âme. *Bestioles*

** *les fous*

Dans ces trois monastères, la plupart des moines conservent encore sur leur visage les signes de leur origine paysanne. On les dirait taillés dans un bois dur, aux arêtes nettes. A Dionysios, presque tous sont originaires de Crète. Le choix d'un monastère est entièrement libre mais habitude et tradition font que les futurs moines choisissent de préférence un monastère où se trouvent déjà des compatriotes. Ainsi, on rencontre plutôt des Crétois à Dionysios, des Céphaloniens à Saint-Paul, des Thassiens à Philothéos. Les îles et les régions environnantes : Thasos, Samothrace, Lemnos, l'Epire fournissent une grande partie des moines athonites. Presque tous proviennent de milieux ruraux. C'était

presque une règle autrefois, dans toutes les familles
pauvres de la région, d'envoyer à Athos le dernier-né. Ce
qui explique l'analphabétisme de beaucoup de moines
qui savent à peine lire et écrire. Quand on sait qu'au
XVIIIe siècle, Athos était l'un des hauts lieux de la théologie orthodoxe (on voit même encore près de Vatopédi les
ruines de l'académie de théologie) on comprend qu'il
s'agit d'une totale décadence. Le pire n'est pas que la
plupart des moines soient incultes, c'est qu'ils s'en
vantent. Beaucoup d'entre eux m'affirmèrent que savoir,
science et instruction ne sont pas seulement inutiles mais
dangereux car ils vous détournent de la recherche du
salut. Il est rare de rencontrer aujourd'hui, affirmée et
vécue avec une telle intransigeance, une attitude qui fut
de mise au cours des premiers siècles du christianisme
mais qui a disparu dans toute la chrétienté. Cette
défiance s'étend même parfois aux livres saints. « Le
moine, me dit un ermite du sud, n'a besoin de rien,
même pas de livres saints. Il n'a besoin que de ses mains
pour travailler et de son cœur pour aimer Dieu. » Cela
explique l'indifférence que les moines ont longtemps
portée aux manuscrits et aux livres de leur bibliothèque.
Il fallut des pressions, une insistance continuelle de la
part du monde extérieur pour qu'ils finissent par ouvrir
leurs archives et qu'on puisse inventorier, étudier les
milliers de manuscrits abandonnés dans la poussière,
parfois même entassés dans des caves. Cette ignorance
militante n'est pas seulement désastreuse pour les trésors et les archives. Elle est surtout ferment d'intolé-
rance et de superstition. Je ne parle pas ici des croyances
naïves aux miracles, aux démons, aux pouvoirs de la
Vierge. Je parle de l'état d'esprit général qu'implique
cette ignorance. J'ai rarement eu, quant à la religion, des
conversations aussi stupides, aussi primaires qu'à
l'Athos. Si l'on fait exception de quelques moines particulièrement avertis et de certains ermites (comme ce
moine Théoclète du monastère de Dionysios qui a publié
sur Athos une méditation spirituelle, un essai mystique
de haute tenue, malheureusement non traduit en français, sous le titre *Entre ciel et terre*) le moine athonite

représente une survivance tenace de tout ce qui constituait l'univers mental d'un rural byzantin. Je me souviens entre autres d'une discussion à la fois drolatique et cauchemardesque que j'entendis, très tôt à l'aube, sur le môle de l'arsanas de Dionysios. Je revenais d'un long séjour chez les ermites et j'attendais sur la jetée le petit caïque qui devait m'emmener à Daphni. Des moines et des laïques attendaient avec moi, parmi lesquels un commerçant athénien venu à Athos pour des achats de bois. A côté, un moine hirsute, sale, à l'œil noir, faisait les cent pas en parlant tout seul dans sa barbe. Il avait eu la veille au soir, à Dionysios, une violente querelle avec ce négociant à propos de la fin du monde (c'est là le genre de discussion qu'on a le plus souvent à Athos : la fin du monde, l'état de l'homme après la résurrection, les tourments de l'enfer, l'Apocalypse, la couleur des cheveux du Christ...) « Donc, fit le commerçant en s'adressant au moine, tous ceux qui ne seront pas sur l'Athos au moment du Jugement dernier seront damnés ? – Oui tous !, cria l'autre en frappant du pied. Pas un n'en réchappera. Rappelle-toi le Déluge. Il a noyé toute la terre sauf le mont Ararat. Ce sera pareil. Tout sera détruit sauf Athos car la Vierge protège la montagne. » Un autre moine, plus calme et apparemment moins sectaire, voulut intervenir : « Mais voyons, Philarète, fit-il d'un ton bonasse, tu sais bien que c'est contraire aux Ecritures. Le Christ n'a jamais dit ça. D'ailleurs, il n'a jamais parlé du mont Athos. » L'autre redoubla de rage : « Toi aussi, tu seras damné, tu m'entends, pour avoir dit de telles inepties. Damné, oui, damné ! » Et il s'éloigna de ce groupe maudit.

Nul ne reparla plus de cela pendant le voyage vers Daphni. Sur le port, chacun vaqua à ses affaires. Dans l'auberge où je m'installai pour déjeuner, j'aperçus Philarète en train d'engloutir un plat de bœuf aux oignons. Cette auberge est le seul endroit de la Montagne Sainte où la viande est autorisée. Et l'assurance d'être sauvé au Jugement dernier donnait à Philarète un appétit féroce. Ce fut d'ailleurs ma dernière image d'Athos puisque ce jour fut celui de mon départ définitif : cet homme hirsute, sectaire, agressif, idolâtre, mangeant avec voracité, tant qu'on trouvait encore sur terre, avant l'Apocalypse, de bons plats de bœuf aux oignons.

** migrant greeks
+ leaving kids à Athos

Dionysios. Dix heures du matin. Un moine écosse des fèves au soleil, aidé par un novice. En principe, les pères ne travaillent pas aux besognes du monastère. Les tâches *jobs* matérielles sont du ressort des novices et des frères lais. Ils entretiennent le monastère, aident à la cuisine, vont chercher le bois en forêt, allument les cierges dans l'église. Mais le manque de jeunes oblige de plus en plus les moines à recourir à des concours venus de l'extérieur. C'est pourquoi on rencontre partout à Athos une foule d'ouvriers qui assurent les travaux spécialisés ou difficiles : bûcherons, menuisiers, forgerons, muletiers. Ils sont en tout plusieurs centaines et restent souvent très longtemps. Le monastère les nourrit, les loge et leur donne un salaire journalier. Ils peuvent ainsi économiser toute leur paye et l'envoyer à leur famille. La plupart ne viennent ici que contraints par la nécessité. Ceux qui sont mariés et qui ont des enfants trouvent, bien sûr, le temps long. J'en ai connu beaucoup au cours de mes séjours et ils m'ont fait leurs confidences. Les moines les traitent et les nourrissent convenablement mais ils n'ont pas, pour vivre ici, les mêmes raisons que les moines et très souvent l'ennui, le désespoir les prennent. Témoin ce forgeron de Florina, père de six enfants, sans travail, venu ici comme homme de peine. Nous sommes en octobre. Il vient d'arriver et devra rester jusqu'à Pâques. Il touche 15 000 drachmes par jour (soit quatre francs actuels). C'est un homme doux, timide, aux yeux très bleus. Il parle à voix basse, comme s'il me confiait des choses très précieuses et ébauche souvent en parlant des gestes d'impuissance : « Que faire d'autre ? Que faire d'autre ? » ne cesse-t-il de répéter. En ce moment, il travaille au ramassage des olives. Demain, il chargera du bois sur les caïques. Certains préfèrent être payés à la tâche comme ce bûcheron rencontré à Philothéos qui,

pour vingt-cinq francs d'aujourd'hui, abattit, tailla et
scia un nombre incroyable de stères. Dès qu'on a la
moindre spécialisation, les salaires athonites sont évidemment un peu moins misérables. A Vatopédi, l'électri-
cien qui s'occupe du groupe électrogène gagnait quinze
francs par jour, nourri, logé, ce qui alors était exception-
nel en Grèce. Tous ces ouvriers constituent, en marge
des moines, une communauté de fait avec ses lieux de
réunion et sa vie séparée. Ils se mêlent peu aux moines
et mangent à part, dans la cuisine du xénon. Ils sont
tenus d'assister aux offices, quand leur travail le permet.
Ils sont vêtus pauvrement, marchent souvent pieds nus.
Certains amènent avec eux leurs enfants, dès qu'ils ont
huit ans et plus, et leur confient les tâches les moins
pénibles : s'occuper des mulets, par exemple. Comme
ces enfants ne savent ni lire ni écrire, les moines leur
enseignent les rudiments de l'alphabet jusqu'à ce qu'ils
puissent déchiffrer les Evangiles. Certains d'entre eux,
n'ayant jamais rien connu d'autre, demeurent toute leur
vie au mont Athos. Non que les moines les y contrai-
gnent absolument. Parfois, c'est le père qui « oublie »
son enfant quand il s'en retourne chez lui. Une bouche
de moins à nourrir. J'en ai connu plusieurs, venus là très
jeunes, qui jamais ne sont repartis. Pourtant, malgré cet
apport, au demeurant bien faible, Athos dérive lentement vers la solitude et l'abandon définitifs.

** le "possédé"

Au-delà de Dionysios, en allant vers le sud, on rencontre le monastère de Saint-Paul et la skite de Sainte-Anne.
C'est le dernier établissement monastique avant le pays
des ermites. Les bâtiments s'étagent sur un versant
abrupt, luxuriant, au milieu des arbres. Au centre, le
kyriakon, église unique desservant la communauté où
l'on célèbre la messe une fois par semaine, le dimanche.
Ici, les maisons sont blanches, rutilantes de propreté.
Elles sont spacieuses et abritent en général trois ou
quatre moines. Elles comportent deux ou trois pièces,
une cuisine, une chapelle, une terrasse ombragée d'une

treille. Tout autour, des arbres fruitiers : orangers, citronniers, grenadiers, amandiers, dévalant jusqu'à la mer. Chaque maison a un potager que les moines cultivent avec soin. Des aqueducs, faits de troncs creusés mis bout à bout, amènent l'eau à domicile. On se croirait dans un centre de villégiature beaucoup plus qu'au cœur d'un pays monastique! Sur la terrasse du kyriakon, des lauriers-roses croissent à profusion. C'est un lieu vérita-blement enchanteur et il faut croire que les démons l'apprécient eux aussi car ils y règnent en maîtres. De la cellule où je logeais, j'entendis une nuit hurler un moine dans une maison voisine. Un cri rauque d'abord (comme si la voix cherchait à s'éclaircir pour parler) qui se mua en hurlement aigu, insoutenable. Nul ne sembla s'en inquiéter. Le lendemain matin, l'archontaris m'expliqua qu'il s'agissait d'un mauvais moine, venu à Athos pour voler des trésors. Quelques jours plus tôt, il s'était enfui et on l'avait retrouvé sur le rivage, les bras en croix, inanimé. Il fut transporté à Sainte-Anne et depuis ce temps il hurle chaque nuit. Le jour, il est tout à fait normal, vaque aux travaux mais ne parle jamais. Je le vis d'ailleurs quelques instants plus tard. Rien de parti-culier ne se lisait sur son visage. Un visage neutre, comme lavé de songes. Des gestes lents mais précis. D'après l'état dans lequel on l'avait trouvé, il avait dû avoir une crise d'épilepsie. Comme il existe à Karyès un petit hôpital avec un médecin d'Athènes, je suggérai à l'archontaris de l'y transporter ou de faire venir le docteur. Mais cette idée lui parut saugrenue. « Le frère n'est pas malade le moins du monde, me dit-il. C'est le remords et les démons qui le tourmentent et le font crier. Quand il aura payé sa dette et qu'il se sera repenti, il retrouvera la paix et il ne criera plus. »

A plusieurs reprises, je fus témoin de faits semblables. Le mot de folie est ici inconnu. Elle n'est, semble-t-il, aux yeux des moines, qu'une présence un peu plus sensible des démons dans le corps ou dans l'âme. Le remède consiste à chasser le démon par des rites appro-priés. Mais pour cela le possédé doit le vouloir lui aussi, il doit se purifier. Aussi se contentait-on pour l'instant de

l'exclure des offices de nuit et de prier pour lui. Comme
il ne criait que la nuit, on se disait que les démons
voulaient l'empêcher d'assister à la messe. Et le jour,
dans le grand soleil, la vie continuait, tranquille, labo-
rieuse.

**le vin*

C'est à Dionysios, au cours de mon dernier séjour, que
je fis une rencontre mémorable : celle de Christos, un
ouvrier d'Epire qui venait chaque année pour travailler
au mont Athos. Tout le monde le connaissait et l'estimait
car il rendait de grands services. En fait, comme il me
l'expliqua, il venait à Athos chaque fois qu'il était fauché
ou qu'il avait besoin de se faire un peu « oublier » en
quelque province. Depuis des années qu'il fréquentait
ainsi Athos, il en connaissait tous les moines et tous leurs
secrets. Avec lui m'apparut l'envers d'un décor qui, pour
certains, n'est fait que de méditation. D'autant que
Christos savait raconter à merveille. Son point de vue
sur Athos n'avait rien de très religieux. Il respectait les
moines, les offices, Dieu, le Christ et la Vierge mais n'en
faisait en fait qu'à sa tête. « A chacun son domaine, me
dit-il un soir dans la cuisine du monastère. Aux moines le
vin de messe, à moi le vin tout court. » Car Christos
buvait ferme mais avec art, je dirais même avec science.
Il m'initia à un aspect essentiel d'Athos qui ne figure
nullement dans les anthologies mystiques : savoir où
nichaient les bonnes caves et les meilleurs archontaris :
« Les meilleurs moines, disait-il en fermant les yeux, sont
ceux qui font le meilleur vin. Si on ne sait pas faire du
bon vin avec de bonnes vignes comme ici, comment
feraient-ils quelque chose de bien avec leur âme, ce qui
est beaucoup plus difficile ? » Le salut de l'âme allait
donc de pair pour lui avec les délices du palais. Une fois,
je l'entendis discuter avec un moine dans la cour d'un
monastère où nous nous étions arrêtés. L'autre devait lui
faire des remontrances car je surpris, à un moment, le
mot *péché*. « Quoi ? Qu'as-tu dit ? Répète, faisait innocemment Christos. Péché ? Je ne connais pas ce mot-là.

Tu es sûr qu'il figure dans le dictionnaire? » J'appris donc très vite, avec Christos, à diviser les monastères d'Athos, non plus en cénobitiques et en idiorythmiques, mais en monastères à vin et en monastères à raki. Les premiers se subdivisaient à leur tour en monastères à bons vins – donc à bons moines – et monastères à mauvais vins. Ceux-là, il les évitait de son mieux.

à Chamonix

Quand on voyage plusieurs jours avec des gens qui boivent, le problème est de savoir boire aussi longtemps qu'eux ou de pouvoir s'arrêter à temps. Christos, lui, n'arrêtait jamais. L'aube et le crépuscule le voyaient toujours dans un état second, euphorique, entre l'ivresse et la lucidité, sans que cela d'ailleurs l'empêche jamais de travailler. Pour moi, les marches continuelles, la nourriture sommaire ne facilitaient guère ma résistance aux beuveries. Les quelques jours passés avec Christos à arpenter le sud du mont Athos, nous arrêtant de skite en skite pour boire un verre et repartir, demeurent très flous dans ma mémoire. Le seul souvenir très précis qui m'en reste est celui d'une nuit dans l'ermitage du père Pakôme. Il se trouvait sur la route de la Grande Lavra, au-dessus des falaises de Kapso-Kalyvia, dans une région totalement aride et déserte. Pakôme, devant sa cabane, piochait dans son potager. Il se releva à notre approche, essuya la sueur de son front. Il avait un visage rude de paysan. Les os saillaient sous les chairs mais la barbe qui lui mangeait les joues adoucissait ses traits burinés. Il nous fit entrer dans son ermitage et s'affaira pour le repas. Il avait une réserve de riz, quelques tomates, rien de plus. Christos suggéra de ramasser des escargots et on se mit en chasse. Au retour, Pakôme alluma le poêle et on y déposa, vivants, les escargots. Une odeur de chair et de métal chauds envahit la pièce. Christos alla chercher, dans un placard secret, une bouteille de raki et l'on se mit à boire. Pakôme buvait peu, plutôt pour nous tenir compagnie mais Christos et moi dégustions ce marc d'arbouse, ces fruits rouges et rugueux qui poussent à profusion ici. La chaleur de la pièce, le sentiment d'être plongés tous trois au cœur de la plus entière solitude, les voix de Pakôme et de Christos qui me

parvenaient dans un demi brouillard, tout cela me fit
lentement dériver dans une merveilleuse euphorie. Je me
souviens qu'à un moment, le visage de Christos devint
comme sévère et il dit : « Je vais chanter des *kleftika*. Je
ne chante que des *kleftika*. » Ces *kleftika* sont parmi les
plus beaux chants grecs. J'en avais entendu quelques-
uns sur des disques. Mais pour la première fois
quelqu'un en chantait devant moi, quelqu'un qui les
connaissait tous apparemment car son répertoire était
inépuisable. D'ailleurs, très vite, il nous oublia, Pakôme
et moi. Les yeux fermés, la tête légèrement relevée, le
front plissé, comme douloureux, quand il montait dans
les aigus, Christos chanta ces récits, ces lamentations,
ces prouesses des kleftes, ces combattants de la guerre
d'Indépendance contre les Turcs, partisans des montagnes. Chants épiques, devenus légendaires, où l'on voit
un guerrier exterminer à lui seul un régiment entier, où
la nature combat partout avec les hommes, où les aigles
eux-mêmes pleurent la mort des partisans, où les veuves
et les mères fouillent la montagne à la recherche des
corps mutilés par les Turcs. Pakôme écoutait, tête bais-
sée. Ecoutait ou dormait, je ne sais. Je devinais, sur son
visage si martelé, la douceur d'un rêve. Je me sentis, à
mon tour, porté vers le sommeil. Le lendemain matin, je
me réveillai avec l'aube. Mes compagnons dormaient
encore. Et je m'aperçus que j'avais sommeillé, tel que je
m'étais endormi, assis contre le lit.

il tombe malade

Deux jours plus tard, je quittai Christos à la croisée de
deux chemins, pour me rendre à la skite roumaine de
Prodromos. Je sentis qu'il n'appréciait nullement mon
choix. A ce carrefour, en effet, l'un des chemins descen-
dait vers la mer, l'autre gagnait la Grande Lavra par
l'intérieur des terres. Christos se posta à la bifurcation et
me dit d'un ton ferme : « Et maintenant, je vais enfin
savoir quel genre d'homme tu es. A gauche, c'est Lavra,
le chemin du raki. A droite, Prodromos, le vin roumain.
Choisis. » Je choisis le sentier du vin roumain. Christos

me dit alors : « Eh bien, adieu. Va vers ton vin roumain. Moi, je ne mélange jamais. Je choisis le raki. Salut. »

A peine arrivé à Prodromos, je fus pris de frissons, de maux de tête intolérables et d'une forte fièvre. Comme j'étais le seul visiteur, l'archontaris me donna une chambre à part et me dit qu'il allait me soigner selon les méthodes athonites. Il revint d'abord avec un thermomètre, ce qui m'étonna. 39° 5. Les douleurs lancinantes gagnaient les épaules et la poitrine. Quelques instants plus tard, le moine revint avec un morceau de sucre et deux fioles. La première était remplie d'un liquide blanchâtre dont il versa quelques gouttes sur le sucre. « Avale ça, me dit-il. Ta fièvre va tomber très vite. » Le liquide avait un goût prononcé de térébinthe. Puis il déboucha l'autre fiole, en imbiba un mouchoir qu'il me passa ensuite, très longtemps, sur les épaules et la poitrine. C'était un produit huileux, jaune, et sentant très fort, sans que je parvienne à identifier cette odeur. Un quart d'heure après, toutes mes douleurs avaient cessé. J'avais toujours autant de fièvre mais je ne sentais plus ni courbatures ni lassitude. Il m'obligea pourtant à rester couché le soir et m'apporta mon dîner dans ma chambre : un épi de maïs bouilli et une salade de *radikia*, feuilles de chicorée sauvage qu'on fait bouillir et qu'on mange avec de l'huile d'olive et du citron.

Le lendemain, entièrement reposé et guéri, je voulus en avoir le cœur net. Dans la cuisine, en prenant mon café, j'examinai la fiole jaune. Elle contenait une huile trouble, épaisse, dans laquelle flottaient des nuages de matière blanchâtre. « Ce sont de vieux remèdes d'Athos, me dit l'archontaris. La liqueur blanche, je la fabrique avec de l'essence de térébinthe, de l'alcool et des herbes. L'autre, c'est de l'huile de rat. C'est un remède unique contre les névralgies, les douleurs, les courbatures et tous les hématomes. Tu prends une rate au moment où elle va mettre bas ou le plus tôt possible après. Tu prends un petit, tu le mets dans un flacon d'huile d'olive, plein et bien fermé et tu le laisses en plein soleil jusqu'à ce que le fœtus se dissolve dans l'huile. Tu vois, c'est très facile. »

C'était très facile, en effet, à cela près qu'on ne trouve pas des fœtus de rat sur commande. Et qu'il faut ensuite supporter cette odeur de rat frit et d'huile rance dont je mis des jours à me débarrasser.

*
**

Le monastère de la Grande Lavra est situé à l'extrémité sud d'Athos, à deux heures environ de la skite de Prodromos. Lorsqu'on veut l'atteindre en partant de Karyès, il faut accomplir une très longue marche d'une trentaine de kilomètres. J'ai appris que, ces dernières années, on avait construit une route asphaltée et qu'un car dessert aujourd'hui la « ligne » d'Iviron à Lavra. Athos est pourtant le dernier endroit au monde où l'on s'attendrait à voir un autocar. Autant imaginer une voiture amphibie sur le mont Ararat au moment du Déluge ou une fusée desservant les aérogares de la Cité céleste quand un taxiarque a quelque affaire à traiter dans le quartier des Chérubins. Ce ne sont pas les moyens de transport qu'il faut moderniser à Athos, si tant est qu'un tel mot ait un sens en ces lieux, mais les esprits en les débarrassant de leurs superstitions, de leur ignorance, de leur crasse mentale et séculaire. D'autant qu'il n'existe guère d'endroit au monde où l'idée d'être pressé soit plus dépourvue de sens.

Le chemin, large et bien entretenu, longe plusieurs monastères qui sont autant d'étapes : Philothéos – l'Ami de Dieu – et Caracalla – le Château Noir. De là, il continue d'une traite jusqu'à Lavra. C'est dans cette région, à l'orée du désert des Ermites, que saint Athanase d'Athos fonda au Xe siècle la laure qui devait par la suite devenir le plus grand monastère d'Athos. C'est ici le cœur du pays monastique et la Grande Lavra garde les traces de cette vieille histoire : l'ossuaire où reposent les restes du saint fondateur et cet immense cyprès qu'on dit planté par lui et qui aurait presque mille ans. L'ancienneté des lieux se lit aussi à d'autres signes, à ces toits de lauzes recouvertes de lichens et de mousses qui leur donnent, au soleil couchant, des teintes polychromes.

Mon premier séjour à Lavra avait été plutôt décevant. J'y étais venu de Karyès, harassé par de longues heures de marche et l'archontaris m'avait accueilli d'un air nettement revêche. Manifestement, il n'avait nulle envie de me faire à manger. J'attribuai sa mauvaise humeur au fait qu'il avait chaque fois de nombreux ouvriers à nourrir et que j'étais arrivé après l'heure du dîner. J'avalai l'unique plat, un bol de soupe tiède et gagnai ma cellule. La nuit venait juste de tomber et la chaleur y était intenable. Les moustiques, attirés par la lueur de la lampe à pétrole que j'avais allumée sans fermer la fenêtre, menaient une ronde endiablée. Je m'étendis, affamé, épuisé et furieux, sans pouvoir fermer l'œil. Je me rhabillai et décidai d'aller faire un tour à l'intérieur du monastère. Mais à peine sorti une odeur d'aubergines frites me fit monter l'eau à la bouche. Je me dirigeai vers la cuisine et regardai par une petite lucarne donnant sur le couloir. Je compris pourquoi l'archontaris était si pressé de m'expédier dans ma cellule. Une dizaine de moines y étaient attablés devant de subtantielles victuailles : fritures, salades, poissons, vins et raki. Avec leurs mines esbaudies et leur sourire béat, ils ressemblaient à ces moines que l'on voit sur les marques de camembert. Je reconnus d'ailleurs l'un d'eux, un pope énorme et prétentieux, en visite à Athos, rencontré la veille au monastère de Philothéos. Il s'était mis en tête de me faire passer un examen d'histoire byzantine et poussait des cris d'étonnement, levant les bras au ciel, chaque fois que je citais un empereur ou un saint connu. Son seul souvenir m'agaçait prodigieusement depuis la veille et voici que je le retrouvais ici, moi l'affamé, avec sa face rubiconde, animée par le vin et creusée par les ombres des lampes. Plus tard, en France, en lisant Grégoire Palamas, un théologien grec qui vécut à Athos au XIVe siècle, je tombai sur un passage qui me rappela aussitôt cette scène de ripaille : « Ils mangent comme des porcs, écrivait-il à propos des moines de l'Athos, ils boivent comme des tonneaux et quand ils sont ivres, ils prétendent émettre des oracles. » Dans ce domaine, bizarrement, Athos n'avait nullement dégénéré, tout au contraire.

*les peintures + le
** repas

Pour mon second séjour, à mon dernier voyage, j'arrivai le 20 août, veille de la grande fête anniversaire de Lavra. Une foule de moines, venus d'un peu partout, avait envahi cellules et dortoirs. Tout le monde s'activait aux préparatifs du repas, autour d'immenses bassines où l'on épluchait les pommes de terre, découpait les tomates, les oignons, les concombres. Tout le monastère prenait des airs de village une veille de Carnaval. Lavra étant idiorythmique, on ne se sert jamais du réfectoire, si ce n'est pour la fête du monastère, ainsi qu'à Noël et à Pâques. C'était une pièce immense, entièrement décorée de fresques, avec de grandes tables taillées à même la pierre. Un simple creux servait d'assiette et une rigole périphérique permettait de nettoyer et de laver les tables à grande eau après chaque repas. Le dîner se fit à minuit, après l'office. Toute la pièce était illuminée de cierges et de veilleuses. Je remarquai que la disposition des convives suivait un ordre strict. Au bout, juste à côté de l'abside, sur deux tables se faisant face, siégeaient l'higoumène et les épistates, ses adjoints. Venaient ensuite les moines de Lavra puis, aux tables voisines, les ermites et les solitaires des skites dépendant de Lavra. Enfin, près de l'entrée, les ouvriers qui travaillaient ici, les laïques de passage et les hôtes étrangers. De la place où je me trouvais, je vis que la lumière des cierges et des veilleuses faisait étrangement ressortir, sur les fresques, le visage des saints. Leur nimbe d'or, le trait noir cernant leurs yeux et leurs joues, leur longue barbe blanche se détachaient du fond sombre des murs. Comme ils sont toujours représentés de face, alignés en une sorte de parabase sacrée, ils prenaient, sous cet éclairage, l'aspect de témoins vigilants, d'ancêtres participant eux aussi au repas solennel. Je découvris là un aspect de l'art byzantin auquel on pense rarement. De toute évidence, ces figures n'étaient pas là pour décorer mais pour témoigner des ancêtres exemplaires, de leur présence instante malgré le temps, pour abolir la fausse durée des siècles. Et ils surgissaient soudain parmi nous, comme à l'orée d'une forêt séculaire, en une émergence d'êtres de lumière. Je me rendis compte alors combien ce cortège de témoins vigilants, tirés de l'ombre du passé, détruisait, quant à l'art byzantin, la légende d'un art figé.

Le lendemain, chacun repartit à l'aube vers son ermitage ou son monastère. Sans trop savoir pourquoi – ou peut-être en raison de cette atmosphère morose des lendemains de fête – je me sentis la gorge serrée en regardant les uns et les autres s'en aller vers leur montagne ou leur désert. Pendant ces deux jours, je m'étais retrouvé en pays de connaissance. J'avais revu Pakôme, l'ermite chez qui j'avais passé une soirée de kleftika avec Christos, l'année précédente. J'avais revu aussi Joachim, l'archontaris de Prodromos qui m'avait guéri avec l'huile de rat. Je les accompagnai tous deux, sur le chemin de la montagne puis je rentrai au monastère. Désœuvré, j'errai un moment dans la cour puis entrai dans le réfectoire. Le soleil levant éclairait les grandes tables de pierre, débarrassées et nettoyées, mais on y respirait encore une odeur tenace de cierges, d'encens, de fruits mûrs. Je regardai plus en détail ces fresques qui m'avaient tant surpris la veille. Elles étaient l'œuvre d'un peintre athonite du nom de Théophane qui vécut à Lavra au XIVe siècle. Bien qu'il s'agisse d'un réfectoire, non d'une église, la disposition des sujets répondait aux canons iconographiques byzantins. A droite de l'entrée, une grande composition représentait l'entrée des saints au Paradis. A gauche, se dressait un arbre généalogique contenant toutes les lignées des patriarches, des sages et des prophètes depuis Adam jusqu'au Christ. Je fus surpris d'y voir figurer les principaux philosophes de la Grèce antique. J'avais déjà remarqué à Vatopédi, sur les murs du porche d'entrée, des fresques représentant Platon, Aristote et Sophocle. Platon était debout, avec un air sévère, tenant entre ses mains un parchemin sur lequel on lisait : « *L'ancien est*

le nouveau, le nouveau est l'ancien. » A Lavra, figuraient beaucoup d'autres sages dont je ne pus lire tous
les noms, représentés dans la même attitude que les
anachorètes du désert et les saints orthodoxes, mais
évidemment sans nimbe derrière la tête. La dernière
bande, tout en haut, était plus singulière encore : elle
représentait la déesse Athéna chassée du ciel par la
Vierge. Je dis chassée parce que c'était bien là le sens de
la peinture mais la scène n'évoquait à aucun moment la
violence. Athéna s'en allait d'elle-même, pour faire place
à celle qu'elle reconnaissait comme la nouvelle souveraine du ciel et de la terre.

Jusqu'ici, je n'ai guère parlé des multiples impressions
éprouvées à Athos, pendant des mois, devant l'art byzantin. C'est qu'en fait, je n'ai véritablement ressenti le sens
et la vie de cet art qu'au cours de mon dernier séjour.
Pendant les deux premiers, j'ignorais trop de choses sur
l'hagiographie orthodoxe, l'histoire byzantine, les techniques de la peinture pour ne pas éprouver une sorte de
vertige à la vue de ces centaines de saints, d'anachorètes, d'évêques, de martyrs peuplant les murs d'Athos. Je
me rendis compte alors combien le côté esthétique – le
seul qu'on perçoive aujourd'hui – était d'importance
secondaire. Ici, fresques et icônes répondaient à une
double fonction, narrative et arétologique : montrer
l'histoire du monde selon la tradition de l'Orient orthodoxe et démontrer, en racontant la vie, les actes, les
miracles et les martyres de ces figures exemplaires, la
permanence de leur foi, l'abolition du temps profane.
C'est pourquoi la disposition et le traitement des sujets
étaient régis par des règles très strictes, destinées à les
rendre aussi clairs, aussi enseignants que possible. Ce
n'est jamais le peintre qui décidait arbitrairement de
situer dans la nef, le narthex, le sanctuaire, telle ou telle
scène de son choix. En chaque emplacement de l'église,
en chaque horizon de cet espace sacré, l'apparence et
les attributs de chaque figure étaient rigoureusement
codifiés. Et l'on peut justement trouver des exemples
précis de ce code dans un ouvrage découvert au siècle
dernier dans une bibliothèque de l'Athos, attribué à

Denys de Fourna, peintre athonite du XVIII siècle et qui s'appelle *Guide de la peinture*. Il livre tous les secrets, toutes les recettes nécessaires à la fabrication des matériaux, à la décoration des églises et à la composition des sujets. Mais par là même, en répertoriant et en décrivant tous les thèmes religieux de l'orthodoxie, il définit merveilleusement l'univers sacré et mythique du monde byzantin.

Prenons l'exemple de l'Ancien Testament. L'ouvrage énumère et décrit en détail les 136 sujets traditionnels allant des Hiérarchies célestes et de la création d'Adam jusqu'à la naissance du Christ. Ce faisant, l'auteur aborde fatalement, dans la description des personnages et de leurs attributs, des problèmes de nature théologique. Ainsi les Hiérarchies célestes – c'est-à-dire l'ensemble des êtres immatériels entourant Dieu – s'ordonnent en trois séries superposées : en premier, les Chérubins, les Séraphins, les Trônes; en second, les Dominations, les Vertus, les Puissances; en troisième, les Principautés, les Archanges et les Anges. Cette ordonnance résulte elle-même de tout un ensemble de traditions, de confrontations – codifiées dans un ouvrage du V siècle intitulé *La Hiérarchie céleste* – dont il est très étonnant que nul structuraliste ou nul psychanalyste n'ait encore fait l'étude. Car, plus encore peut-être qu'avec la démonologie, on trouverait dans cette ordonnance, cette taxinomie de l'immatériel et de l'invisible (qui a marqué toute la pensée visionnaire des mystiques et des poètes du Moyen Age jusqu'à nous), les axes fondamentaux de notre imaginaire.

Dans l'ouvrage de Denys de Fourna, un long passage est consacré justement à la description d'une figure qui m'avait très souvent intrigué sur les fresques et qui est celle du *Tétramorphe*, littéralement le *Quadriforme*. Elle réunit en un être unique les quatre vivants de la vision d'Ezéchiel, devenus par la suite les attributs des quatre évangélistes : l'homme de saint Matthieu, l'aigle de saint Jean, le lion de saint Marc et le bœuf de saint Luc. Cet amalgame de quatre animaux différents en un être couvert de plumes et constellé d'ocelles a quelque chose

d'à la fois monstrueux et saisissant. Il évoque bien sûr
les créatures hybrides de la mythologie sémitique mais
quelque chose de plus que cela : la synthèse impossible
de ce que l'évolution biologique a toujours séparé. C'est
un être contre-nature qui rend particulièrement manifestes les tendances de la mythologie judéo-chrétienne. Car
le fabuleux et le transcendant s'y conjuguent en conci-
liant l'inconciliable. Ce monde de Chérubins, de Séraphins, de Tétramorphe se déroule sur la bande inférieure
de la ́coupole centrale, autour du Pantocrator. Et en

Le Tétramorphe.

regardant ce cortège circulaire d'êtres immatériels entourant l'Omnipotent, je pensais à cette salle du Palais de la Découverte où, sous une coupole semblable, tournent les décimales illimitées du nombre π. Je me souviens qu'adolescent j'avais éprouvé un vertige devant ces chiffres qui jamais ne pouvaient finir. Ici, à Athos, je compris que ces êtres, ces attributs, ces fonctions transcendantes étaient dans leur tournoiement circulaire un effort pour nous rendre sensible cet infini qui échappe à nos sens. Ces cercles ailés, ce Tétramorphe m'apparaissaient comme ces modèles mathématiques qui restituent le volume d'un cube ou d'un octaèdre dans la quatrième dimension. Dans un cas comme dans l'autre, malgré la distance des siècles et l'abîme des mentalités, on pressentait la rencontre de deux espaces, de deux profondeurs dans la conscience mathématique et mystique de l'homme.

Ces réflexions rendent d'autant plus grossière à mes yeux l'imagination des théologiens qui, en descendant les degrés de cette hiérarchie, en passant des Dominations aux Archanges, les ont envisagés comme de simples répliques de nos formes hominiennes. En les représentant comme des soldats revêtus de cuirasse, munis d'épées et nantis d'ailes (le seul signe qui les distingue des humains) ils trahissent l'impuissance de leur invention. Une faille, une rupture tragique béent soudain au cœur de l'homme entre la part de lui-même qui a su concevoir et suggérer le Tétramorphe et celle qui voit les Archanges avec les apparences et l'arsenal des soudards de la terre.

Parmi tous les thèmes concernant l'Ancien Testament, il en est un qui suggère, lui aussi, bien des réflexions stimulantes, celui de la création d'Adam. Les indications de Fourna sont ici très sommaires. « *Adam, jeune, imberbe debout, nu. Le Père éternel devant lui, environné d'une lumière éclatante le soutient de la main gauche. Tout autour, des arbres et divers animaux. En haut, le ciel avec le soleil et la lune.* » Ces notes laissent finalement au peintre beaucoup de liberté et surtout elles omettent un détail essentiel qui tourmenta longtemps les théologiens : faut-il représenter Adam et Eve avec un nombril ? Ni l'un ni l'autre n'étant nés selon le processus matriciel des vivipares, ils n'eurent nul besoin de cordon ombilical donc de nombril. Certains peintres s'en tinrent à cette logique élémentaire comme celui qui, au monastère de Grégorios, les représenta sans nombril. Mais comme par ailleurs nos ancêtres étaient – ou devaient être – les prototypes, les modèles accomplis et parfaits de toute espèce humaine, ils se devaient de porter avec eux tout ce que porte un homo sapiens normalement constitué. Comment expliquer, si Eve n'a pas de nombril, la naissance d'Abel et Caïn ? Sans doute faut-il avoir l'esprit byzantin ou athonite pour se complaire à ce genre de problème mais il est justement de ceux que l'on affectionne au mont Athos. Il met en cause, de façon agaçante, les points d'achoppements des mythes et du réel. Et à travers ce problème, se révèlent immanquablement, dans les réponses que donnèrent les théologiens, deux attitudes psychiques opposées : celle qui ne considère que l'ascendance de nos ancêtres, leur origine, leur mode de venue au monde (les partisans de l'absence de nombril) et celle qui considère leur descendance, leur trajectoire jusqu'à nous, leur fonction de modèle humain (les partisans du nombril). Mais revenons à Denys de Fourna.

La présence dans l'arbre généalogique de Lavra des philosophes de la Grèce antique répond elle aussi à une tradition. Fourna énumère la liste de ceux qui peuvent figurer aux côtés des prophètes et des saints. Cette liste recoupe partiellement celle des Sept Sages de la Grèce et comprend : Apollonius, Solon, Thucydide, Plutarque, Platon, Aristote, Philon, Sophocle, Thoulis (roi d'Egypte), le devin Varlaam et la Sibylle. Tous à part la Sibylle sont décrits comme des vieillards assez semblables que seuls distinguent entre eux les titres de leurs œuvres et... la forme de leur barbe. Thucydide, par exemple, doit avoir une barbe séparée en trois, Plutarque une barbe en pointe, Philon une barbe séparée en deux et Sophocle une barbe séparée en cinq !

Le Nouveau Testament fournit au peintre plus d'une

centaine de thèmes, allant de l'Annonciation à la Passion. Douze d'entre eux, choisis depuis des temps très anciens, constituent ce qu'on appelle le *Dodecaorton*, les Douze Fêtes jalonnant l'année christique et qui figurent toujours sur la bande supérieure de l'iconostase : *Annonciation, Nativité, Présentation au Temple, Baptême, Transfiguration, Résurrection de Lazare. Entrée à Jérusalem, Crucifixion, Résurrection, Ascension, Pentecôte, Dormition de la Vierge*. A l'intérieur de ces thèmes, certains se subdivisent en sous-thèmes entre lesquels le peintre peut choisir. Ainsi, le thème de la Passion comprend trente-cinq sous-thèmes allant du Pacte de Judas à la Descente du Saint-Esprit. Bien entendu, Fourna décrit avec le même luxe de détails tous les martyrs, saints et évêques canonisés avec les scènes représentatives de leur vie, de leur martyre ou de leurs miracles. Mais on trouve aussi dans le *Guide de la peinture* de nombreux sujets empruntés à certains auteurs ascétiques mystiques. C'est le cas d'un sujet représenté dans le réfectoire du monastère de Dionysios et où le peintre a suivi très minutieusement les indications du livre. Ce thème, tiré de Jean Climaque, s'intitule : *L'Echelle du salut et la route du ciel*. J'en reproduis ici la description fort curieuse qu'en donne le moine Denys : *Une échelle fort grande et très élevée, allant jusqu'au ciel. Des moines sont dessus, les uns en train de monter, les autres saisissant le bas de l'échelle pour parvenir plus haut. Au-dessus d'eux, les anges ailés semblent les aider. Au-dessous de l'échelle, un grand nombre de démons ailés saisissent les moines par leur robe. Ils tirent les uns mais ne peuvent les faire tomber; quant aux autres, ils parviennent à les éloigner un peu de l'échelle. Enfin, d'autres moines sont tout à fait détachés de l'échelle et les démons les prennent par le milieu du corps pour les emporter. Au-dessous d'eux, l'Enfer tout dévorant, sous la forme d'un énorme et terrible dragon, tenant dans sa gueule un moine tombé à la renverse et dont on n'aperçoit plus que les pieds. Ecrivez cette épigraphe : Regardez l'échelle appuyée au ciel et réfléchissez bien aux fondements de la vertu.*

Un des aspects les plus curieux et aussi les plus amusants de ce livre est constitué par sa partie technique. Denys y traite de tous les procédés de fabrication des pinceaux, des couleurs, des enduits, des apprêts, des vernis capables de résister au temps. Et ce n'était pas toujours une mince affaire. Des soies de porc à la bave d'escargot, de la cire d'abeille à la crinière d'âne, l'artiste doit tout se procurer, tout préparer lui-même. On reste stupéfait devant la quantité d'opérations minutieuses et laborieuses qu'exige, par exemple, la fabrication d'un liant ou d'un vernis. Voici, entre autres, la recette pour obtenir un mordant à l'ail, substance d'apprêt dont le peintre doit enduire l'emplacement du nimbe autour de la tête (en précisant que ce mordant n'est valable que pour ce seul endroit et cette seule opération) : *Prenez une bonne quantité d'ail au mois de juillet ou d'août. Epluchez-le, écrasez-le dans un mortier. Passez-le dans un linge propre au-dessus d'un vase et mettez-le au soleil jusqu'à ce qu'il soit bien coagulé. Mais veillez bien à ce qu'il n'y tombe pas de poussières, de poils ou d'insectes. Lorsque vous voudrez dorer au pinceau, vous mélangerez ce suc avec la couleur afin que l'or adhère bien. Lorque vous l'aurez appliqué sur un objet, vous le laisserez un peu sécher et vous appliquerez l'or en chauffant avec votre haleine. Puis nettoyez le tout avec une patte de lièvre.* L'or utilisé par les peintres pour les nimbes des saints était en feuilles ou en poudre. Lorsqu'il était en poudre, il fallait le mélanger à un liant pour lui assurer la compacité et l'élasticité nécessaires. Ce liant, on le fabriquait avec de la bave d'escargot. *Pour obtenir de bonnes dorures, tâchez d'abord de trouver un escargot. Recueillez sa salive dans une coquille. Voici comment on la recueille : mettez de la cire ou une bougie allumée devant l'orifice du trou par lequel l'escargot respire et aussitôt il jettera toute sa bave. Recueillez-la, mettez-la sur du marbre pour la mélanger avec l'or et un peu d'alun. Ajoutez-y un peu de gomme. Vous pourrez alors vous en servir pour tout ce que vous voudrez d'une manière qui vous surprendra.*

Les pinceaux eux-mêmes sont fabriqués avec des poils très différents selon l'usage auquel on les destine. Pour peindre les chairs et les parties claires d'une icône, il faut soit des crins d'âne soit des poils de chèvre soit de la barbe de mulet. Pour les parties foncées, les fonds, les paysages, il faut des soies de porc.

Tout cela ne concerne que les matériaux les plus indispensables. Il va de soi que le rendu des traits eux-mêmes, de certaines carnations, des vêtements, obéissait aussi à des lois très précises. Je n'en citerai qu'une, indiquée par Denys de Fourna, pour rendre le visage des jeunes saints, celui des saints âgés obéissant à d'autres règles. *Pour les cheveux, prenez une ocre foncée brûlée au feu jusqu'à ce qu'elle devienne rouge noir. Pour les lèvres, mêlez du fard et du cinabre. Pour la bouche, employez le cinabre pur et pour l'ouverture de la bouche, mêlez-le à d'autres couleurs. Ceci pour les cheveux, les lèvres, la bouche et les sourcils des jeunes saints.*

Enfin, il est un dernier point que je crois très intéressant et surtout très peu connu : la position des doigts lors des bénédictions, sur les fresques et les icônes. J'avais depuis très longtemps remarqué que sur les icônes représentant le Christ bénissant, les doigts dessinaient une figure très précise – ou plutôt deux figures précises – et ressemblant étonnamment, à la position d'un doigt près, à celle de la main de Bouddha, sur les fresques indiennes. De toute évidence, il y avait là un symbole ou une signification dont le sens m'échappait. J'en trouvai la réponse, des années plus tard, en lisant le *Guide de la peinture.* Dans les deux positions mentionnées (l'une d'elle, que l'on trouve sur les icônes tardives, n'étant qu'une variante de l'autre) les doigts dessinent – il faudrait dire écrivent dans l'espace – le nom du Christ, à partir des quatre lettres initiales et finales des majuscules grecques :

IHCYC XPICTOC c'est-à-dire *IC XC*. Voici d'ailleurs ce qu'en dit Denys : *Si vous voulez représenter la main qui bénit, croisez d'abord le pouce avec le quatrième doigt de manière que le second nommé*

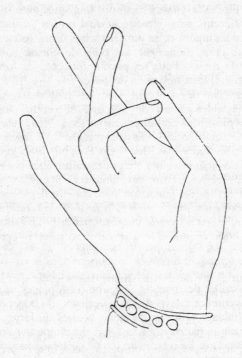

Le nom du Christ.

*l'index reste droit et que le troisième soit légèrement
fléchi. Ils forment alors le nom de Jésus IHCYC (en
précisant qu'il faut tenir compte de la graphie byzantine
où le sigma était toujours dessiné comme un c majuscule
C). En effet, le second doigt – l'index – indique un iota I
et le troisième, par sa courbure, un sigma C. Le pouce
se place en travers du quatrième doigt – l'annulaire – et
forme un chi X et le cinquième – l'auriculaire –
légèrement fléchi, forme un sigma C, ce qui fait XC –
XPICTOC. Ainsi, par la divine providence du Créateur,
les doigts de la main humaine sont conçus de manière
à pouvoir figurer le nom du Christ.* C'est là cette
écriture des doigts, particulière à la peinture byzantine

et qu'on peut remarquer sur un très grand nombre d'icônes.

**
*

Dans l'après-midi du même jour, le monastère retrouva sa torpeur et sa tranquillité. Après les cris, les tumultes et les joies de la fête, ce silence avait quelque chose d'insolite, presque d'angoissant. C'est là un aspect des fêtes qu'on oublie chaque fois qu'on en parle : elles ont des lendemains et ce retour du temps profane, cette brusque chute de l'exaltation festive laissent dans la conscience un vide intense. On peut passer des années à lire dans les manuels d'ethnologie, les traités d'histoire des religions de savantes considérations sur les fêtes, le temps sacré, le retour du chaos primitif sans jamais éprouver le vécu réel de ces mots. A Lavra, pour la première fois, je ressentis cet aspect de la fête, cet étrange ressac du temps qu'elle opère dans la conscience et qui, une fois les festivités achevées, laisse en vous un vide émaillé de scories, comme ces plages que les grandes marées couvrent, en se retirant, de bois pourris, de coquillages brisés et d'épaves venues du large.

Tandis que j'errais dans la cour, un moine me proposa de me montrer les trésors de Lavra. Nous avions épluché des légumes ensemble, l'avant-veille, et tout en travaillant, il m'avait raconté sa vie. On rencontre sans cesse à Athos des êtres dont l'existence fut jalonnée d'histoires qui pourraient aussi bien appartenir aux contes ou au roman noir qu'à la réalité. Joachim – c'est son nom athonite – avait habité Paris avant la guerre. L'hiver, il vendait des marrons tout près du cinéma Louqsor à Pigalle et, à partir du printemps, des pistaches et sucreries. Il était rentré en Grèce en 1938, s'était marié, avait eu deux enfants. A l'automne 1940, il se retrouva soldat sur le front albanais. Fait prisonnier, il passa trois ans dans les camps avant de pouvoir regagner son village. Il y trouva sa femme remariée car, par suite d'une erreur, on l'avait assurée qu'il était mort. Devant cette situation inextricable, il ne sut plus que faire. Je me souviens de la phrase qu'il prononça, en me racontant ce retour tragique, tandis qu'il épluchait des pommes de terre à mes côtés : « Mon erreur, ce fut de revenir. Je n'ai pensé qu'à ça pendant ces années dans le camp. Je n'aurais jamais dû revenir. Et même, j'aurais dû mourir. » C'est alors qu'il décida de partir pour Athos.

Et maintenant, dans la grande cour ensoleillée, il me conduit vers le katholikon, sans dire mot. Je sens qu'il n'a rien oublié de ce retour intolérable, de ces années de mort vivant et qu'Athos, finalement, ne lui donne guère d'apaisement. Dans l'église, il ouvre une armoire et en sort des reliques, encloses en des châsses de verre, ornées de pierres précieuses. Des crânes de saints. Une mâchoire. Des os. Des bouts de tissu. Des morceaux de peau desséchée. « Nous en avons encore beaucoup d'autres, fait-il en désignant des armoires fermées. Nous avons même un morceau de la tunique de Jésus-Christ. » Un écœurement me prit à la vue de ces restes absurdes. Là encore, c'est la vieille terreur des cavernes qui continue de régner sur les âmes, la vieille complicité avec un monde invisible créé de toutes pièces mais ressenti comme transcendant et qui ploie les corps et les foules devant d'infimes fragments d'os ou de chairs. Tant que cette adoration béate et stupide n'aura pas été abolie de la conscience humaine – et elle ne semble pas près de l'être puisque même les pays socialistes l'entretiennent et la ressuscitent sous des formes tout aussi rétrogrades – jamais nous ne serons pleinement adultes. Je me souviens, dans je ne sais quel monastère, d'une main desséchée qui aurait appartenu à saint Jean Chrysostome. Elle m'apparut curieusement rétractée dans sa châsse de verre, et prête à se détendre, comme cette main de *The bottle's imp*, la nouvelle de Coleridge. Allait-elle se mettre à bouger, à dresser son index vengeur contre l'iconoclaste qui ne voyait en elle qu'un appendice pentodactyle hérité du Coelacanthe ? Il n'est pas de limite à la crédulité humaine et on peut voir à Athos, dans chaque monastère, les reliques les plus inattendues, un morceau de peau de Denys l'Aréopagite, les ongles de saint Jean-Baptiste, les présents des Rois

Mages et même un bout d'éponge ayant servi, dit-on, à aviver les plaies du Christ sur la Croix. Je pensais qu'à tout prendre, il était absurde de limiter ce culte aux reliques chrétiennes. Pourquoi ne pas l'étendre aux reliques païennes, proposer aux touristes des fragments de la roue d'Ixion, du rocher de Sisyphe, de la peau de lion d'Héraklès? Ou encore l'index desséché d'Antigone, le sang coagulé des yeux d'Œdipe, ou un nerf du tendon d'Achille? Heureusement, les mythes antiques n'ont nul besoin de ces vestiges, à l'inverse des mythes chrétiens. La Vraie Croix a partout sur la terre des milliers de fragments, certains à peine visibles, et répartis dans toute la chrétienté. Et en écrivant ces lignes aujourd'hui, je pense à une conversation récente avec un ami géologue qui dirige à Paris un laboratoire de recherches : il venait de recevoir quelques fragments de pierres lunaires. Fragments infimes, eux aussi : quelques milligrammes tout au plus. Le bois de la Vraie Croix fut en son temps ce que les pierres lunaires sont dans le nôtre. Le dépôt, le sédiment sensibles de nos rêves et de nos passions. A cette différence près, essentielle et fondamentale, que le premier – le bois de la Vraie Croix – ne servit qu'à consolider l'existence des mythes alors que les secondes servent plutôt à les détruire.

IV. LES DERNIERS ANACHORÈTES

A quelques kilomètres de la Grande Lavra, en direction de la skite de Sainte-Anne, commence un grand chaos de rocs et d'éboulis qu'on appelle ici le Désert de pierres et que prolongent des falaises percées de grottes : c'est là le domaine des ermites. Géologie tourmentée que l'on retrouve à l'autre extrémité de la montagne, juste en sa pointe occidentale, où l'on découvre d'autres ermitages : Karoulia (Les Poulies), Katounakia (Les Portes). La végétation s'y réduit à des figuiers de Barbarie, des jujubiers, d'innombrables buissons épineux. Une seule exception : la skite de Kapso-Kalyvia (Les cabanes brûlées), où un torrent glacé sourdant de la montagne apporte à l'endroit une verdure et une fraîcheur inattendues.

C'est dans ce sud désertique que s'établirent il y a dix siècles les premiers ermites d'Athos. Une légende veut que le tout premier d'entre eux, Pierre l'Athonite, y ait vécu plus de cinquante ans dans une grotte, buvant l'eau des sources et se nourrissant d'herbes et de racines. Des chasseurs venus traquer les fauves aperçurent un être hirsute, couvert de poils, qui s'enfuit « en bondissant » à leur approche. Ils le prirent pour un animal mais « l'animal » se mit à leur parler et ils comprirent que c'était un homme. En fait, il ne s'agit sûrement pas d'une légende. Les premiers ermites établis dans ces lieux durent y mener une vie si difficile et si sauvage qu'on a peine à croire aujourd'hui, lorsqu'on parcourt ce désert, qu'ils parvinrent à y survivre. L'eau ne manquait pas mais les

fruits sauvages étaient rares et leur seule nourriture ne
pouvait consister qu'en herbes et en racines. Vie ascétique qui n'était pas – et ne pouvait être – un retour
romantique aux origines édéniques de l'homme mais
plutôt un refus de toute vie civilisée. Une existence aussi
précaire dans un milieu aussi hostile niait toute insertion
nouvelle de l'homme dans l'histoire. C'est pourquoi ces
premiers solitaires ne cherchèrent pas à cultiver ou à
domestiquer quoi que ce soit. Ils ne visaient ni à changer
ni à recommencer l'histoire mais à la supprimer.

Eux-mêmes ne faisaient ainsi qu'imiter les ascètes
d'Egypte et de Syrie qui, six siècles plus tôt, avaient
mené une expérience identique dans les déserts de
Haute-Egypte, les étendues salées du Wâdi-el-Natrûn ou
les forêts de l'Amanus. Athos fut l'un des derniers lieux
atteints par ce déferlement d'ascèse, cette volonté de
fuite hors du monde qui poussa pendant plusieurs siècles
des milliers d'hommes à vivre à la façon des bêtes. Et il
se produisit à Athos le même phénomène que dans
l'Orient chrétien : l'afflux des solitaires provoqua l'apparition de communautés du désert, l'institution des premières laures où les anachorètes isolés se retrouvaient
chaque dimanche pour prier dans le kyriakon. La fuite
hors de l'histoire, là encore, engendra une nouvelle
histoire (1).

Je rencontrai le premier ermite aux environs immé-
diats de Prodromos. Je venais de quitter l'archontaris
Joachim dont l'huile de rat m'avait si rapidement rétabli
et je marchais vers le Désert de pierres quand j'aperçus,
plaquée contre une paroi rocheuse, une cabane suspen-
due au-dessus de l'abîme, dans l'échancrure d'une
grotte. Un escalier, taillé dans le roc, menait jusqu'à
l'entrée. Je me risque sur ces pierres luisantes, j'arrive

(1) J'ai relaté cette histoire et cette expérience dans un ouvrage paru
en 1961 et réédité récemment, *Les hommes ivres de Dieu* (Le Seuil,
Points Sagesse, 1983).

devant une petite barrière, j'appelle. L'ermite apparaît
sur le balcon de bois. Il a l'air étonnamment jeune avec
sa barbe, ses cheveux encore noirs. Il me fait signe
d'avancer sans crainte sur les planches. Je pousse la
barrière. Je suis dans sa cabane.

Une pièce unique avec un lit, planche recouverte
d'une peau de chèvre. Une table, une lampe à pétrole.
Dans un coin, une étagère et la vaisselle. Dans l'autre,
une iconostase, une veilleuse allumée. Des bouffées d'air
glacé rafraîchissent la pièce. Juste derrière l'iconostase,
un minuscule couloir mène à la grotte. Sa voûte se perd
dans l'obscurité. Au centre, une citerne recueille l'eau
de pluie. Là vécurent les premiers occupants du lieu.
Par la suite, à une date plutôt récente, semble-t-il, on
a édifié cette cabane, ce balcon, pour donner un
peu plus d'espace. En face, la mer, un horizon d'air
embrasé.

Je quitte le balcon et rentre dans la pièce. Odeur de
bois chauffé par le soleil, de veilleuse et d'encens. Et par
moments, ces brusques senteurs de mousse humide, de
puits obscur. Grotte et ciel. Entre les deux, sur quelques
mètres carrés, la demeure de l'ermite. Il se nomme
Gabriel et n'est là que depuis cinq ans. Auparavant, il
demeurait au monastère de Caracalla qu'il décida de
quitter pour venir ici, dans la solitude. A Athos, les
ermites ne choisissent pas entièrement au hasard le lieu
de leur réclusion. Les ermitages présentent entre eux des
différences importantes, du moins selon les règles athonites : accessibilité, surface, proximité ou éloignement
des monastères. Celui du père Gabriel est relativement
confortable : il a un escalier d'accès, possède une grotte
qui lui fournit toute l'année une eau pure et fraîche, et il
n'est qu'à une demi-heure de la Grande Lavra. Gabriel
se rend d'ailleurs au monastère chaque dimanche et s'y
ravitaille pour la semaine : olives, tomates et fruits en
été; lentilles et fèves en hiver. Le monastère lui fournit
aussi le pétrole pour sa lampe et l'alcool pour son
réchaud. Tous les ermites demeurant dans cette région
de l'Athos dépendent ainsi de la Grande Lavra qui
possède pratiquement toutes les terres à l'entour. Le

monastère leur vend ou leur loue les grottes et les kalyves à des prix qui varient selon le « confort » des lieux. L'existence d'une chapelle, celle de l'eau courante – au sens propre du terme puisqu'il s'agit d'eau de source amenée par un aqueduc en bois – augmentent le prix de l'ermitage. A l'époque où je m'y trouvais, ce prix variait entre 100 et 5 000 francs actuels. L'ermite acquiert donc un ermitage qu'il occupe jusqu'à sa mort et qui revient ensuite au monastère. Mais en raison de la rareté des vocations, on accorde aujourd'hui des facilités à ceux qui n'ont pas l'argent nécessaire. Le père Phila- rète, un ermite de la région, ancien pêcheur devenu moine et qui n'avait pas le moindre sou, a payé le sien en nature : sa vie durant, il donne au monastère les différents produits de son travail. Car tous les ermites travaillent de leurs mains : ils fabriquent des paniers avec de la vannerie apportée par les novices, des chapelets de graines ou de coquillages qu'ils vont ramasser sur la plage (quand ils sont assez valides pour le faire), sculp- tent des croix ou divers objets religieux que le monastère vend ensuite à Karyès, à Salonique ou sur les marchés de province. Ainsi faisait Philarète qui passait ses jour- nées à prier et enfiler des coquillages.

Certains ermitages sont situés en des endroits si reti- rés, si abrupts, qu'il a fallu sceller des crampons de fer dans le roc et les relier par des chaînes afin de pouvoir se hisser ou glisser sans risque contre les parois. En d'au- tres endroits, si quelque surplomb le permet, on a dressé un treuil et une poulie pour ravitailler l'ermite sans avoir à descendre. Toute une région du sud s'appelle ainsi Karoulia – Les Poulies. Si le panier remonte vide, c'est que l'ermite vit toujours. S'il reste plein, c'est qu'il est mort. Mais ce sont là les temps héroïques d'Athos. Presque tous les ermitages à poulies sont abandonnés aujourd'hui au profit des ermitages à chaînes, relative- ment plus vivables et plus accessibles.

Gabriel est le plus jeune des ermites que j'ai rencon- trés au cours de mes deux séjours dans le sud. Il a quarante-six ans. Apparemment, il reçoit très peu de visites et cela le rend fort prolixe. A peine entré, je suis submergé par un flot de questions : qui suis-je, d'où viens-je, quel est mon âge, ma profession, suis-je marié, ai-je encore mes parents? D'une boîte en fer, il extirpe un caramel et me le tend. Ainsi, même les ermites s'autorisent quelques douceurs! Puis il me prépare un café tout en écoutant mes réponses. Sur le mur, juste au-dessus de la table, je remarque un planisphère comportant, en gros traits de couleurs, les lignes de communications maritimes du globe. C'est une carte russe imprimée à Saint-Pétersbourg au siècle dernier. Elle devait appartenir à l'ancien occupant de cette grotte car Gabriel, qui sait tout juste lire et écrire, la regarde et tente depuis des années d'en déchiffrer les inscriptions russes sans rien y comprendre. Il n'a d'ailleurs aucune idée précise des formes ni des distances de la terre, encore moins de la répartition exacte des peuples sur la planète. Mais à force de regarder ces grands espaces colorés, de rêver sur ces formes, ces lignes, ces continents bariolés, il s'est fait une image du monde bien singulière. Comme les couleurs sont dispersées un peu partout sur la planète (il y a du rose en Europe et en Afrique, du vert en Sibérie et en Amazonie, du bleu en Asie et en Europe) il a sur l'origine des guerres une théorie logique quoique personnelle : « Comment n'y aurait-il pas de guerre? me dit-il d'un air accablé en buvant son café. Regarde tous ces peuples séparés les uns des autres et dispersés partout. Ils veulent se rejoindre pour vivre ensemble mais ils ne peuvent pas. Les autres peuples les en empêchent. Alors, ils se battent pour se retrouver. Voilà pourquoi il y a toujours des guerres. »

Faut-il le détromper? De toute façon, les guerres existent, même si elles n'ont pas les causes évidentes que leur attribue Gabriel. Cette étrange géographie, forgée au cours de ses années de solitude, cette image naïve et tragique du monde – un monde déchiré, absurde et inhumain – le confortent dans l'idée que les hommes sont fous, que toute l'histoire est un non-sens, que la sagesse et que la paix ne règnent qu'à Athos. Je hoche la tête en silence avec lui. Puis je reprends, après la

fraîcheur de cette halte entre ciel et terre, les chemins du
Désert de pierres.

Aucun véritable voyage à Athos ne saurait se passer
d'un séjour au pays des ermites. Là est le cœur mystique
de la montagne, le lieu des plus extrêmes et volontaires
dénuements. Ce qui auparavant était promenade, flâne-
rie, devient ici effort, épreuve et endurance. Le paysage
lui-même n'a plus le charme des autres lieux. Les
rochers brûlent, les cris des insectes assourdissent, la
terre dessine entre les rocs des traînées mauves et
sanglantes. Les éboulis qui par endroits dévalent jusqu'à
la mer évoquent des séismes latents, une montagne
hargneuse. Pour accéder au paradis de leur contemplation, les anachorètes ont toujours élu des paysages
infernaux : grottes obscures ou déserts torrides. C'est
l'inhumanité foncière de la terre qui permet justement
ici de forger un autre homme. Sur ce sol d'Athos, si
accueillant par ailleurs, le pays des ermites est un lieu
qui d'abord vous refuse, vous rejette, qu'il faut presque
violer pour s'y inscrire et pour y demeurer. Il faut avoir
le cœur bien accroché pour accéder à certains ermitages
et, plus encore, pour y demeurer des années, sur un
espace minuscule, sous la réverbération de la mer, la
brûlure du soleil, les neiges de l'hiver, le métal des
rochers. Il faut porter en soi le besoin de défier ce
monde qui vous rejette, de se faire peu à peu accepter
par lui, être un combattant de l'ascèse, ce que les
anciens anachorètes des déserts orientaux appelaient
justement « un athlète de l'exil ». Faute de quoi, on ne
saurait survivre ici. Car alors la folie vous guette ou
l'*acidia*, ce mal particulier des longues solitudes, cette
faille, ce doute, cette mélancolie viscérale qui vous
prennent soudain et font de vous la proie des démons
qui vous guettent. Ici, me dirent les ermites, les démons
sont partout et pas seulement dans l'obscurité des grottes ou des ténèbres de la terre. Le soleil aussi les suscite,
cette ardeur qui monte des rochers, où l'on voit l'air

trembler, comme brassé par des milliers de créatures transparentes. Ces rocs, ces sentiers escarpés, ces buissons où il faut s'accrocher pour descendre ou monter sont les jalons d'un voyage intérieur, les témoins d'une épreuve oppressante qui ne vous laisse plus de repos. En ce monde marginal, oublié, se livrent des luttes invisibles, s'abolissent toutes les lois courantes de la vie. Et on y devient, selon son être intérieur et sa force de renoncement, bête ou ange, sous-homme ou surhomme, habitant de la préhistoire ou d'un monde qui est encore à naître. Quelques heures – et à plus forte raison, quelques jours – passés à Karoulia ou à Katounakia au milieu des ermites suffisent à détruire, à miner pour jamais en nous les fragiles frontières que nous traçons entre normal et anormal, entre raison et déraison.

A mon dernier passage, en 1953, une vingtaine d'anachorètes tout au plus vivaient encore dans les nids d'aigle accrochés aux falaises. Des hommes qui depuis des dizaines d'années ont choisi de vivre hors du monde et pratiquement hors des humains ne doivent guère aimer qu'on les dérange. Tout en marchant vers Karoulia et Katounakia, après avoir traversé le Désert de pierres sous un soleil tropical, je ne cessais de me répéter : comment vont-ils m'accueillir ? A la nuit tombante, j'arrivai enfin à la skite d'Aghios Vassilios, dernière étape, dernier lieu habité avant les ermitages. Quelques cabanes sont disséminées entre les blocs des rochers, autour d'un terre-plein où est construit le kyriakon. Personne en vue. Je tire la cloche de l'église pour signaler mon existence. J'attends. La montagne est déjà noyée d'ombre. Seule, au loin, la mer étincelle encore. J'entends des pierres qui roulent un peu plus haut. Un moine se tient immobile au sommet d'un rocher et me fait signe de monter. Je le rejoins et nous entrons dans une kalyve où deux autres s'affairent au repas. J'ai hâte de les questionner mais le rituel prévaut : manger d'abord, parler ensuite.

Apparemment, il règne ici à l'égard des ermites un mélange de vénération et de crainte. Le père Avvakoum (l'un des trois moines de la kalyve) me fait une réponse étrange à propos des anachorètes :

– Les ermites sont comme les autres hommes, me dit-il. Tu y trouveras des agneaux et tu y trouveras des loups.

– Je n'ai pas peur des loups. Qui sont-ils ?

– Ce n'est pas à moi de te le dire. Tu le verras bien par toi-même.

Plus réticente encore fut la réponse qu'il me fit à propos d'un ermite russe que je tenais beaucoup à rencontrer, le staretz Nikône. Je sentis, à l'air hésitant d'Avvakoum, que les vieilles rivalités entre moines russes et grecs étaient loin d'avoir disparu.

– Il n'est pas ici depuis très longtemps, me dit-il. Peut-être une vingtaine d'années. Il est russe. Il n'a jamais parlé un mot de grec. Alors, je ne sais rien sur lui. Mais si tu veux le voir, je te montrerai le chemin. Il vit à l'écart des autres.

Le lendemain, nous partîmes très tôt, avant l'aube. Il fallut grimper dans le noir à travers les versants pour rejoindre au sommet de la pente le sentier qui menait à la skite de Sainte-Anne. Nous l'avons suivi pendant près d'une demi-heure puis mon guide s'arrêta : « Tu es presque arrivé. Suis ce sentier qui descend jusqu'à la terrasse, là-bas. Un peu plus loin, tu trouveras les chaînes. Bon courage ! Et que Dieu te bénisse ! »

En contrebas, je trouve la terrasse. Un peu plus bas, je vois le toit en tôle ondulée d'une cabane. La pente n'est pas trop raide. Je descends en m'accrochant aux buissons. L'endroit est vide. Plus d'ermite. Juste au bord de la falaise, je vois des crampons de fer et des chaînes, scellés dans le roc. La paroi est beaucoup plus raide, presque à pic. Mais grâce aux chaînes, la descente est facile. J'arrive sur un nouveau terre-plein. Sur la gauche, caché dans une sorte de faille, j'aperçois l'ermitage de Nikône. Une cabane, une dépendance, une petite terrasse avec un figuier, quelques fleurs, une barrière, une cloche. Je sonne. Un vieillard blanc apparaît sur le seuil.

Il s'approche de moi et me dit, dans un français chantant : « Hello! Soyez le bienvenu! Comment ça va? »

*
**

Ma première visite au père Nikône date du mois de septembre 1952. Ce jour-là, je restai quelques heures avec lui avant de repartir le soir pour la skite de Sainte-Anne. L'année suivante, je revins le voir et passai la journée et la nuit dans son ermitage. Nous y eûmes de longues conversations, entrecoupées de silences et de pauses. Bien que cet endroit ne soit guère accessible, le père Nikône reçoit quelques visites : moines ou novices des monastères du sud, ermites du voisinage, quand ils sont encore de force à franchir les chaînes. Mais Nikône, qui parle un français impeccable, s'est toujours refusé à apprendre le grec. On retrouve là cette vieille méfiance qui longtemps à Athos sépara les moines russes et grecs.

De tous les ermites visités au cours de ce dernier voyage, le père Nikône est celui dont j'ai gardé le souvenir le plus précis. Non seulement en raison de sa connaissance du français (car à l'époque je comprenais et parlais bien le grec) mais parce que sa vie, ses expériences exceptionnelles, son immense culture religieuse donnèrent un sens très différent à ses récits. Je pris à l'époque, à chacune de nos rencontres, des notes immédiates, ce qui me permet de les publier aujourd'hui pour la première fois. Je n'en fis aucune mention dans mon premier livre sur Athos pour des raisons multiples. Cet album d'images, par sa formule, ne s'y prêtait guère et surtout une sorte de pudeur me retenait de livrer ces réflexions qui, très souvent, prirent le ton d'une confidence personnelle. En raison sans doute de sa culture occidentale, je sentis avec Nikône beaucoup moins de barrières qu'avec d'autres ermites, sur des sujets que d'ordinaire on n'aborde ici qu'avec réticence. Cette réticence, je la comprends très bien, car elle est due, le plus souvent, à l'ingénuité du visiteur sur ce qu'il veut savoir et apprendre. Que dire et que répondre à des questions qui mettent en cause une expérience et une vie entières, qui supposent une connaissance, ne fût-ce qu'élémentaire, des traditions spirituelles et mystiques du monde orthodoxe? En ces quelques hommes isolés dans leur cabane ou dans leur grotte, on peut voir, selon ses options et ses convictions personnelles, les fossiles vivants d'un monde à jamais révolu, d'une Atlantide de la foi dont Athos serait l'ultime et fragile sommet, ou au contraire les détenteurs, les mainteneurs, les « athlètes » d'une sagesse et d'une science de l'homme qu'on s'empresse d'admirer si elles proviennent des Indes ou du Tibet mais qu'on ignore dès qu'elles s'exercent à votre porte.

Nikône vit sur un rocher à quelque 150 ou 200 mètres au-dessus de la mer, au cœur des ermitages de Karoulia. En s'aidant à nouveau des chaînes, on peut descendre de chez lui jusqu'au rivage. C'est ce que font les autres ermites vivant à proximité, pour y ramasser les coquillages qui serviront aux chapelets. Nikône, lui, en raison de son âge, ne quitte pratiquement plus son repaire, si ce n'est une fois par an, quand il va chercher son courrier à Daphni.

Son ermitage est relativement vaste. Par relativement, j'entends une surface de vingt-cinq mètres carrés. Sur cette terrasse poussent un figuier et un arbre indien dont un visiteur, avant la guerre, lui apporta la graine. Au pied du figuier, un banc fait d'une planche sur deux billots de bois. C'est là que Nikône vient s'asseoir pour regarder la mer et c'est là que pendant des heures nous avons bavardé. L'unique pièce lui sert à la fois de cuisine, de chambre et de chapelle. Une iconostase, avec des icônes russes, occupe tout un coin. Nikône est prêtre. Il a été ordonné en Russie, bien avant la Révolution. Je signale ce détail important car la plupart des ermites ne sont pas ordonnés et ne peuvent dire la messe. Ils se contentent de prier, de réciter les liturgies traditionnelles aux mêmes heures que dans les monastères.

Quand je vins la première fois, Nikône devait avoir quatre-vingt-deux ans. L'âge et l'état civil sont ici des notions inconnues et d'ailleurs inutiles. La mémoire seule sert de repère. Nikône n'avait pas pour autant l'air vieux. Son visage avait peu de rides, sa peau était rose et fraîche. Il avait plutôt l'apparence d'un homme encore valide, presque dans la force de l'âge, malgré sa barbe et ses cheveux d'un blanc immaculé et bien qu'il fût menu, presque chétif, dans son corps. Nos conversations se déroulèrent à bâtons rompus, comme on dit. D'emblée, j'ai admiré, tandis que nous parlions, la spontanéité et la simplicité de ses réponses, l'aisance de sa parole. Pour lui, rien n'était tabou, toute curiosité était bonne, et même salutaire. Il n'aimait pas les gens indifférents, les cyniques et les blasés ni ceux qui, disait-il, mettent leur âme en cage. C'est pourquoi nos « entretiens » se firent toujours sur un mode et un ton familiers, parfois même décousus, qui m'incitent aujourd'hui – tout en les citant intégralement dans leur lettre et dans leur esprit – à les grouper selon les thèmes qui revinrent le plus souvent. Et tout d'abord, malgré ses résistances du début, le récit de sa vie.

La vie du père Nikône.

Nikône appartenait à l'aristocratie pétersbourgeoise. Ce nom est évidemment son nom de religieux, qu'il choisit quand il se fixa à Athos. Il ne mentionna jamais son nom de naissance. Il grandit à Saint-Pétersbourg où il apprit le français avec un précepteur français, comme c'était la coutume dans toutes les familles aisées de l'époque. Cette langue fut toujours pour lui comme une langue presque maternelle, ce qui explique la facilité avec laquelle il s'en servait. Pourtant, lorsque je vins le voir, il n'avait plus jamais parlé français depuis 1939, année où passa sur son ermitage un voyageur du nom de De Nolhac ! Sa famille le destinait, comme il est aussi d'usage, à la carrière militaire. Il obéit à ses parents par force mais dès l'âge de seize ans, il se sentit attiré par la contemplation, la recherche de Dieu et aussi le désir de courir le monde. Il suivit donc les cours de l'Académie militaire et devint, pour un temps, officier de la garde personnelle du Tsar. *Vous savez, me dit-il, c'est une chose étrange, l'uniforme. Chaque fois que je le mettais, j'avais l'impression de me déguiser. Tous mes camarades, eux, étaient fiers de cet uniforme et paradaient dans les rues comme s'ils étaient des dieux. Moi, au contraire, je me disais : je ne suis pas un dieu, je suis un clown! Pour devenir dieu, il faut sûrement choisir une autre voie. Mais je ne voulais pas du tout devenir dieu! Ce que je voulais, c'était quitter l'armée, réfléchir, et surtout parcourir le monde. Un jour, je me décidai. Je suis allé trouver mes supérieurs, je leur ai demandé d'accepter ma démission. Je leur dis que je m'étais découvert la vocation et que je voulais entrer dans les ordres. Ils me donnèrent un congé de six mois, persuadés que je changerais d'avis entre-temps. J'en profitai pour faire une retraite dans un monastère, près de Novgorod. Au retour, ma décision était prise. J'abandonnai l'armée et je devins étudiant en théologie. Tout cela ne se fit pas sans mal, surtout avec ma famille, mais enfin j'avais déjà supprimé une chaîne! En fait, je devais avoir juste vingt ans et je ne voulais pas encore m'enfermer dans un monastère. Je voulais d'abord découvrir le monde, connaître les autres pays, les autres hommes. J'aimais la vie et à Saint-Pétersbourg, à cette époque, on ne s'ennuyait pas. J'aimais surtout le théâtre. J'y passais toutes mes soirées. Tenez, je me souviens très bien de Sarah Bernhardt qui est venue jouer une pièce de Racine, je ne sais plus laquelle. Pour nous autres, Russes, c'était un jeu très nouveau et très déconcertant. Ses gestes surtout me fascinaient. C'était comme une danse. Au point que je la regardais bouger, jouer, sans même écouter le texte.*

Par la suite, Nikône termina l'Ecole de théologie et fut ordonné prêtre. C'est vers cette époque qu'il fit à Saint-Pétersbourg la connaissance de Gurdjieff et d'Ouspenski.

*Oui, je me souviens de Gurdjieff. Je l'ai rencontré la
première fois dans la banlieue de Moscou. C'est là qu'il
recevait ses disciples. En fait, je n'ai jamais suivi
sérieusement leur enseignement. Moi, j'avais fait mon
choix. J'étais chrétien et voulais le rester. C'est surtout
avec Ouspensky que j'ai eu des contacts plus approfon-
dis. D'ailleurs, longtemps après m'être installé ici, j'ai
reçu un jour une lettre de lui. Il se souvenait très bien
de moi. Nous avons correspondu pendant un temps.
Mais tout ça, c'est très loin pour moi.*

Il est difficile de savoir aujourd'hui à quelle date
Nikône quitta Saint-Pétersbourg et partit pour les Indes.
C'était en tout cas quelques années avant la Révolution
puisque celle-ci le surprit alors qu'il se trouvait déjà au
mont Athos, après son tour du monde.

Le voyage en Asie.

*J'ai vécu alors quelques années à voyager, à rencon-
trer des yogis, des maîtres, des dignitaires dans tout
l'Orient. Je ne faisais pas du tourisme. Quelle horreur!
Je voyageais pour apprendre. Rendez-vous compte : je
voulais connaître toutes les sagesses du monde! C'était
fou mais en même temps je le vivais très humblement.
Je n'avais pratiquement pas d'argent et souvent j'ai dû
mendier pour vivre. A d'autres moments, j'étais reçu
chez des princes ou des hauts personnages qui me
traitaient royalement. Je n'ai jamais su exactement
pourquoi. Tenez, en Annam, par exemple. J'ai rencontré un jour un prince qui m'invita à rester chez lui le
temps que je voulais. Il se passionnait pour ma vie, mes
voyages et un jour il voulut à tout prix me donner une
décoration. Quelle idée! En Europe, j'aurais refusé tout
de suite mais chez lui, je me sentais son obligé. Il me
demanda ma préférence : décoration indigène ou euro-
péenne? Indigène, bien sûr! Alors il me remit une
médaille sur laquelle étaient tracés des signes que je ne
pus déchiffrer. Le prince me dit : « Avec cette médaille,
vous serez protégé partout en Annam et dans toute*

l'Asie. Peu de gens la portent et ceux qui la possèdent ont droit aux plus grands honneurs. » Eh bien, il arriva une chose curieuse. Deux ans plus tard, je me trouvais à Pékin et j'allais avec un ami rendre visite à un Chinois. Je portais la médaille sur moi et quand l'autre la vit, il poussa des exclamations et se confondit en excuses. Il ne s'attendait pas, disait-il, à recevoir la visite d'un si haut personnage. J'étais tout étonné et il m'expliqua que cette médaille n'était portée en Chine que par très peu de gens, que les signes gravés dessus étaient sacrés pour tous les Asiatiques, qu'ils soient bouddhistes, caodaistes ou autres. Ces signes n'étaient d'ailleurs ni du chinois, ni de l'annamite ni d'aucune langue actuellement parlée ou écrite en Asie.

Sur la suite de ses voyages, Nikône se montra moins prolixe. Après la Chine, il se rendit au Japon, de là aux Etats-Unis où il rencontra Khrisnamurti. C'est là qu'il décida de rentrer en Europe et de se rendre au mont Athos avant de regagner la Russie. Il s'installa au monastère russe de Saint-Pantéleimon et s'y trouvait toujours quand éclata la Révolution de 1917.

La Révolution.

« Qu'avez-vous ressenti, à cette époque, à l'idée de ne plus retourner en Russie ? »

J'ai compris tout de suite que cette Révolution, c'était une catastrophe pour les uns et un signe de Dieu pour les autres. Puisqu'elle me coupait de ma patrie, ça voulait dire que désormais ma vie, ma nouvelle patrie, ma nouvelle famille étaient ici. Le reste, il me fallait le tuer, l'oublier à jamais. Et puis, je vais vous faire un aveu. Au fond de moi, je ne lui en voulais pas à cette Révolution. Pour ceux qui ne peuvent mourir d'eux-mêmes au passé, il faut des révolutions pour les y obliger. Les révolutions, ce sont les gens rétrogrades qui les provoquent plus que les révolutionnaires profession-nels. Je ne m'étais jamais occupé de politique mais si je m'en étais occupé, j'aurais de toute façon rompu avec

*mon milieu et tous ceux que j'y ai connus. Ma rupture
à moi avec la vieille Russie, ma révolution, ce fut Dieu
qui me l'offrit. Il y a un père du désert qui dit que pour
devenir homme du ciel, il faut d'abord mourir aux
choses de la terre. Ou, si vous voulez, pour devenir un
homme nouveau, il faut tuer en soi le vieil homme. Eh
bien, cette année-là, le vieil homme est mort et peut-
être fallait-il cette Révolution pour le tuer. C'est alors
que j'ai choisi un nouveau nom et que j'ai prononcé
mes vœux. Jusqu'à ma mort, je ne serai rien d'autre
qu'un homme d'Athos.*

« Et pourquoi avez-vous quitté le monastère pour
vous installer ici? »

*J'en ressentais le besoin depuis longtemps. Mais on
ne s'improvise pas ermite, vous savez. Là aussi, il faut
attendre que Dieu vous fasse signe. Attendre le temps
nécessaire. Le signe, il est venu un jour, quand je
décidai, avec un autre moine du Roussikon, de visiter
les monastères d'Athos avec une barque, en longeant le
rivage. On a pris une barque et en passant ici, juste
là, vous voyez, j'ai vu ce lieu abandonné, cette cabane
avec sa terrasse, en plein soleil. Elle m'a plu d'emblée et je me suis dit : « C'est ici que je veux vivre,
jusqu'à ma mort. » J'y suis venu et je ne l'ai plus
quittée.*

Nous parlions, assis sur le banc, près du figuier.
Nikône s'interrompait parfois pour regarder la mer ou
s'absorber dans le silence. Et je respectais son mutisme.
Les heures avaient passé. Le soleil était déjà haut.
*Avez-vous faim? Je n'ai pas grand-chose mais nous
allons le partager. Venez. Ensuite je prierai et je dormi-
rai un peu.* Nous sommes entrés dans la cabane. Il prit
des tomates, les coupa, les arrosa d'huile. Il y avait aussi
du pain et des amandes. Nous avons déjeuné en silence.
Puis il se leva et se dirigea vers l'iconostase. *Reposez-
vous en attendant et venez me réveiller dans deux
heures.*

Je sortis et me rendis dans la petite dépendance. A
l'intérieur, sur une étagère, les crânes des précédents
occupants étaient soigneusement alignés. Sur certains,

on lisait encore un nom. A la vue de ces crânes ainsi
disposés dans l'ordre, peut-être, où moururent leurs
possesseurs, j'éprouvai un étrange sentiment. Le sentiment de l'évidence de la mort, de sa simplicité, d'une
présence familière. Ces crânes étaient comme en attente,
dans les parenthèses du temps, immobilisés entre les
frontières de deux durées indiscernables, entre l'origine
et la fin du monde comme ils l'étaient dans l'espace,
entre ciel et terre. Quand un peu plus tard, je question-
nai Nikône sur les noms marqués sur ces crânes, il me fit
la réponse citée plus haut. Retrouver par la Résurrection
et dans des chairs nouvelles – à peine imaginables –
l'intense anonymat d'une autre vie, renaître avec un
visage à la fois identique et différent de tous les autres,
tel était pour Nikône le sens et l'espérance du Jugement
Dernier. Et c'est en pensant à cette phrase que, dans
mon album sur Athos, je choisis pour illustrer la photo
de ces crânes, une phrase de saint Ephrem le Syrien : *Un
jour, ils se lèveront comme les lys qui fleurissent dans
les champs. Ils auront sur la tête une couronne très
riche et ils porteront une robe éblouissante pour paraître avec éclat aux noces de l'Epoux.*

Entre cette dépendance aux crânes et la cabane de
Nikône, se trouvait une sorte de couloir en plein air,
abrité du soleil. Je m'y étendis pour me reposer à mon
tour. Juste au-dessus, la falaise et les chaînes. Juste en
dessous, la mer. Chaleur intense, presque étouffante.
J'écoute les mille bruits de la solitude : vent, insectes,
tressaillement des herbes, bruit des vers rongeant le bois
sec des planches et cette vibration presque sonore de
l'air surchauffé. Je me souviens que pendant ces deux
heures, passées là immobile, tous mes sens en éveil, en
proie à une exaltation incontrôlable, je fus pris de peur.
Peur de ne plus pouvoir remonter, me hisser sur les
chaînes, de ne plus pouvoir quitter ce rocher. Je sentis la
force qu'il fallait pour être ermite, pour rester isolé des
années sur un rocher comme celui-ci, sans autre horizon
que le ciel et la mer, comme si l'on se trouvait aux
extrémités cardinales de la terre, aux confins de l'espace
et aussi aux confins du temps, avec le sentiment d'être

l'ultime survivant, l'ultime naufragé d'une tradition engloutie.

Deux heures plus tard, je réveillai Nikône. Il vint s'asseoir sur le banc et me dit : *Excusez-moi d'être indiscret mais au fond, pourquoi venez-vous me voir?* Je lui expliquai, brièvement, l'intérêt que je portais à cette vie recluse, l'impression que m'avait laissée ma brève visite de l'année précédente. Je ne lui cachai rien de mes convictions personnelles, mon athéisme, mon refus de voir dans le christianisme une religion différente des autres, une voie révélée. « Ce n'est pas parce que vous êtes chrétien et orthodoxe que je viens vous voir mais parce que vous êtes ermite. L'important, c'est la façon dont vous vivez. Je veux savoir si, lorsqu'on vit ainsi des années dans la solitude, la prière, l'ascèse – quel que soit le dieu auquel vous les consacrez – on crée vraiment en soi un homme nouveau. Il m'écouta attentivement et me dit : *Bon je vous comprends très bien. Je ne sais pas si je pourrai vous répondre. Mais je vous remercie d'avoir été sincère.*

Lorsque nous déjeunions dans la cabane, j'avais remarqué sur une étagère des livres et des revues – objets tout à fait insolites dans un ermitage athonite. La plupart étaient russes mais il y avait aussi quelques ouvrages en anglais et une collection importante du National Geographical Magazine. *Il faut être grec, comme les gens d'ici, me dit Nikône, pour croire qu'être ascète, ça veut dire être ignorant. Je suis pour le dénuement du corps, mais pas pour celui de l'esprit. J'ai toujours lu et aimé lire et je ne vois pas pourquoi, en me faisant ermite, j'aurais dû renoncer à m'instruire. Je me passionne pour des tas de choses qui doivent paraître absurdes ou hérétiques aux gens d'ici* (et il eut un geste amusant pour désigner les nids d'aigle alentour comme s'il s'agissait de voisins trop bruyants ou inconnus). *Tenez, l'astronomie par exemple. J'ai une petite lunette avec laquelle j'observe les étoiles. Je les regarde pendant des heures et cela me donne autant de joie que de prier. Pendant plusieurs années, j'ai même correspondu avec le directeur de l'Observatoire de*

Hambourg au sujet du second foyer de l'ellipse décrite
par la Terre autour du Soleil. Nous parlâmes alors
d'astronomie et il me demanda des renseignements sur
le télescope géant du mont Palomar, aux Etats-Unis. Je
lui expliquai les découvertes sur la récession des nébu-
leuses – dont il avait entendu parler –, sur la radio-
astronomie. Je lui parlai aussi des soucoupes volantes.
Elles commençaient, cette année-là, à être à la mode et
je vis les yeux de Nikône briller de curiosité. *Promettez-*
moi de m'envoyer un livre là-dessus dès que vous serez
rentré chez vous. Je n'ai aucun moyen d'obtenir des
livres puisque je vis complètement sans argent. Ceux
que vous voyez là, ce sont des dons du monastère et des
visiteurs qui y passent. Les seuls que je reçoive, ce sont
les revues du National Geographical Magazine. Quand
je leur ai écrit que j'étais un ermite russe et que je
vivais à Athos, ils m'ont répondu qu'ils m'enverraient
la revue gratuitement ma vie durant.

— Et ces livres sur l'Atlantide que j'ai vus sur l'étagère
et celui de Churchward sur le continent de Mû? Vous
vous intéressez à tout cela?

— *Vous savez, c'est vraiment le ciel qui vous envoie!*
Depuis des années, je rêvais de pouvoir parler de tout
cela car ce n'est pas avec les gens d'ici que je peux
parler de l'Atlantide ou de Churchward! Il ne me
manque plus grand-chose avant de mourir. Seulement
quelques renseignements sur toutes ces questions que je
ne peux suivre. Je ne sais plus rien depuis des années.
Je me disais souvent : viendra-t-il quelqu'un, un jour,
pour me renseigner? Et voilà, vous êtes venu!

Il garda sur les lèvres un sourire d'enfant heureux tout
le temps que nous parlâmes de l'Atlantide et de ce
continent de Mû qui, d'après les traditions ésotériques,
aurait occupé l'emplacement du Pacifique et connu une
très brillante civilisation avant de s'engloutir dans les
flots. Nous avons parlé aussi d'Héléna Blavatsky, cette
illuminée du siècle dernier qui disait correspondre
médiumniquement avec les Atlantes et publia même un
recueil de textes martiens!

Cette conversation dura pas mal de temps et Nikône

se sentit fatigué. J'en profitai pour le laisser seul et partis visiter les ermitages des environs. Le plus proche était abandonné mais plus haut, près d'un gros rocher rouge, il y en avait un autre occupé par le père Philarète. C'était un ancien pêcheur de Lemnos qui, un beau jour, se sentit la vocation pour Athos et s'installa sur ce rocher. Il ne savait ni lire ni écrire. Il vivait pieds nus, en haillons, passant son temps à prier et à confectionner des combologues et des chapelets. Son visage ne cessait de sourire et rayonnait d'une bonté incroyable. Il pleura presque, quand je fus chez lui, parce qu'il n'avait rien à m'offrir. Tout l'été, il vivait d'eau et de figues séchées. C'est lui qui, un moment, me dit cette phrase, citée elle aussi plus haut : « Le moine n'a besoin de rien, même pas de livres saints. Il n'a besoin que de ses mains pour travailler et de son cœur pour aimer Dieu. »

Quand je revins chez Nikône, une heure plus tard, je le trouvai en train de préparer du thé. Même ici, à Athos, sur ce rocher perdu, il restait russe. Il ne buvait jamais de café, comme les Grecs, mais du thé. *Alors, vous avez vu le père Philarète ? C'est un homme très bon mais un peu plaisantin.*

Le mot me fit sourire.

– Qu'appelez-vous un ermite plaisantin ?

– *Vous n'avez pas remarqué qu'il est toujours dans les nuages ? C'est un homme d'une rare bonté, un véritable ascète. Il ne possède absolument rien. Depuis que je suis ici, je l'ai toujours vu pieds nus, avec les mêmes loques. Il vient me voir quelquefois mais comme je ne parle pas grec, nous ne nous disons rien. Il s'assied, me regarde, sourit, pose la main sur son cœur, s'incline et s'en retourne. Il ne dit jamais un seul mot. Je ne me souviens pas de l'avoir entendu parler depuis des années.* Oui. Le silence de Philarète. La loquacité de Nikône. Deux mondes différents, presque opposés, qui continuent de se côtoyer ici, sans vraiment se comprendre. Le Grec et le Russe. Philarète, le pêcheur aux pieds nus, aux éternels haillons, l'ermite analphabète. Nikône, l'ex-officier du tsar, l'aristocrate pétersbourgeois, l'ancien disciple de Gurdjieff, l'ermite cultivé, abonné au National Geographical Magazine.

Le soir se faisait déjà sentir. Le mauve des montagnes, l'ombre sur les rochers, la mer étale et blanche, l'horizon pourpre, ensanglanté. Nikône regardait sans rien dire. Il devait rester ainsi chaque soir à contempler le crépuscule. Sur ce minuscule rocher, il vivait, écoutait, ressentait ce silence et ces heures, toutes les odeurs, toutes les lumières que le monde lui offrait.

Le grand voyage de Nikône.

« Vous avez quitté une fois votre ermitage pour un an? » fis-je. Que s'est-il passé?

Je vais vous le raconter. A vous. Parce que quelqu'un d'autre que vous aurait sans doute du mal à me croire. C'est très simple : je suis parti aux Etats-Unis! Quand j'ai quitté la Russie, dans ma jeunesse, pour entreprendre mon tour du monde, j'ignorais évidemment que je ne reverrais plus jamais ma famille, puisque la Révolution éclata entre-temps. Et quand je me retrouvai à Athos, des années plus tard, le vieil homme était mort en moi et tout ce qui touchait à ma famille appartenait à un passé mort. Je n'ai jamais cherché à savoir ce qu'ils étaient devenus et ce n'est que des années plus tard que je reçus un jour une lettre de mon frère venant des Etats-Unis. Il avait remué ciel et terre pour retrouver mes traces. Je lui ai répondu que j'étais vivant, que j'allais très bien et que, désormais il ne s'inquiète plus pour moi. Aussi il cessa très vite de m'écrire. Et pendant des années et des années, ce fut le silence. Il y a trois ans j'ai reçu une lettre de lui où il me disait qu'il se sentait près de la mort et qu'il voudrait bien me revoir. Il ne savait pas comment me faire parvenir de l'argent et me dit que je trouverais sans doute une solution. J'avais dans les quatre-vingts ans et cela me paraissait bien hasardeux d'aller en Amérique à cet âge et sans un sou mais j'ai pensé que si la Vierge voulait m'aider, tout serait simple et je pourrais entreprendre n'importe quoi. Tout le monde ici quand j'ai parlé de ce projet – enfin, si l'on peut dire tout le monde pour les trois ou quatre ermites qui vivent à côté! – a trouvé ce projet insensé, tout à fait insensé. Pour eux, qui sont venus directement de leur village au mont Athos, les Etats-Unis c'est l'autre bout du monde. Pour moi, le plus difficile ce n'était pas d'aller d'Athènes à New York mais de partir d'ici, de pouvoir franchir les chaînes. Les chaînes, passer les chaînes! Je les ai terriblement redoutées à ce moment-là. Pourtant, ces chaînes, elles sont mes gardiennes, mes protectrices. Au-delà des chaînes, c'est l'autre monde qui commence. Mon domaine à moi, il est limité par les chaînes. Et puis, il y avait une autre difficulté : obtenir du supérieur de la Grande Lavra l'autorisation de quitter Athos qui est très rarement accordée. Alors, une fois de plus, je me suis dit : tout est entre les mains de la Vierge. C'est à elle de me donner la force de franchir les chaînes, de fléchir la résistance du supérieur de Lavra. Je l'ai priée beaucoup et enfin l'autorisation m'a été accordée! Alors, j'ai commencé à gravir les chaînes, mètre par mètre et tout en montant, je me disais : à ce rythme-là, je ne suis pas près d'arriver aux Etats-Unis! Enfin, je suis parvenu au sommet, je suis allé à Sainte-Anne puis à Daphni, à Salonique, à Athènes où l'Archevêché m'a pris en charge. Il m'a trouvé un cargo grec qui allait au Mexique en faisant un tas de détours. Bref, je suis parti et me voilà sur l'Adriatique car le bateau allait d'abord à Trieste. Une nuit, juste après Corfou, j'étais monté sur le pont. On n'y voyait absolument rien. Je me suis endormi là et j'ai entendu des voix. Trois voix qui parlaient de quelqu'un. Sans savoir pourquoi, j'étais sûr qu'elles parlaient de moi. Et elles disaient : – Vous croyez qu'il ira, qu'il réussira? Alors, une autre répondit : – Oui, la Vierge est avec lui.

Le lendemain, quand je me suis réveillé, j'ai demandé au capitaine par où on était passé dans la nuit. Et c'était juste au large de Bari que j'ai eu mon rêve, là où sont les reliques de saint Nicolas!

En arrivant au Mexique, j'ai eu des tas d'ennuis. On

ne voulait pas me laisser débarquer parce que je n'avais pas d'argent sur moi. J'ai télégraphié à mon frère du bateau et il m'a envoyé l'argent par télégramme, tout de suite. Il était temps! Le cargo repartait le lendemain vers le Canada et on voulait m'y rembarquer de force!

Au Etats-Unis, j'ai retrouvé mon frère. Je suis arrivé quelques jours avant sa mort, juste à temps pour le bénir. Je suis resté quelque temps là-bas puis tout le monde s'est cotisé et m'a payé mon retour à Athènes par avion. Je dois être le seul ermite du mont Athos qui ait jamais pris un avion! Mais je vous ennuie avec toutes ces histoires de famille?

La nuit était venue. Des myriades d'étoiles s'allumaient dans le ciel. Je savais que Nikône allait se retirer pour prier et dormir. Mais une question me brûlait les lèvres, que je n'avais pas osé lui poser : y a-t-il encore à Athos des moines qui pratiquent la prière du cœur?

La prière du cœur. Cette prière si singulière qui fut en usage dans tout l'Orient chrétien au cours des premiers siècles et qui s'est perpétuée en quelques lieux exceptionnels comme certains monastères de Russie, au siècle dernier, et quelques monastères ou ermitages du mont Athos. Une sorte de prière par la respiration, dans la respiration comme si le souffle de l'orant devenait mots. C'est elle, cette prière constante, ce flux orant qui permet à la longue de parvenir à l'*hésychia*, à la paix intérieure, à la sereine coïncidence de l'homme de chair et de l'homme psychique, de l'homme d'aujourd'hui et de l'homme de demain, cette *hésychia* qui est sérénité instante et sentiente, plénitude accomplie, ce qu'un solitaire égyptien appelait *le silence du cœur et des pensées*, silence qui n'est pas indifférence au monde, retrait des turbulences de la vie mais au contraire identification, genèse et possession d'un monde désormais partagé, maîtrisé, excorié de ses phantasmes illusoires. Beaucoup d'ascètes se sont voués au cours des siècles à la recherche de cette *hésychia* par la pratique de la prière du cœur. Certains textes ascétiques et mystiques en précisent les formes et la technique : au début, rester immobile, assis de préférence, en fixant un point de l'espace ou de son corps, le nombril par exemple, pour provoquer, par l'annihilation du regard, la vacuité des sens. Ce faisant, on répète sans cesse : « Seigneur Jésus-Christ, fils de Dieu, ayez pitié de moi. » On répète ces mots, interminablement, jusqu'à ce qu'ils deviennent eux-mêmes souffle et respiration. Mais tout le monde n'admit pas cette technique de prière – qui eut parfois même une aura hérétique – et très souvent on la tourna en dérision. On appelait *omphalopsychiques* – ceux qui ont l'âme dans leur nombril – les ascètes qui la pratiquaient. Pourtant, on continua de l'exercer en quelques endroits retirés, comme aujourd'hui le mont Athos.

Nikône ne répondit pas tout de suite. Il me dit seulement (et je me souviens que pendant sa réponse, son visage disparut dans la nuit comme si l'ombre avait pris sa voix) : *Oui, il en existe encore. Certains la pratiquent même chaque jour, devant vous, dans tous leurs actes quotidiens mais il faut être averti pour le savoir. Ils peuvent vous parler, rire peut-être, manger, tout en priant. D'autres la pratiquent en solitaires. Ils vivent au fond des forêts, en des endroits qu'il faut connaître et ils fuient tout contact. Oui, il y en a, ils existent mais ils sont invisibles.*

Il se leva. « *Où allez-vous dormir ?* », me demanda-t-il. « Ici, à côté du figuier. Ne vous inquiétez pas. » Je me couchai, à même le sol. Je vis une veilleuse s'allumer dans la cabane puis j'entendis le lit craquer. Nikône allait dormir. A deux heures du matin, il se relèverait pour prier, selon la règle des ermites. Mais, par délicatesse sans doute, après ce que je lui avais dit de mes convictions personnelles, il ne m'éveilla pas pour prier avec lui.

Le lendemain, je me levai bien avant l'aube. Ce jour était le dernier de mon voyage au mont Athos. J'allais partir jusqu'à Sainte-Anne d'où je prendrais un caïque pour Dionysios puis pour Daphni. Je frappai doucement à la porte de la cabane. Nikône venait de s'éveiller.

Il sortit, me donna sa bénédiction et répéta trois fois :

Merci! en s'inclinant profondément, la main droite sur le cœur. Je commençai à gravir les chaînes, dans la demi obscurité. A mi-pente, je me retournai. Je l'aperçus debout, devant la barrière, minuscule, à peine discernable dans l'ombre. Il me bénit à nouveau d'un geste ample et lent. Je repris la montée, dans les premières lueurs de l'aube. Pour moi, un monde finissait. Une autre Grèce commençait.

LA TERRE GRECQUE

J'ai pleuré, sangloté à la vue de ce pays étrange.

EMPÉDOCLE.

V. L'OMBRE DE DIGÉNIS

En ce temps-là, je vivais à Cnossos. J'avais oublié
Athéna, l'Athéna pensive de mon adolescence, avec son
regard vert sombre et sa lance affligée, et je passais mes
rêves et mes nuits dans les bras de prêtresses crétoises
aux seins nus. J'étais déjà infidèle aux déesses comme je
l'étais aux femmes. La Crète, à coup sûr, y était pour
beaucoup avec ces fresques et ce palais étrange où
j'avais élu domicile. D'après le calendrier de notre ère,
ces jours pleins de merveilles se situèrent du 8 au
12 septembre 1950, très peu de temps après mon départ
de Corfou et mon arrivée à Athènes. D'emblée, je me
mis à rêver de la Crète parce qu'elle était justement le
seul endroit de Grèce que j'avais tenu jusqu'alors à
l'écart de mes rêves. Je m'embarquai donc au Pirée, sur
un bateau valétudinaire, comme ils l'étaient tous à
l'époque – et qui ne méritait pas son nom poétique de
Téthys – me glissant incognito, pour économiser le prix
d'un billet, parmi un groupe de jeunes Grecs allant faire
leur service militaire en Crète. Le lendemain, vers midi,
je débarquai à Hérakleion et sans même jeter un regard
à la ville, me postai sur la route de Cnossos. Un paysan
me prit dans sa charrette et me déposa à l'entrée du
palais. Pendant quatre jours, j'y fus seul. Cette année-là,
les touristes étaient encore inexistants et le palais avait
pour uniques habitants le gardien et sa fille Vassilika. Ils
m'offrirent l'hospitalité d'un banc devant leur maison
pour y dormir mais je préférais leur fausser compagnie

pour aller m'installer la nuit sur les terrasses. Chaque soir, Vassilika (avec la complicité de son père ou de sa seule initiative, je ne l'ai jamais su) m'apportait une assiette de haricots parfumés au fenouil. Cnossos, pour moi, c'est aussi cela : le goût du fenouil au crépuscule et cette assiette clandestine, comme si trente siècles plus tard j'étais l'ultime vagabond venu mendier aux portes du palais.

Je ne savais pas grand-chose de l'histoire de Cnossos ni de celle de la Crète et ne m'en souciais guère. Je préférais tout découvrir ainsi, jour après jour, dans cette lumière de septembre encore intense mais adoucie par l'ombre des collines. Et je me sentais nu, en ce lieu presque nu : pas d'histoire à remémorer ni d'archéologie à retrouver, rien que ce contact immédiat avec un site qui me parlait chaque jour par ce qu'il avait de moins profond et pourtant de plus révélateur : le silence et la solitude de Cnossos en septembre. Ainsi ai-je appris le palais, ses fresques, ses labyrinthes, ses symboles : comme on feuillette un livre dont chaque page est imprévue, comme on pénètre en un pays de fresques bleues tremblant de l'autre côté des miroirs et des failles du temps. On ne peut trouver pour cela de lieu plus idéal que Cnossos. Toute l'architecture du palais, avec ses couloirs, ses dédales, ses étages, ses escaliers, ses profondeurs et ses alcôves, ses peintures où les habitants de l'air, de la terre, de la mer – les oiseaux bleus, le singe bleu, les dauphins bleus – vous récitent un conte d'azur, tout cela me parlait d'un monde bien différent du monde grec. Les nuits surtout, par leur netteté, l'éclat de leurs étoiles, cet horizon lumineux où se découpait la volute des doubles cornes, me laissèrent l'impression la plus forte. Avec le léger crissement des grillons obstinés, cette odeur sèche et poivrée d'immortelles invisibles. En ces heures de pénombre, le Prince à la fleur de lys, le visage de la Parisienne, les dauphins bondissant dans une eau invisible, le porteur de rhyton, le cortège figé des prêtresses devenaient aussi irréels que des personnages de jeu de cartes brusquement dressés devant moi. Plus tard, je lus l'histoire de Cnossos, j'appris le langage des fouilles et cette terminologie qu'il faut bien inventer pour découper le temps en strates successives déposées le long des axes de l'histoire : Minoen Ancien I, Minoen Ancien II, Minoen Ancien III, et Minoen Moyen et Minoen Récent et Subminoen. Mais j'avais alors le sentiment d'un puzzle morcelé, d'une grande patience pour géants immortels. Car rien, en cette partition du temps, ne pouvait restituer la rencontre première avec l'univers de Cnossos : ce sentiment de pénétrer un monde ancré à la fois dans l'histoire et le mythe, comme si demain on retrouvait intacts les palais, les lumières et les odeurs de l'Atlantide.

Malgré l'intensité et l'émoi de ces jours – un émoi serein, nourri d'heures chargées de sens et de travaux comme en ces miniatures médiévales où le mot heure est synonyme de saison – j'ai peine aujourd'hui à en retrouver le détail, la fraîcheur et les cheminements. C'est qu'entre-temps, dans toutes les années suivantes, la Grèce et la Crète m'apparurent autrement, dans une histoire récente, un présent qui estompèrent les songes enchantés de Cnossos. J'ai du mal aujourd'hui à penser à la Crète ancienne tant elle me paraît engloutie dans une époque qui a perdu pour nous l'essentiel de son sens. Le mot Crète, pour moi, évoque surtout mes séjours dans les Madarès, ces Monts Blancs, ces *Lefka Ori* qui culminent à l'ouest, mes marches à travers la province de Sphakia, mes rencontres avec les villageois, les silhouettes noires des derniers *pallikares*. On ne peut sans s'illusionner trouver le moindre lien, à trente siècles d'écart, entre ce monde de Cnossos, ces femmes au seins nus, ces porteuses de vases et les vieilles emmitouflées des villages crétois, maigres et fragiles comme des squelettes enveloppés de nuit. La Crète moderne est un monde où le deuil est roi, où pendant des siècles, la guerre, la guérilla, la vendetta n'ont cessé de régner. C'est pourquoi la première rencontre avec Cnossos m'apparaît aujourd'hui si essentielle et si fragile : elle fut la découverte d'un temps d'innocence et de joie avant ces longs siècles d'horreur et d'occupation étrangère, le dernier rêve de bonheur qui prit corps sur le sol crétois.

Car on sent bien ici, en ce monde de la Crète antique, qu'un bonheur a été trouvé, construit par des luttes constantes et conscientes contre les forces obscures que symbolisaient peut-être ces taureaux, ces serpents qu'on rencontre dans les sculptures, les fresques, les mythes et les rites, forces que les Crétois, loin de les enliser, ont affrontées dans la lumière du jour. Je pense en écrivant cela à ce terme si beau et si impressionnant dans sa traduction grecque par lequel les Crétois désignaient la Grande Déesse : *Pótnia thérôn*, la Souveraine des fauves. On sent que ce bonheur, cette joie de vivre si manifestes sur les personnages des fresques sont faits de maîtrise et de coexistence dominée entre le monde souterrain et celui du soleil. C'est en Crète que cohabitèrent les deux êtres les plus opposés par leurs symboles et leurs fonctions : le Minotaure et Icare, le monstre chtonien et l'homme ailé, le cauchemar de l'homme-taureau et le rêve de l'homme-oiseau. Et c'est en Crète également que se situe le plus énigmatique des mythes anciens, celui du Labyrinthe. Dédale, ce génie inventif, fabriquant d'automates, de statues animées, passait pour être l'architecte du Labyrinthe, ce tracé méandrique qui, au contraire de la droite euclidienne, est le plus long chemin possible entre un point et un autre. Dédale, homme de spirales, des entrelacs, des volutes infinies, l'anti-Euclide. Et son fils Icare, le premier homme-oiseau, prince des lignes droites et du plus court chemin entre terre et ciel. Bien sûr, rien de tout cela n'est directement sensible dans les ruines de Cnossos. On n'y voit au premier abord qu'un ensemble de cours, de terrasses, de bâtiments à moitié reconstruits (étranges ruines à mi-chemin de la mémoire et de l'oubli) et un monde de fresques où s'expriment la joie des fêtes, l'ordonnance des rites, toutes les luxuriances réinventées de la nature. Les jeux l'emportent ici sur la chasse et la guerre, les rires sur le deuil et l'importance qu'y pren-

nent les femmes, partout présentes dans ces rites, ces
fêtes et ces jeux, fait penser à cet autre monde de la
douceur de vivre, cette autre civilisation engloutie elle
aussi, celle de l'amour courtois et des villes occitanes.
Peut-être n'y a-t-il là que rencontre fortuite ? Comme
l'occitane, la civilisation crétoise a disparu, anéantie par
des désastres qui n'ont laissé d'elle que ces vestiges
enchantés. Mais là, indiscutablement, fut éprouvé, fut
pratiqué un art de vivre qui laisse aux yeux – et comme
aux lèvres – un goût de paradis perdu.

Parce qu'elles n'ont plus en leur sommet que quelques
vestiges clairsemés, parce qu'elles ne sont plus, face au
ciel, aux montagnes, à la mer toute proche, qu'une
épure de lignes et de pierres, les acropoles de Phaestos et
d'Haghia Triada, au sud de Cnossos, nous parlent autrement de la Crète. Ici, plus de fresques ocre et bleues, de
couloirs dédaliques, de symboles bifides (doubles haches
et doubles cornes), de ruines embrouillées, de Pays des
merveilles d'une Alice crétoise, mais des plages de rocs
et d'herbes, des plateaux nus au-dessus de la plaine et
des bosquets étincelants. Je me souviens qu'à peine
arrivé à Phaestos, au sommet de la haute colline, après
être parti à pied, à l'aube, de Cnossos, (abandonnant
Vassilika à son sommeil, enroulée dans un drap sous la
treille) et marché longtemps sur la route poudreuse en
croisant des camions de légumes et de fruits qui mon-
taient sur Hérakleion (et l'un d'eux s'arrêta au retour
pour me prendre à son bord et me laisser une heure plus
tard au pied de l'acropole), je fus comme happé par le
ciel et cette plaine vert sombre couverte d'orangers et
bordée de montagnes aux flancs desquelles se dessinaient de blancs villages. A Cnossos on oublie la mer car
la cité est tournée vers la terre, entourée de champs et
de collines qui dérobent le rivage à la vue. A Phaestos et
plus encore à Haghia Triada la mer paraît toute proche,
si proche qu'on croit respirer son sel et ses embruns avec
l'odeur des herbes sèches. C'est vers elle que regardent

ces acropoles, vers cet horizon qui masque la Libye, si peu éloignée de la Crète que lorsque souffle le *notos*, ce vent du sud violent et capricieux – que les marins appellent justement *palavonotia*, le Cinglé, le Fantasque – on reçoit dans les yeux du sable venu de Libye. L'Afrique est là, juste au-delà de la mer blanche, juste au-delà de ces palmiers qui l'évoquent déjà et l'on se sent ici aux limites d'un monde qui tourne le dos à l'Europe, un monde qui est par ces palmiers, ces échancrures de sable et ce vent chaud, comme le miroir, comme le reflet des syrtes de Libye.

Autour de moi sur la colline, autour des pierres, entre les pierres poussent de grandes herbes. Je les regarde, cherchant à retrouver les ombelles, les volutes des lys et des papyrii qu'on voit sur les beaux vases minoens. Mais ce ne sont plus les mêmes fleurs. La terre a-t-elle changé? Le Crétois d'aujourd'hui a-t-il oublié les plantes d'autrefois? A-t-il perdu à jamais ce regard que ses ancêtres portaient sur le monde vivant, cet attrait pour les poulpes, les coquillages, les poissons, les oiseaux, les lys, les papyrii, tout cet univers retranscrit, magnifié, sur les fresques et les poteries, fait d'ombelles, d'orbes et d'oves, de tentacules, de méandres, de spirales vivantes, comme un labyrinthe de tiges et de bras où la beauté est prise au piège? Ainsi décoré, empreint des messages tourmentés de la vie, chaque vase minoen apparaît comme une main dodue enserrant dans sa paume les rites et les détours secrets d'un monde que nul n'aperçoit plus. Je me demande d'ailleurs, en pensant à ces dessins, à ces hymnes de lignes et de formes si tout cela ne fut pas en Crète l'œuvre d'artistes femmes. Idée absurde de prime abord puisque la poterie fut, avant tout une activité d'hommes. Mais il y a dans cette île, et surtout en ces deux acropoles du sud, une telle présence féminine, un tel parfum de femme qu'on ne peut s'empêcher de pressentir leur influence, leur regard et peut-être leur main dans ces œuvres d'argile. Phaestos est une femme-acropole et Haghia Triada et d'autres sites encore, moins connus, perdus sur les montagnes de la Crète orientale – Zakros, Lato, Dréros. Ile-femme, ventre chatoyant au nombril d'oiseau bleu, matrice vergetée de spirales et de labyrinthes, ombilic de poulpes et dédale de lys, terre-nombril par où s'enfante une beauté jamais retrouvée par la suite, même en Grèce, une beauté librement déployée dans les volutes de la joie.

En fait de femmes, Phaestos me réserva une surprise. Quand je revins à la nuit tombante vers la petite maison du gardien, déserte lors de mon arrivée, j'y trouvai deux jeunes étudiantes athéniennes. Elles s'appelaient Artémise et Cléopâtre et parlaient admirablement le français. A côté d'elles, un personnage s'agitait et gesticulait, un être étrange, petit et turbulent, avec des yeux mobiles et rieurs, qui se précipita vers moi en criant : Enfin ! Enfin, un visiteur ! Il avait nom Alexandros et Artémise m'expliqua qu'il était depuis des années le gardien de Phaestos où, depuis la guerre, il vivait pratiquement seul. J'étais le premier étranger qu'il avait le plaisir et l'honneur de recevoir ici, signe pour lui de la paix retrouvée. Quand, des années plus tard, je lus le *Colosse de Maroussi* d'Henry Miller, je retrouvai exactement dans sa description l'Alexandros qui ce soir-là s'était précipité sur moi en m'embrassant. C'était bien le même homme, exubérant, volubile, généreux et intarissable sur les mystères de Phaestos. Et je fus stupéfait en lisant le livre de Miller de voir combien j'avais éprouvé le même sentiment en débouchant sur l'acropole : cette impression physique de voir le ciel rapproché de la terre, comme aux premiers temps de ce monde lorsque ciel et terre vivaient enlacés l'un à l'autre.

Ce soir-là, après avoir dîné dehors, je vins m'asseoir avec Artémise sur les gradins du théâtre en plein air. Le ciel était rempli de myriades d'étoiles et je me souviens que, des heures durant, nous avons parlé de théâtre et surtout de Racine. Artémise le connaissait par cœur et se mit à réciter des passages de *Phèdre*, debout au milieu de la scène. Aujourd'hui, cela m'aurait agacé de venir en plein cœur de la Crète pour retrouver des souvenirs scolaires. Mais ce soir-là tout était beau, calme, presque grandiose : le ciel, les étoiles et dans la nuit où je devinais tout juste sa silhouette, la voix chantante d'Artémise déclamant Racine. Cette journée s'achevait dans l'émerveillement nocturne comme elle avait commencé dans l'enchantement de l'aube : le corps de Vassilika, endormie sous la treille, avec les draps moulant ses seins, dans la journée mes premières rencontres avec le paysage crétois, l'amitié des paysans m'offrant des figues et des raisins sur le chemin, la révélation de Phaestos et du grand corps de femme de la Crète et, pour finir, après ce merveilleux repas arrosé d'un vin crétois lourd et fruité, cette voix nocturne, parlant dans l'ombre comme la bouche de la nuit. Les fantômes de Racine s'agitèrent et s'évanouirent tour à tour dans l'odeur des herbes rafraîchies. Puis Artémise vint s'asseoir à côté de moi, qui l'avais écoutée sans mot dire, – odeur de son corps mêlée à celle des pierres chaudes et de la terre – et sur ma main la pression de ses doigts. Nous nous sommes embrassés longtemps avant de rentrer dans la maison d'Alexandros. Oui, la Crète est toujours le pays des femmes. oh là là !

*
**

Aller de Phaestos à Vorri, le blanc village qu'on aperçoit au flanc des Madarès, juste en face de l'acropole, c'est parcourir trente siècles en quelques instants. Rencontre inoubliable car ce village fut le premier où je connus l'hospitalité grecque. Je venais de traverser la Messara, couverte d'orangers et j'avançais entre les premières maisons quand j'entendis une voix d'homme m'interpeller du haut d'une terrasse. Il avait de longues moustaches, des yeux clairs, un turban noir autour du crâne, une mine plutôt farouche, bref un air si impressionnant que lorsqu'il me fit signe de monter jusqu'à lui, d'un geste autoritaire, je me demandai ce qu'il allait me faire exactement. Ce qu'il me fit, ce fut très simple : à peine arrivé à sa hauteur, il se jeta sur moi, me serra contre lui en riant, me donna de grands coups sur les

épaules sans me laisser le temps de déposer mon sac à
dos, me fit asseoir sur un banc, se mit à houspiller deux
femmes qui ne comprenaient rien à ce qui arrivait, cria
quelque chose vers une terrasse voisine, et se mit à rire
en faisant de la main ce même geste que j'avais vu faire
au moine des Météores, doigts ramenés vers le haut en
s'écriant : *oraio! oraio!* Bref, il m'offrait l'hospitalité à
la crétoise! Les femmes s'empressèrent, voilées de noir,
pieds nus, l'une jeune et plantureuse, l'autre ridée, le
visage dévoré par des yeux noirs et très brillants. Elles
apportèrent des verres, deux cruches, du fromage et
avant même que j'aie le temps de souffler, j'avalais déjà
un verre de marc, de *tsipouro* comme on dit ici,
accompagné de mizithra, ce fromage sec et poreux que
l'on fait en Crète avec du lait de chèvre et dont je
retrouverai le goût d'un bout à l'autre du pays. Tout
était nouveau pour moi, en cet instant : cet accueil
imprévu, le branle-bas des femmes, la bousculade des
enfants criant sur la terrasse voisine pour mieux voir
l'étranger, ce goût rêche du tsipouro, cette saveur sèche
du fromage – que l'homme entailla d'un air appliqué
après avoir essuyé son couteau sur les pierres – fromage
typique des montagnes, inattendu en ce village si proche
de la mer (il apportait avec lui une odeur de versants
secs, de toisons de chèvres chauffées par le soleil, de lait
sûri, tout un monde terrien et embrasé comme celui de
la Sardaigne ou de la Corse) et tout cela m'enseignait
déjà à sa façon que la Crète est un continent, non une
île. Les hommes non plus n'appartenaient pas à la mer.
Certains portaient la braie noire et bouffante typique de
la Crète, le foulard à franges et les bottes noires. Pendant
une heure, nous avons bu, mangé, entre hommes uniquement : les femmes, elles, allaient et venaient pour
servir ou se tenaient derrière la table, immobiles, silencieuses, mains croisées sur les jupes, attendant les ordres
des maîtres. Cela aussi était nouveau pour moi : cette
soumission, cet effacement des femmes. Pourtant,
quand elles se retrouvaient dans la cuisine, j'entendais
des fous rires étouffés, des conversations furtives qui me
rassuraient un peu : elles s'amusaient à leur façon dans

leur domaine où les hommes ne pénètrent pas. Une seule
d'entre elles, plus âgée, ne servait pas les hommes. Elle
était accroupie un peu plus loin, adossée au rebord de la
terrasse, indifférente à cette agitation. De ma place, je
voyais ses lèvres remuer en cadence comme si elle priait
ou fredonnait quelque chose en elle-même. A deux
reprises, mes yeux croisèrent les siens : un regard vide et
transparent. C'est elle, bizarrement, que ma mémoire a
le mieux retenue, cette silhouette ratatinée aux lèvres
frémissantes, statue noire, décharnée, absente, comme
on en voit des milliers dans les villages grecs et qui
donnent l'étrange impression de n'avoir ni poids ni
passé, d'être nées ainsi, recroquevillées sur leur destin,
avec leurs rides et leur regard vide, rivées à leur village,
à leur maison, à leur coin de terrasse, de la naissance
jusqu'à leur mort, comme l'huître à son rocher.

Nous avons bu et bavardé longtemps, jusqu'à la nuit
tombante. Des voisins, attirés par le bruit, arrivaient sans
cesse. Certains s'asseyaient parmi nous, me regardant à
la dérobée. D'autres se tenaient silencieux, adossés ici et
là, comme des anges noirs. J'étais le premier étranger à
venir dans ce village depuis la fin de la guerre. Cela valait
bien une fête. Quand je dis que nous avons bavardé
longtemps, c'est évidemment une façon de parler. Les
conversations se déroulaient avec forces gestes et mimi-
ques, entrecoupés de quelques mots d'allemand, la seule
langue étrangère que mes hôtes comprenaient un peu.
J'appris aussi pour la première fois ce soir-là le rituel de
l'hospitalité : après avoir bu et mangé, on attend du
visiteur quelque chose, un récit, un conte ou simplement
qu'il réponde aux questions multiples qu'on lui pose.
Questions qui sont toujours les mêmes et qui se répètent
à travers les villages avec une telle précision, un ton si
identique qu'un voyageur non prévenu pourrait croire
que tous les paysans de Grèce se sont donné le mot.
Mais non : ces questions, cette curiosité, elles jaillissent
naturellement, spontanément des lèvres grecques depuis
trois mille ans, en une ordonnance immuable. Et
d'abord : *apo pou issai* – d'où viens-tu? De France,
d'Allemagne, d'Angleterre, d'Amérique? Ensuite : quel

âge as-tu ? Es-tu marié ? As-tu des enfants ? As-tu encore
tes parents ? Quel métier fais-tu ? Ce n'est qu'après avoir
répondu à cet interrogatoire (dont le sens, bien entendu,
n'est pas de savoir vraiment qui vous êtes par votre nom,
votre état civil, votre vie familiale mais de le deviner à
travers vos silences, vos hésitations, vos regards, au-delà
des mots et des définitions) que vient l'utltime question :
se aréssi i Hellada – et la Grèce, elle te plaît ? Après
quoi, on peut entamer le récit de ses voyages, parler de
Paris (qui semblait à l'époque fasciner tous les Grecs que
j'ai rencontrés, des paysans crétois aux moines de
l'Athos, comme l'image même de la Ville, de la Cité
universelle, image mêlée de crainte et d'effroi comme
devant une moderne Babylone) ou mieux encore, discuter politique. Je me souviens que ce soir-là, pour la
première fois, j'entendis prononcer le nom de Plastiras
(qui était cette année-là chef du gouvernement) et celui
de son rival, le général Papagos. Très vite d'ailleurs, la
conversation se continua entre Crétois et j'écoutais la
discussion animée qui suivit, essayant de saisir au vol
quelques mots. J'ai du mal aujourd'hui à retrouver les
premières impressions ressenties en écoutant le grec
moderne. Les langues latines, l'italien, l'espagnol laissent
filtrer ici et là quelques mots connus, quelques sons
familiers. Rien de tel avec le grec moderne. Il a beau
faire partie du même groupe linguistique que le français,
il y a un abîme phonétique entre les deux langues. De
plus, l'oreille s'étonne de ne retrouver aucun son rappe-
lant le grec ancien. Je sais bien que dans ce domaine on
persiste à enseigner dans les lycées et facultés cette
ridicule prononciation dite érasmienne, qui maltraite,
déforme, mutile et taillade les sons doux, flûtés, chuin-
tants parfois de la langue ancienne. Il suffit une fois dans
sa vie d'avoir écouté un Grec d'aujourd'hui – un poète
ou comédien de préférence (en l'occurrence ce fut pour
moi le poète Séféris à l'époque où je traduisais ses
poèmes) réciter dans la prononciation moderne le début
de l'*Iliade* pour sentir immédiatement que jamais les
sons du grec ancien n'ont pu ressembler à ce parler
rocailleux et barbare inventé par Erasme (je me souviens

aussi que dès les premiers jours de mon arrivée à
Corfou, je crus bien faire, pour séduire deux ou trois
beautés du pays qui me promenaient ici et là à travers
l'île, en leur récitant justement le début de l'*Iliade* dans
la prononciation apprise en faculté. Ce fut un tel fou
rire, un tel débordement d'hilarité que je me sentis
brusquement ridicule. Erasme et l'*Iliade* furent ce jour-
là fatals à mes amours et jamais on ne m'y reprit). Tout
cela pour dire que dans ce village, sur cette terrasse d'où
je voyais la mer étinceler au loin, la tête déjà lourde de
vin et de tsipouro, j'écoutais les hommes discuter des
mérites comparés de Plastiras et Papagos dans une
langue qui était pour moi une musique harmonieuse
mais incompréhensible. Et ce soir-là, devant cette langue
presque inconnue, j'eus le sentiment que la Grèce – et la
Crète plus encore – avaient finalement peu à voir avec
l'Occident. Ce voyage vers la mère-patrie de nos
concepts, aux racines de notre raison, à la source claire
de nos rêves et de nos mythes me révélait un aïeul
méconnaissable, parlant une langue si déconcertante par
ses sons, si orientale par ses gestes que je me sentis
dérouté. Comme si, enfant, adolescent, on m'avait
annoncé un soir que mon vrai père, ma vraie mère
n'étaient pas ceux qui m'avaient élevé.

En Crète, j'ai vraiment vu le ciel nocturne. Avec ses
étoiles géantes, les nuits de nouvelle lune, son ébène, et
ses constellations qui ont ici des noms à elles : les
Pléiades s'appellent *I Poulia*, la Poussinière; la Grande
Ourse, *Anapodokaravo*, le Bateau renversé; la Voie Lac-
tée *O Iordanis*, le Jourdain. C'est cela qui me frappa le
plus : ce ciel vivant, si proche, dont j'avais oublié
l'existence et que je découvrais et redécouvrais chaque
nuit avec le parfum et la présence de la terre. Pendant
les premiers mois de ce voyage, je passais pratiquement
toutes mes nuits dehors, dormant sur les plages, les
terrasses des maisons ou sur les aires à battre. J'ai
rarement ressenti comme en ces années-là l'ivresse de la

totale liberté, le sentiment d'être un errant heureux sans autre attache que le village ou le visage qui m'accepterait pour un soir. Et il faut bien se dire que je ne cherchais rien en voyageant et en vivant ainsi : pas de message, de quête, d'enseignement, d'initiation. Je ne me prenais pas pour Thésée ou pour Perceval. Non, je laissais mon corps, tous mes sens, se modeler, se transformer au rythme et au poids des chemins comme si chaque jour des milliers de cellules mouraient en moi pour que d'autres renaissent. C'est en Crète que, pour la première fois, j'ai senti se décanter mon corps ancien et s'édifier un autre corps. Enfant du Val de Loire, des paysages calmes et doux, pourquoi ai-je tant aimé la Crète, la beauté mais aussi la dureté de ses montagnes et de ses paysages ?

Il est vrai que je dois à quelque heureuse disposition de la nature (comme on eût dit en des récits anciens) de m'adapter très vite aux usages, aux nourritures, aux façons de vivre des lieux où je voyage. La chose n'est pas si aisée, même à vingt-cinq ans. Il y faut un mimimum de santé organique, un estomac solide, un foie docile, des papilles libertaires qui acceptent sans trop rechigner les tsipouro de deux heures du matin après la liqueur de banane, le yaourt de chèvre qu'on a laissé deux jours au milieu des mouches, l'eau jaune, parfois verte, des citernes où la pluie s'est fait trop attendre. Mais, ce faisant, j'ai éprouvé tous les plaisirs d'un corps qu'on nourrit, qu'on fatigue et qu'on délasse autrement, première façon qu'a un pays de vous parler : par ce qu'il introduit organiquement en vous de substances nouvelles, de liquides fantasques.

La Crète m'enseigna tout cela par sa nourriture montagnarde, ses fromages secs, ses olives, ses fruits, ses bouillies d'épeautre, son pain noir, son vin rosé et d'autres saveurs que je découvris : les graines et l'huile de sésame, le fenouil séché au soleil, le basilic frais, le miel de résine et partout ce goût et cette odeur de chèvre qui couvre jusqu'aux vêtements à force de dormir dans les villages sur des planches recouvertes de peaux. J'ai même, une fois, mangé de l'aigle. Non dans un village mais à Hérakleion, les derniers jours de mon premier voyage. Je logeais chez Antonio, le capitaine du port, dans une maison abandonnée qu'il possédait et qu'il m'avait offerte, le temps de me trouver un bateau pour partir. C'était un homme énorme, qui pesait bien cent vingt kilos. Au début, je n'y prêtais guère attention. Mais les devoirs de l'hospitalité m'obligeant à le suivre dans ses agapes et beuveries, nous passions nos nuits dans toutes les tavernes du port à boire vin résiné, vin rosé, tsipouro, raki et ouzo. L'aventure commençait vraiment lorsque Antonio, fin ivre s'écroulait sur sa chaise. Car il fallait le ramener chez lui ! Hérakleion restera lié pour moi à ces nuits sans fin où, aidé par trois acolytes qui tenaient plus ou moins sur leurs jambes, on essayait de transporter à travers les ruelles cette masse inerte et effroyable. On le posait par terre tous les cent mètres pour reprendre haleine tandis qu'Antonio, incapable de se relever mais non de chanter ou crier, nous lançait des bordées d'injures que je ne comprenais pas et que les autres hésitaient manifestement à me traduire. Arrivé chez lui, il fallait encore le monter au premier étage par un escalier impossible, dans sa chambre de célibataire, une chambre qu'il devait aérer une fois par an et où se mêlaient des odeurs d'urine rance, de tabac, de vin et d'encens. C'est pourtant cet Antonio qui remua tout le port pour me trouver un capitaine en partance voulant bien me prendre gratis à son bord. Trois jours plus tard, il m'annonça que je partais le lendemain pour Santorin et ajouta, avec des airs très mystérieux : « Ce soir, on fait tous les deux un dîner de garçons. Je te réserve une surprise. » La surprise, c'était un aigle qu'il avait cuisiné lui-même avec une sauce au vin effroyablement épicée, un aigle entier qu'il fallut absorber à nous deux. De ma vie, je n'ai mangé de chair aussi coriace (si, une autre fois en Crète, dans un village du sud : une chèvre centenaire qu'on occit en mon honneur car on voulait à tout prix m'offrir de la viande et il n'y avait rien d'autre en fait de viande que cette malheureuse aux mamelles efflanquées. Les gendarmes allèrent la « réquisitionner » chez une pauvre vieille qui supplia, cria mais rien n'y fit.

Là aussi, il fallut absorber à quatre une chèvre entière, aussi dure que du bois avec un goût de suint ranci). Où Antonio avait-il trouvé cet aigle? Une bête malade sans doute qui s'était réfugiée dans quelque jardin et qu'il avait achevée à coups de bâton. La viande avait un goût huileux, l'oiseau devant se nourrir de charognes au contraire des aigles de l'Ida dont on dit qu'ils ne mangent que des brebis vierges et ne boivent que l'eau des glaciers! Ce soir-là, Antonio eut d'ailleurs un geste chevaleresque dont je lui sais toujours gré, après vingt-cinq ans : il se leva de table, légèrement titubant et me dit d'une voix rauque mais amicale : « Je préfère monter dormir, *maintenant*. Bonne nuit et n'oublie pas : demain matin, 5 heures au port. »

En fait, je ne dormis pas. J'avais trop peur de manquer le *Koralia*, un petit cargo qui partait charger de la pouzzolane à Santorin et gagnait ensuite Eleusis. Et puis, je dois l'avouer, pour la première fois, mon estomac faisait des siennes. Il n'était pas encore suffisamment crétois pour digérer un demi-aigle sans coup férir.

Oui, un pays à part, un monde en marge que la Crète, longtemps offert et ouvert à l'Afrique et à l'Asie plus encore qu'à l'Europe. Ile qui n'est pas une île mais un continent cerné d'eau, peuplé de terriens entêtés. Cette île n'acquit son indépendance – ou plutôt son autonomie – que bien après la Grèce et son histoire fut marquée tout entière au cours des deux siècles derniers par ses soulèvements, ses révoltes, ses guérillas contre les Turcs.

Cette histoire de la Crète moderne – *la pantérimi Criti*, la Crète infortunée – je peux dire que je l'ai vécue pendant quelques années. Car deux ans après ce premier séjour, quand je connus suffisamment le grec, j'entrepris mes premières traductions. Le hasard voulut que ce premier travail consiste justement à traduire un gros roman de l'écrivain crétois Prévélakis consacré aux luttes historiques de la Crète. Prévélakis avait la réputa-

tion d'un homme austère, exigeant, tâtillon, qui ne
plaisantait pas avec les traducteurs. Pour ce livre, il en
avait déjà éliminé cinq ou six! Je tentai néanmoins
l'épreuve et elle fut concluante. Je passai donc plus
d'une année à traduire les trois volumes du livre, intitulé
Le Crétois, livre difficile par sa langue qui comprenait
nombre d'expressions, de mots, d'idiotismes crétois.
Pour sa première édition, j'avais même écrit une introduction – trop ronflante et trop didactique à mon goût,
quand je la relis aujourd'hui – où je parlais de la Crète
héroïque, de ce mythe crétois issu des combats de l'île,
des prouesses des pallikares, de toutes ces légendes
guerrières dont la Crète s'abreuve. J'appris ainsi une
foule de choses sur le pays, car ce livre est une mine
d'anecdotes, de légendes, de traditions populaires, d'événements historiques, une véritable anthologie des coutumes et du folklore crétois couvrant toute la période
allant du premier soulèvement massif contre les Turcs en
1770 jusqu'à l'autonomie de l'île et à l'arrivée du prince
Georges. En fait, ce livre exalte surtout une image
quelque peu forcée de la vie et du courage crétois. Mon
tempérament pacifique et mes convictions libertaires
s'accommodaient mal au début de tous ces discours
belliqueux, ces proclamations incendiaires, ces défis
constants à la mort, cette outrance des gestes et des
mots inséparables de la Crète. Mais il y avait aussi dans
ce livre des périodes de paix, de repos entre deux
combats, avec la vie quotidienne des villages, les fêtes et
les chants, les labours, les rites, les légendes et il émanait
de tout cela une sorte de message brutal mais généreux
comme si la Crète seule avait su engendrer l'épopée que
la Grèce moderne ne put créer.

Toute la mémoire ancestrale de cette île, ses traditions, ses récits populaires tournent en effet autour des
mêmes thèmes : admiration pour la force physique,
exaltation de la bravoure, sentiment viscéral de l'honneur. Prenons le premier thème. Ce qu'on admire en
Crète dans la force physique, ce n'est pas l'image banale,
conventionnelle, du « malabar » ou du « baraqué » mais
son contraire : cette ténacité intérieure, cette vigueur

morale dont la force des bras n'est que l'aspect sensible.
C'est la force physique contrôlée, maîtrisée, employée
pour une juste cause qui est magnifiée dans les traditions
populaires, non la violence aveugle et brutale. On
retrouve là, trente siècles après l'*Iliade*, ce même sentiment de fierté et d'orgueil devant la beauté physique et
la rigueur morale, cette même sensibilité qui fait de
toute force exercée pour une juste cause, de toute
victoire loyalement acquise le signe de l'alliance des
dieux ou de Dieu. Les Crétois, au cours des guerres
contre les Turcs, sentaient Dieu à leurs côtés exactement
comme les Grecs devinaient Athéna dans le tumulte des
combats. Et si ces combats se terminent par une victoire
des Turcs, ce n'est pas faute de courage, d'héroïsme ou
d'obstination de la part des Crétois, c'est simplement
parce que, pour telle ou telle raison Dieu les a abandonnés, les a « laissés tomber ». D'où, à travers toutes les
histoires, les anecdotes relatant tel exploit physique, telle
vigueur exceptionnelle, un sentiment d'admiration pour
l'âme et le caractère du héros, qu'on devine à l'image de
l'endurance et de la fermeté du corps.

J'avais pour grand-père un corsaire, raconte un des
personnages du *Crétois, que les Infidèles avaient sur-
nommé Saphak, l'Egorgeur car là où il jetait son
dévolu, nul ne pouvait échapper à son sabre. Par la
suite, il se retira à la campagne, vieux et aveugle, pour
soigner ses plaies et mourir en paix. Un jour, on lui
amena un lutteur pour qu'il le mette à l'épreuve et
décide s'il était ou non un andreioménos, un homme
digne de ce nom. « Donne-moi la main! » fait le
vieillard. Les autres avaient prévenu le lutteur de
tendre au vieux un soc en bois – et non sa main – s'il
ne voulait pas repartir manchot. « Salut, grand-père!
fait-il en lui tendant le soc. Le vieux serre de toutes ses
forces et imprime ses doigts sur le bois. « Pas mal, pas
mal! » fait-il. « Mais tu es encore un peu vert! »*

Cette vigueur surhumaine, image de la force intérieure, a pour corollaire une résistance à peine croyable
aux tortures et aux souffrances. Un autre personnage du

Crétois raconte ainsi un épisode de sa vie pendant la guerre contre les Turcs :

J'ai en ma possession un trésor de cinq cents pièces d'or, raconte-t-il un jour à ses camarades de combat, *et je veux en faire don à la Lutte. Voici comment je l'ai eu. Un Turc avait caché ces pièces à Gramboussa, avant que les Crétois prennent la forteresse. Un jour, au cours d'une escarmouche, on le fait prisonnier et lui, pour avoir la vie sauve, promet de nous révéler sa cachette. Coutéloyannis, notre capétan, m'envoie chercher le trésor avec le Turc. Moi, j'égorge le mécréant et je reviens en disant qu'il s'est moqué de nous. Coutéloyannis n'en crut rien : « C'est toi qui te moques de nous. Apporte l'argent en vitesse qu'on le distribue à nos hommes. Ils se battent et ils ont faim. – J'ai rien trouvé, je te dis. – C'est ce qu'on va voir. – Vois tout ce que tu veux. J'ai rien trouvé. » Il m'emmène devant les hommes. « Puisque tu mens, dit-il, tu vas passer à la torture. » Il prend de l'huile bouillante et me la verse sur le bras. Moi, je ne bronche même pas. « On va essayer autre chose, qu'il me fait. Parle ou je t'arrache la peau du dos. – Arrache tout ce que tu veux. J'ai pas trouvé d'argent. » Il prend son couteau et m'arrache une bande de peau sur tout le dos. Moi, je ne cligne même pas de l'œil. Alors, il dit : « Bon. Je vais essayer autre chose. Si tu ne parles pas après ça, on est quittes. » Alors, il va chercher mon plus jeune fils et sous mes yeux il lui refile quarante coups de fouet. Le sang giclait de partout, le gosse hurlait. Moi, pas un mot. Alors, Coutéloyannis me dit : « Ça va, je te fous la paix. Mais à présent, tu peux bien le dire. Des pièces d'or, y en avait combien ? – Cinq cents, capétan. »*

On peut tenir ce récit pour historique. L'auteur l'a emprunté aux confidences d'un vieil habitant de Sphakia, dans le sud de la Crète, recueillies par un ethnologue grec au début du siècle. Toute la Crète du siècle passé regorge d'histoires de ce genre. Ce qui explique qu'on vouait un véritacle culte à Digénis, ce géant mythique chanté par les épopées byzantines, qui montait la garde aux frontières orientales de la Grèce et venait de temps à autre inspecter le pays. Chaque fois qu'un accident naturel du terrain, le profil d'une montagne, une empreinte géante dans le roc attiraient l'attention, on y voyait le Pas, l'Empreinte, la Selle de Digénis. Plus encore qu'Héraklès, son ancêtre, c'était un géant militaire qui affrontait les hommes plus que les fauves ou les monstres et dont l'ombre démesurée a recouvert toute la Crète pendant ces siècles de combat.

A l'exemple de Digénis, le seul héros qui osa affronter la Mort en personne en la défiant en combat singulier sur une aire de marbre (c'est le plus bel épisode des *Chants de Digénis*, épisode dont le thème tragique, les péripéties, le sillage mythique, ont marqué toute la conscience grecque médiévale), chaque Crétois était préparé à affronter dès son plus jeune âge les ennemis visibles et invisibles. Les exigences de la lutte firent que – comme à Sparte – les jeunes étaient entraînés très tôt à la vie rude des montagnes et des combats, familiarisés dès l'enfance avec le maniement des armes. Dans les récits comme dans les contes, le fusil n'est plus une arme inerte, un instrument sans âme mais un être doué d'une vie propre, un compagnon, un frère, le « fiancé » du partisan crétois.

L'amour maternel lui-même finit par s'effacer devant les impératifs de la lutte comme dans ces épisodes du *Crétois* où l'on voit une mère combattante (car les femmes se battirent souvent en Crète aux côtés des hommes) dire à son fils de douze ans, frappé à côté d'elle par une balle turque qui vient de briser son fusil : « Quoi ? Tu tombes pour si peu ? » et elle le relève de force en lui tendant un deuxième fusil.

Toute cette exaltation guerrière s'exprime à travers un vocabulaire qui, sans être spécifiquement crétois, a toujours pris en Crète un sens privilégié. C'est l'*andreia*, la bravoure (mais en notant que le mot vient justement d'*anèr*, *andros*, l'homme et que bravoure signifie aussi virilité). Etre homme, être *anèr*, c'est être valeureux et être lâche, ne pas être hominien, (je dis hominien car

Pallikares Crétois.

jamais en Crète les femmes n'ont passé a priori pour
lâches parce que femmes, au contraire d'autres régions
de Grèce). *Andreia* qui constitue l'*andreioménos*,
l'homme valeureux – autant dire pour un Crétois
l'homme tout court – ou par d'autres mots, le *lévendès*
et le pallikare. La *lévendia*, c'est la vaillance physique et
morale, la bravoure et la générosité, la belle allure et la
ténacité. De même pallikare, mot typiquement crétois
qui signifie lui aussi beauté et vaillance tant physiques
que morales. Entre *andreioménos*, *lévendès* et pallikare,
la différence est mince. La Crète a ainsi engendré tout
un lexique de la bravoure et de la beauté masculines
dont chaque terme réunit en lui, liées inseccablement,
force physique, grâce du corps, vaillance du cœur et
noblesse de l'âme. Ensemble qui explique aussi, par
l'importance privilégiée qu'on accorde à ces qualités, la
notion si crétoise de *philotimo* qui est, bien plus que
l'amour-propre comme on le traduit d'habitude, la fidélité inconditionnelle à soi-même et aux autres, à sa
famille, à son clan, voire à son village. Ce sentiment
intensif de l'honneur, d'un équilibre, d'une harmonie à
protéger coûte que coûte, conduit naturellement à un
code de l'affront et de sa vengeance qui prit en Crète une
importance de premier ordre. Pour ma part, ces problèmes de vendetta m'agacent au plus haut point et tous les
récits qu'on a pu m'en faire au cours de mes séjours en
Crète m'ont confirmé dans l'idée ou plutôt le sentiment
qu'il s'agit là de processus archaïques et stérilisants dont
la survivance n'a d'autre intérêt qu'historique ou ethnologique. Ces croix tracées avec le sang des victimes sur la
porte ou sur les murs de la maison du tué, ces linges
sanglants conservés comme des reliques (on me montra
un soir, au village d'Aghios Yoannis, au-dessus de Sphakia, une chemise décolorée, auréolée de taches sombres,
relique aussi absurde que celles que m'exhibaient les
moines du mont Athos, à cette différence près que cette
relique-là était, pour la famille de la victime, mémoire et
cri de sang, loque de vengeance extirpée de la pénombre
des armoires, maillon d'une chaîne sans fin de linges
ensanglantés où la Crète longtemps s'est affaiblie en

hémorragies internes et familiales), tous ces symboles
encore vivants sont pour moi l'envers arriéré et caricatu-
ral de la Crète héroïque. Deux jours après mon arrivée à
Sphakia, cette année-là, un homme fut tué, dans un
village avoisinant. Il sortait de prison où il avait purgé
une peine de dix-sept ans pour avoir tué lui-même un
homme. Le fils de la victime l'avait attendu tout ce
temps et tué deux jours après sa sortie de prison!
L'homme qui me racontait cette histoire avait presque
les larmes aux yeux d'émotion devant un tel exploit, une
telle fidélité à l'honneur familial. C'est alors, ce jour-là,
assis au bord de la mer, dans le grand soleil de l'été, que
je sentis l'abîme qui sépare un homme d'Occident d'un
Crétois. Ce soleil, ces arbres, cette hospitalité, cette
générosité avaient un envers impitoyable fait de nuit, de
veillées funèbres, de vengeance ressassée, de haine
jamais assouvie. L'étranger qui parcourt la Crète n'est
jamais associé à ces ruminations sauvages, ces intrigues
sournoises, ces meurtres qui couvent sans cesse, malgré
les interdictions officielles. Et il risque de ne voir que
sourires et libéralités là où fermentent des passions
closes, où les lèvres se ferment à jamais quand le sourire
n'est plus de mise. Et il ne faut surtout pas croire que la
religion orthodoxe ait adouci ou tempéré ces ardeurs
guerrières ou criminelles. Au temps des Turcs, les popes
étaient les plus acharnés au combat et *Le Crétois* abonde
en descriptions où l'on voit des prêtres couverts de sang,
maniant le fusil ou la hache avec entrain et revenant
dans les lignes crétoises en brandissant des têtes coupées! D'ailleurs, les rapports que les Crétois entretinrent
avec leurs saints furent le plus souvent orageux. A quoi
pouvaient servir les saints – et le Christ en personne –
s'ils n'aidaient pas à libérer la Crète? Au temps de
l'occupation turque, on vit des Crétois se convertir en
masse à l'Islam. Certains, ne pouvant plus tenir, lan-
çaient au Christ un véritable ultimatum : « Si tu ne
libères pas la Crète d'ici un an, on renie notre foi et on se
fait tous musulmans! » Au bout d'un an, rien ne se
produisait et des villages entiers passaient ainsi à l'Islam.
On appelait ces renégats les Turco-Chrétiens. On voit là

la limite inévitable de tout *philotimo* mal placé et mal utilisé : à savoir que ces notions sont œuvres d'hommes et qu'on ne saurait, même en Crète, contraindre Dieu à devenir crétois.

*
**

Sur la terrasse de la gendarmerie à Chora Sphakiôn, un port de la côte sud, je regarde une fois de plus la nuit crétoise. Il n'y a pas d'hôtel ici et les gendarmes m'ont offert l'hospitalité. J'ai dîné avec eux et maintenant, n'arrivant pas à m'endormir, je fixe les étoiles. Trop de parfums, de sensations, trop de beauté peut-être. Trop d'oppression aussi, devant la face cachée, la part d'ombre de ce pays. Un vieux pêcheur qui regardait la mer, seul, sur un petit promontoire à côté du port, m'a raconté l'histoire du meurtre de cet homme tué avant-hier par *philotimo* dix-sept ans après son crime, au village d'Anopolis. Et la nuit me semble tout à coup menaçante, faite de silences, de murmures inquiétants, de veilles clandestines. Nuit de guerre au milieu de la paix des choses.

La veille, je suis parti à pied du village d'Omalos, sur le plateau bordant le flanc ouest des monts Blancs. J'ai profité de la tournée d'un député qui vient chaque année visiter ses électeurs de Sphakia. Avec lui et ceux qui l'accompagnent – un professeur à La Canée, un instituteur, un secrétaire, un mulet et son guide pour porter les bagages – j'ai traversé les gorges de Samaria. Le lieu est admirable, impressionnant mais personne n'en a cure. Tout au long du trajet qui prendra la journée jusqu'au village de Samaria, chacun rit, parle, crie, s'interpelle. Pas une seconde de silence. Au cours d'une halte sur le bord d'un torrent, je me suis retrouvé seul avec l'instituteur. Il me raconte une curieuse histoire, survenue l'an dernier dans un village des environs. Un paysan, ancien combattant, vivait d'un maigre champ et d'une pension plus maigre encore, à la suite d'une blessure de guerre. Dix fois, vingt fois, il avait écrit au ministère pour expliquer son cas. Pas de réponse. Dans le même village vivait une femme dont le mari avait été tué pendant la guerre d'Albanie. Elle touchait donc une pension de veuve de guerre, plus substantielle que celle du paysan et qui la mettait à l'abri du besoin. Et l'autre ressassa l'affaire dans sa tête : « J'ai fait toute la guerre, dit-il, j'ai été blessé, je suis infirme, je ne peux plus travailler comme avant et l'Etat ne me donne rien. L'autre, elle n'a rien fait, elle est restée ici pendant toute la guerre et elle vit maintenant sans problèmes. » A force de se monter la tête, il devint de plus en plus hargneux et agressif. Chaque fois qu'il rencontrait la veuve il lui jetait des regards noirs et proférait même des menaces. Ses amis eurent beau le raisonner, rien n'y fit. Si bien qu'un beau matin, on entendit des cris stridents venus d'un champ où se trouvait la veuve. Le paysan s'était jeté sur elle et lui serrait le cou de toutes ses forces. On les sépara et l'homme fut conduit à la gendarmerie. « Alors, tu es devenu fou ? lui dirent les gendarmes. Qu'est-ce qui t'a pris de frapper X comme tu l'as fait ? – Ce n'est pas X que j'ai frappée », répondit l'autre. « Comment ce n'est pas X ? Qui as-tu frappé, alors ? – J'ai frappé la Grèce ! » Pour cet homme, cette femme qu'il voyait chaque jour dans son village n'était plus une paysanne, une veuve ni une villageoise mais la Grèce en personne. Et il croyait en la battant se venger de l'injustice subie et, peut-être, obtenir d'elle une pension ! Interloqués, les gendarmes le laissèrent partir et lui dirent pour le sermonner : « Tiens-toi tranquille, à présent. Mais gare à toi si tu touches encore à la Grèce ! »

L'instituteur qui me raconte cette histoire est un petit homme sec, aux yeux rieurs, avec une énorme moustache. Elle lui recouvre toute la bouche au point que ses mots s'emmêlent dans ses poils et me parviennent comme assourdis et tout effilochés. Et il conclut avec admiration : « Tu vois, c'est ça, un Grec ! Quelqu'un pour qui la Grèce, ce n'est pas un mot, une idée, non, c'est une femme en chair et en os ! » Je me dis que ce peuple est bien le même depuis des siècles. Pour un paysan d'il y a trois mille ans, ce qui n'est pour nous aujourd'hui que symbole ou qu'allégorie, la Justice, la

Vengeance, la Fortune étaient des êtres vivants, des
créatures de chair et de sang avec un visage, des
émotions, une histoire, une identité bien précises. On
leur rendait un culte, on leur élevait des temples, et on
croyait les voir, peut-être les toucher, en tout cas ressentir fortement leur présence dans la poussière soulevée
par le vent sur les routes, les mouvances infinies du ciel,
le frissonnement des arbres, et même les silhouettes
inconnues qu'on croisait au hasard des crépuscules et
des chemins. Alors pourquoi, aujourd'hui, dans ce village de Crète, un paysan n'aurait-il pas croisé, un beau
matin, la Grèce elle-même ?

Au village de Samaria, – dix maisons tout au plus,
étagées dans un évasement de la gorge, avec une pièce
unique, une terrasse où l'on dort à la belle saison et,
dans un coin abrité du vent, des pierres plates pour faire
le feu – j'ai l'impression de voir surgir un peuple de
fantômes. Des vieux, des vieilles, pas de jeunes, à part
un garçon de seize ans et une fille blonde. Une des
vieilles ira tuer deux poules qu'elle fera bouillir dans un
chaudron avec des herbes et du riz. Un vieillard appor-
tera une cruche de raki. Pas de pain. Pas de vin. Même
pas d'olives. Les autres ont leurs provisions. Moi, je n'ai
rien. Je partagerai le repas des vieux. Pendant que le
député s'entretient avec une des vieilles, je regarde le
visage de la femme : creusé, ridé, un paquet d'os et de
malheurs mêlés. Et pourtant, elle a les yeux fixés sur cet
homme comme sur le Messie. Elle joint ses mains
calleuses et lui demande quelque chose pour son fils,
parti travailler quelque part, sur un caïque. D'autres
vieilles s'approchent, attendent leur tour, les mains jointes elles aussi comme devant une icône. Qu'espèrent-
elles de cet homme, brave peut-être mais qui de toute
façon se moque d'elles et ne vient chercher ici que des
votes ? Mais là encore, je raisonne en Occidental. Elles
ont conscience de leur misère et elles savent bien qu'elle
ne changera pas. Mais elles croient en l'intercession, en

cet homme venu jusqu'à elles et qui connaît ministres et puissants. Il ne changera rien mais il soulagera peut-être. Et lui, pris à son jeu (ou faisant semblant, je ne sais) les écoute dans le soir comme un prêtre au confessionnal. Pendant ce temps, la fille aux nattes blondes s'affaire, prépare des couvertures, des coussins pour la nuit. Elle est belle, avec des yeux intelligents mais réservée, farouche. De toute la soirée, elle ne dira mot et son regard évitera le mien, celui des hommes étrangers. J'entendrai seulement au moment de dormir sa voix basse demandant à quelqu'un, parlant de moi : *ma o allos, o xanthos, apo pou einai? Den einai Ellinas!* Mais l'autre, le blond, d'où est-il? Il n'est pas grec!

Non, je ne suis pas grec, je ne le serai jamais d'ailleurs, en ce sens que jamais je ne pourrai passer pour grec car mes yeux bleus, mes cheveux plutôt clairs et mon teint cuivré – je ne bronze pas vraiment au soleil, je dore en prenant les reflets des vieilles casseroles en cuivre qu'on suspend aux murs des cuisines et salles à manger « rustiques » – m'interdisent de passer pour grec, même quand, vivant continuellement en Grèce, je finirai par parler la langue couramment. Il fallait chaque fois expliquer que je parlais grec par amour du pays, non parce que j'étais d'origine grecque ou de mère grecque ou de quelque centre de la diaspora, comme ces Grecs nés en Australie, aux Etats-Unis ou en Europe qui ont grandi dans un milieu étranger et n'ont de leur langue ancestrale que des souvenirs vagues, des mots confus qui pourtant suffisent d'emblée à les identifier comme des demi, des tiers ou des quart de Grecs. Tout au long de ces années, j'entretiendrai d'ailleurs des rapports particuliers avec la langue, n'ayant aucun souci, en parlant grec, de passer pour un indigène. J'ai toujours adopté, en matière de langues étrangères, des points de vue fort différents de ceux qui ont cours ou qu'on professe encore. Les langues étant faites pour communiquer, échanger des messages de teneur variable depuis : *Au secours!* jusqu'à : *Vous m'énervez! Laissez-moi tranquille!* et non pour snober ses amis et ses ennemis en voulant se faire passer pour grec ou bulgare ou jivaro

alors qu'on ne l'est pas, il me suffit de parler correctement la langue sans descendre au-dessous du seuil
sémantique, autrement dit en me faisant comprendre,
quel que soit mon accent. Ce dernier n'a aucune importance dès l'instant où l'on est compris et où l'on peut
communiquer librement et entièrement avec un étranger. Tout ceci pour dire une fois pour toutes que
pendant des années j'ai parlé le grec couramment, mais
toujours avec un accent français bien net et bien caractéristique qui réjouissait d'ailleurs la plupart des amis
(et amies) athéniens car il était chantant et poétique.
Mais il faut croire que cet accent – sensible pour les
gens lettrés d'Athènes – passait inaperçu ou peu perçu
auprès des paysans et des pêcheurs car, au cours de
toutes ces années, jamais un seul ne m'en fit la remarque.

De toute façon, ce soir-là, je ne pensais ni au grec ni à
ces problèmes linguistiques. J'avais du mal à m'endormir sur cette terrasse inconfortable et je songeais surtout
à cette fille blonde, seule de son âge dans ce hameau.
Vivre chaque jour au milieu de ces vieilles rabougries, ne
jamais rencontrer de garçon de son âge ou si d'aventure
il en passait un qui lui plaise, ne jamais pouvoir l'approcher autrement que par des flirts superficiels et clandes-
tins car en Crète on ne plaisante pas avec la réputation et
la virginité des filles, quelle pénible existence !

Jusqu'à une date récente – et encore aujourd'hui en
beaucoup d'endroits de la Grèce bien que ces coutumes
commencent doucement à s'éteindre – aucune fille de la
campagne ne pouvait se marier sans dot, en plus de
l'habituel trousseau, dot consistant si possible en terres,
en maison ou sinon en argent. Quand la famille est
pauvre et ne possède ni l'un ni l'autre, il faut alors que le
frère ou les frères travaillent d'arrache-pied pour doter
leur sœur ou leurs sœurs. Ils ne pourront se marier
qu'une fois leurs sœurs « casées ». Pour un travailleur
émigré, ce qui est le cas de bien des Grecs des
campagnes, c'est là une tâche herculéenne surtout si les
sœurs sont nombreuses. Il y épuise ses ressources, sa
jeunesse et sa liberté. Tels sont ici – et dans bien des pays

du monde – les exigences et les mystères des liens de parenté. Telles sont les injonctions du sang. Depuis que je suis en âge de réfléchir, ayant eu la chance de naître dans une culture où ces contraintes n'existent plus, je ne cesse d'être stupéfait par ce pouvoir dictatorial attribué au « sang » et à ce qu'il véhicule de notions et potions culturelles, à ces relations strictes, impérieuses que supposent ou exigent les parentés. Sous prétexte que vous êtes né là, de telle famille, avec tel frère ou telle sœur, tel cousin, beau-frère, tantine ou tonton, vous voilà affublé à vie de ces termes et de ces personnages, contraint de les subir (quand ce n'est pas de les marier ou de les épouser) alors que très souvent ils sont pour vous des étrangers à temps complet, on pourrait même dire « à sang complet ». D'autant que les motifs qui justifiaient autrefois ces règles, cette symbiose – préservation du bien familial, transmission sans dispersion de l'héritage, échanges des produits du sexe et du sang – ont notoirement disparu dans nos modernes sociétés. C'est à son degré de maintenance, de permanence, de rémanence de ce pouvoir du sang qu'on devrait le mieux percevoir ce qu'est aujourd'hui une culture, ou un groupe culturel. Grâce à quelque « parentomètre », instrument à mesurer, non les degrés de parenté, mais l'intensité, la rémanence et la rigueur de leurs applications. Aussi me dis-je, songeant, ce soir-là, sur cette terrasse de Crète, à ces survivances contraignantes : cette fille blonde qui dort, solitaire, dans la pièce du bas, qui jamais ne pourra m'approcher, que jamais je ne pourrai moi non plus approcher sans la compromettre à jamais ni recevoir la visite de quelque frère altéré de vengeance et ne plaisantant pas en matière de *philotimo*, cette fille blonde, comment se mariera-t-elle ? A-t-elle des frères et des sœurs ? Je me promis de le lui demander sans faute le lendemain matin, brusquement soucieux de son avenir comme si je devais moi-même l'assurer, au moment même où, sous le ciel couvert d'étoiles, le sommeil vint me visiter.

De cet endroit jusqu'à la mer, en passant par un second hameau du nom d'Aghia Roumélie, il y a peu de distance. Au bout de quelque temps, on débouche sur un rivage de galets blancs, étincelants, avec au loin, dans la brume de chaleur couvrant déjà l'horizon d'un voile couleur d'opale, les côtes invisibles de la Libye. Mer déserte, sans une voile, sans un pêcheur. Jusqu'à ce seuil de la mer, cette orée de l'ailleurs, la Crète demeure une terre résolument continentale, avec ses villages solidement ancrés sur les versants, son peuple de terriens, de paysans, de muletiers et de bergers. Même ici, où affleurent les effluves du large, la seule odeur qui l'emporte est celle – chaude et bruissante – de la terre, des buissons, du crottin des mulets. Ce rivage, nous le longerons sans rencontrer âme qui vive jusqu'au chef-lieu de la province, jusqu'à Chora Sphakiôn. C'est là que notre groupe se séparera et que je resterai quelques jours à écouter des histoires de vendetta et à parcourir les versants et les villages d'alentour avant de regagner Hérakleion.

Ce que j'y découvrirai de plus singulier, de plus inattendu aussi dans une chapelle de montagne, ce sont des fresques anciennes oubliées, méconnues, pour la simple raison qu'elles avaient disparu sous un enduit de chaux. Elle se trouvait, cette chapelle, dans le village d'Aghios Ioannis au-dessus de Chora Sphakiôn (ce même village où des gendarmes attentionnés avaient cru bon d'occire une chèvre centenaire et tout à fait coriace en mon honneur) et ne comportait apparemment aucune fresque. Je voulus, Dieu sait pourquoi, en avoir le cœur net, car le fait était plutôt anormal et je demandai au villageois qui m'accompagnait d'apporter un seau d'eau, une éponge et du vinaigre. Un peu de vinaigre dans l'eau suffit en effet à dissoudre superficiellement la chaux et à faire apparaître ce qu'elle peut cacher. Pas pour longtemps d'ailleurs car, l'eau à peine évaporée, la surface redevient d'un blanc immaculé. Et, de fait, à mesure que je passais l'éponge imbibée d'eau

et de vinaigre, je voyais apparaître des fresque byzantines, en parfait état de conservation, préservées sans nul
doute par l'enduit protecteur. Des visages surtout qui
transparurent lentement, surgissant du profond des
murs comme autant d'apparitions saintes puis redispa-
raissant dans le blanc de l'enduit à mesure que l'eau
s'évaporait. Vision inoubliable que celle de ces figures
éphémères s'effaçant au bout de quelques secondes pour
réapparaître dès que je mouillais la surface, comme si
j'avais pouvoir, par ce simple effleurement, de comman-
der à leur résurrection ou leur effacement. Visages aux
yeux noirs et sévères, saints, évêques et martyrs, un
court instant surgis de l'ombre blanche où vous gisiez,
dont j'ai surpris comme par effraction le regard enfoui
sous la chaux, ce regard ascétique, dardé du fond de
l'être, si intense qu'on ne l'oublie plus et que lui seul
m'assure aujourd'hui que je n'ai pas rêvé.

Jusqu'à la plaine de la Messara, au pied de Phaestos,
la Crète n'est ainsi que versants parsemés de villages,
gorges et sentiers ponctués ici et là par la tache blanche
d'un monastère. A l'époque où je la parcourus ainsi à
pied ou à mulet, dans ces provinces du sud et de l'ouest,
peu d'étrangers s'aventuraient dans ces régions arides,
totalement dépourvues de la moindre *infrastructure*
touristique, comme on dit aujourd'hui. La seule infrastructure qui existait alors, en matière de logement et
nourriture, c'était, au hasard des rencontres et des villes,
l'hospitalité de la Crète elle-même. Mais bien qu'elle fût
toujours spontanée, il fallait aussi d'une certaine façon la
provoquer, ou en tout cas la justifier. Car être reçu dans
une maison est une chose, devenir pour un soir un hôte
véritable et un ami en est une autre. Il est difficile de
définir avec précision les frontières séparant ce que
j'appellerai l'hospitalité rituelle – celle qu'on reçoit par
principe dès qu'on se trouve dans un village grec ou
crétois dépourvu d'hôtel – de l'hospitalité réelle, celle
que l'on vous propose parce que l'on tient à vous avoir,

à vous garder. Passer de l'une à l'autre, devenir hôte recherché après n'avoir été qu'hôte accueilli, ne dépend plus que de vous-même. Ce changement repose sur mille attitudes de détail, mille signes devenus aujourd'hui sans valeur mais qui ont dû jouer un grand rôle autrefois quand l'hospitalité était le seul mode d'accueil et de rencontre des groupes ou des individus. Ces signes ? Eh bien votre tête, pour commencer, l'impression immédiate que vous donnez avec votre regard, votre visage (car l'habillement, l'allure ne viennent que bien ensuite : ceux-là on peut les fabriquer comme on veut, se donner l'apparence qu'on veut mais on ne change pas le sens, la profondeur ou la malignité de son regard), impression qui repose bien entendu sur quelque substrat inconscient et qui fait qu'on vous ressent d'emblée comme bénéfique ou indifférent, amical ou hostile, proche ou lointain. Et puis votre attitude, votre comportement à l'égard du nouveau milieu et de ses habitudes (ce qui n'est pas toujours sans problèmes concrets, drôles ou pénibles selon les cas), attitude qui doit faire de vous un hôte à la fois invisible et présent : invisible parce que vous devez oublier vos propres habitudes, vous fondre autant que possible dans le nouveau milieu, présent parce qu'au fond, ce qu'on attend de vous n'est pas que vous deveniez brusquement crétois pour un seul soir, mais d'être et de rester un visiteur français chez les Crétois, avec tout ce que vous pouvez apporter, fournir à votre tour d'insolite ou simplement de méconnu.

Ces remarques paraîtront peut-être banales et superflues et pourtant, ces voyages dans la Crète du sud où, pendant des jours et des jours je n'ai vécu qu'ainsi, de village en village, de familles en familles, d'hôtes en hôtes, ces voyages n'ont pas seulement métamorphosé les habitudes de mon corps mais surtout ma façon d'être avec les autres. Ils ont créé en moi ce goût, ce besoin même de rencontres avec les inconnus, cette confiance immédiate à l'égard d'autrui (qui en dépit de tous les pronostics n'a jamais été démentie par les faits depuis tant et tant d'années que je voyage ainsi, à croire que parmi les signes invisibles et nécessaires à ces rencontres, figure d'abord la confiance). Rien de tout cela ne s'apprend évidemment à la Sorbonne ni en aucune école mais seulement sur le terrain, au sens propre du terme : savoir se faire accepter par les autres, arriver à l'improviste sans être jamais un intrus, rester entièrement soi-même tout en renonçant à ses acquis et à ses habitudes, bref devenir autonome à l'égard de sa naissance et lié à tous les lieux, à tous les êtres qu'on rencontre, c'est cela que m'apprit la Crète. Là, dans ces villages misérables, au milieu de ces familles si pauvres et si chaleureuses pourtant, j'ai pu enfin me délivrer du lieu de ma naissance, rompre ce faux cordon ombilical que tant d'êtres traînent avec eux toute leur vie. Là, j'ai commencé mon apprentissage de véritable voyageur. Qu'est-ce, me direz-vous, qu'un *véritable* voyageur ? Celui qui, en chaque pays parcouru, par la seule rencontre des autres et l'oubli nécessaire de lui-même, y *recommence sa naissance.*

VI. ÉPIDAURE ET L'AUBE DU THÉÂTRE

Il m'arrive d'oublier quelquefois que pendant des années j'ai été comédien amateur, que j'ai interprété plus d'une centaine de fois les différents personnages des tragédies antiques : choreute, coryphée, Xerxès, Cassandre, Ismène. Derrière ces rôles et le travail collectif accompli avec la troupe du Théâtre Antique de la Sorbonne, apparaissait sans cesse l'image de la Grèce future, celle où un jour nous irions jouer Sophocle et Eschyle sur les théâtres mêmes où ils créèrent leurs œuvres.

Epidaure, au contraire de Delphes (où la présence de la guerre avait vite effacé le mirage des pierres et des mythes), restera lié pour moi à cette image longtemps rêvée, brusquement rencontrée et vécue au cours de la représentation des *Perses* que nous y avons donnée un après-midi de septembre 1947. Ce n'était pas la première représentation de cette tournée. Quelques jours plus tôt, nous avions joué *Agamemnon* sur le théâtre romain d'Hérode Atticus, au pied de l'Acropole, par un soir d'août chaud, presque brûlant et sans le moindre vent. Mais cette soirée n'a jamais laissé en moi les traces durables, ineffaçables d'Epidaure. *Agamemnon* était un spectacle monumental avec vingt-quatre choreutes, tous masqués, chaussés de hauts cothurnes et revêtus de lourds péplums, six protagonistes ou acteurs, masqués eux aussi, et quelques figurants. Quarante personnes sur la scène, ce qui était beaucoup pour une simple troupe d'amateurs. Le spectacle fut néanmoins très applaudi bien qu'il ait laissé en moi une impression d'angoisse. Je jouais dans le chœur et il fallait rester en scène deux heures et demie durant, chaussé de cothurnes aussi lourds que du plomb, sous un masque rigide percé de deux fentes pour les yeux et où la sueur inondait le visage. Je me sentais sous cet attirail comme un soldat derrière le blindage d'un char, robot moderne égaré dans l'histoire des Atrides. Cette rigidité des costumes, cette pesanteur des masques et des cothurnes donnaient à tous nos gestes (mais cela était voulu par notre metteur en scène, Maurice Jacquemont) la lenteur et le hiératisme de gros insectes s'apprêtant à des noces de sang et des rituels de mort. Et tout cela, en dépit de sa beauté formelle, ne pouvait me distraire de ce qui demeurait pour moi le but essentiel – et comme la consécration – du voyage : la représentation des *Perses* à Epidaure.

De Corinthe à Nauplie et de Nauplie à Epidaure, le car qui nous emmène suit une route cahotique, chemin de terre troué et bosselé, creusé par les chariots, ravagé par les pluies. De temps à autre, le car fait un détour à travers champs pour éviter une fondrière ou s'arrête pour laisser souffler le moteur. Des paysans occupés aux semailles, des paysannes marchant sur la route viennent vers nous pour échanger quelques mots, nous offrir des figues ou de l'eau. Un peu plus loin, les habitants d'une ferme nous arrêteront au passage pour nous donner du fromage et du vin, parler avec ces Français, les premiers étrangers qu'ils voient depuis la guerre. Puis la lente progression reprendra entre les vignes, les oliviers, les cyprès et les caroubiers. Paysage jaune et blanc – de grosses pierres étincelantes comme du marbre émergent ici et là des herbes et des champs – avec à l'horizon les montagnes du Péloponnèse et, plus près, juste au-dessus d'Epidaure, le mont Arachnaion. Il s'appelait déjà ainsi au temps d'Eschyle (et bien avant sans doute) et c'est pour moi le premier des mystères infinis de la Grèce : ce nom resté inchangé depuis trois mille ans. En France, il n'est pratiquement pas un seul relief – de la colline aux plus hauts monts – qui n'ait changé dix fois de nom depuis les Gaulois. Il faut, pour retrouver le nom ancien, fouiller les archives, torturer la toponymie, et déceler peut-être, derrière les appellations franciques, romanes, occitanes ou latines, la racine gauloise ou celtique. En Grèce, rien de tel. L'Olympe, le Taygète, le Parnasse, l'Ida, le Dictè, l'Athos, l'Arachnaion portent toujours les mêmes noms depuis l'Antiquité. Miracle de pérennité puisqu'ici, plus encore qu'en France, ce pays a vu de continuelles invasions. Pourtant, malgré le passage et l'occupation des Romains, des Vénitiens, des Francs et des Turcs, les noms des lieux sont restés grecs.

Cette éternité des noms qui ont pris racine en ce sol, noms plus vieux que les plus vieux des oliviers centenaires que je vois tout au long de la route, tordus par les meltems, crevassés, boursouflés mais aussi tenaces que la mémoire paysanne, nul paysage ne la rend plus évidente que ce coin de terre entre Nauplie et Epidaure ni que ce mot – magique à mes oreilles – de mont Arachnaion. Quand j'ai demandé au chauffeur le nom de cette montagne et que – gardant une main sur le volant il m'a désigné de l'autre ce mont chauve en me disant : Arachnaion – c'est comme si Eschyle en personne nous eût guidé vers Epidaure. Car il y a justement dans *Agamemnon* un passage admirable – que jamais je ne me suis lassé d'écouter même après tant de représentations – où la reine Clytemnestre décrit la longue chevauchée des feux qui, de sommet en sommet à travers la Grèce et l'Egée, illuminent la nuit grecque pour annoncer jusqu'à Argos la prise de Troie. Huit relais comme autant d'amers de la terre dont l'embrasement criait victoire : le mont Ida en Troade – premier feu – puis le Roc d'Hermès dans l'île de Lemnos, le mont Athos, le Makistos, le Messapios, le Cithéron, l'Egiplancte, enfin l'Arachnaion. C'est ainsi qu'autrefois on annonçait au loin les nouvelles importantes : par des feux allumés de sommet en sommet. Procédé rudimentaire évidemment, dont la portée (au sens propre comme au sens figuré) était très limitée. Il fallait par avance convenir du sens de ce signal (une accession au trône, une victoire), organi-

ser des veilles nocturnes et quotidiennes, préparer des
bûchers, mobiliser des guetteurs à travers les monts et
les îles. *Agamemnon* débute d'ailleurs ainsi, la nuit sous
un ciel plein d'étoiles : par le cri du veilleur, guettant
depuis des années sur le toit du palais le feu annoncia-
teur de la victoire (et il y a dans ce simple début toute
une vision concrète, fruste mais bouleversante de cette
œuvre tragique, bouleversante par la précarité des
moyens employés mais aussi par l'attente angoissée,
infinie qu'elle suggère et les années d'obéissance aveugle
dans la nuit d'un palais et l'on voit déjà par ce simple
détail combien la tragédie grecque n'a pas craint d'exprimer les plus hautes tensions tragiques par le recours aux
moyens les plus concrets et les plus démunis). Procédé
qui fera sourire peut-être, tant il nous paraît archaïque
mais en retour, quand l'ultime bûcher s'embrase au
sommet de l'Arachnaion, la portée et l'annonce du
message ne furent-elles pas bien différentes de celles
d'un simple télégramme du genre :

AI PRIS TROIE STOP TOUT VA BIEN STOP ESPÈRE RENTRER BIENTÔT
ARGOS AVEC BUTIN, BAISERS.

AGAMEMNON.

*
**

Ainsi, tandis que le car s'approche d'Epidaure, je
pense à cette nuit mythique, à ces noms criés par
Clytemnestre et qui sont aujourd'hui encore, pour la
plupart, des noms courants. Au temps d'Eschyle, on
jouait les tragédies à Athènes, au pied de l'Acropole, sur
le théâtre de Dionysos. J'ignore si par la suite on reprit
ses œuvres à Epidaure, à partir du IVe siècle. Si *Agamemnon* fut joué sur ce théâtre, on aurait pu alors, sans faillir
à l'histoire de Mycènes, embraser sur l'horizon le sommet de l'Arachnaion. Le paysage serait devenu décor, un
décor agrandi aux dimensions des lieux et de cette
tragédie où le sang coule de Troade à Argos.

Le car s'est arrêté à l'entrée du sanctuaire. Je cherche
en vain le théâtre des yeux. Pour l'instant, je ne vois que
des pins. De ces pins parviennent des voix, des cris, des

chants mêlés à des braiements d'ânes et des hennisse-
ments de mulets. En approchant de la colline qui cache
le théâtre, je n'en crois pas mes yeux : des milliers de
paysans sont installés parmi les arbres, les marbres du
sanctuaire, sur l'esplanade d'Asclépios, venus de tous les
coins du Péloponnèse pour assister aux *Perses*. Nous
jouons en français et aucun d'eux, certainement, ne
comprend cette langue. Mais il faut dire qu'à l'exception
d'une représentation donnée avant la guerre en 1936 par
ce même Théâtre Antique de la Sorbonne, c'est la
première fois qu'on joue sur ce théâtre depuis vingt-cinq
siècles. Et pour tous, pour eux, pour nous, pour les
Athéniens, peu nombreux, qui ont fait l'effort de venir
jusqu'ici, c'est un événement. Il est midi. Les victuailles
sont étalées un peu partout. Des musiciens ont pris leurs
instruments et la fête commence. C'est la première fois
aussi que j'entends la musique grecque d'aujourd'hui, le
son des flûtes, des hautbois, les fioritures des lyres et des
rebecs. J'ai l'impression de voir revivre une fête antique
avec ce désordre vivant, ces foules bigarrées, ce tumulte
qui devaient faire des grands sanctuaires, aux jours
consacrés, une sorte de foire, de liesse bruyante où
chants humains, cris d'animaux se mêlaient à l'odeur
des viandes sur la braise, des graisses brûlées sur les
autels, de la résine chaude, de la sueur humaine. Oui,
Epidaure devait être ainsi quand des milliers de malades
accouraient près des temples miraculeux. Cette foule
paysanne et si vivante m'accorda ce jour-là, par le
miracle de sa présence inattendue, de retrouver la
grande liesse des temps païens. (1).

---

(1) Trente ans plus tard, à Athènes, j'appris de Pierre Amandry,
directeur de l'Ecole Archéologique Française, qui assistait à la représentation de 1947, une anecdote savoureuse. Il entendit un paysan grec,
assis à ses côtés, dire à sa femme : *Je ne comprends rien à ce qu'ils
disent mais ils aiment beaucoup la Grèce, ces Français, car ils en
parlent sans arrêt.* Ce paysan confondait tout simplement le *Hélas !
Hélas !* que nous disions au cours des lamentations du chœur avec le mot
Ellas qui veut dire Grèce en grec et se prononce identiquement !

*
**

Jouer à Epidaure en plein jour devant près de dix mille spectateurs est une épreuve terrifiante mais salutaire que tout comédien se devrait de tenter au moins une fois dans sa vie. Tout ce qu'on peut apprendre au cours des répétitions et des représentations en lieu clos s'effondre en un instant devant l'immensité, la nudité, l'abîme hanté de ce théâtre et surtout devant les milliers de regards dardés sur vous. Déjà, au cours de la mise en place qu'il fallut faire en plein soleil, on s'aperçut d'emblée que tout était à recommencer. Ce n'était ni la voix ni le chant qu'il fallait adapter. A Epidaure, crier ou parler fort ne sert à rien. L'acoustique est d'une telle qualité qu'il suffit de parler nettement, et d'articuler clairement pour que le moindre mot porte jusqu'au dernier gradin. Par contre, les gestes, les attitudes, les déplacements doivent être amplifiés, stylisés autrement, exagérés parfois pour s'adapter aux dimensions de l'orchestra (1). Du sommet du théâtre, l'acteur apparaît minuscule, réduit à la condition d'homoncule gesticulant. D'en bas, l'impression est plus nette encore. Les gradins semblent monter jusqu'aux limites mêmes du ciel comme si l'on s'adressait non à des êtres humains mais à la création tout entière. On se sent devenu fourmi alors qu'il faudrait devenir géant. Et cette mutation, qui peut nous l'apprendre aujourd'hui ?

La représentation débuta vers cinq heures du soir quand l'ombre commence à recouvrir les gradins. Les coulisses n'existant pas, il fallut nous maquiller, revêtir les costumes, mettre les masques sous les regards d'une foule de curieux, au milieu du braiement opiniâtre des ânes qui, par un miracle jusqu'à ce jour inexpliqué, se turent d'un commun accord pendant toute la représentation. De plus, nos Ondes Martenot, ces fragiles instruments électriques utilisés pour l'accompagnement musi-

(1) On appelait orchestra dans l'Antiquité la scène circulaire où jouaient le chœur et parfois les acteurs.

cal du spectacle s'avérèrent inutilisables. Les fondrières, les cahots de la route avaient, si l'on peut dire, sonné leur glas. Il fallut emprunter le pipeau d'un berger pour que l'instrumentiste puisse jouer les mélodies indispensables aux chants du chœur. Le spectacle y gagna en couleur locale, mais cela ne fit qu'accroître notre appréhension.

En fait, la représentation se déroula sans incidents notables. Il y eut des erreurs, des omissions, quelques accrocs divers mais qui passèrent inaperçus, la plupart des spectateurs ne comprenant pas le français. Nous fûmes donc, nous acteurs, les seuls à remarquer que le roi Darios bégaya presque, tant il était ému, en émergeant du bloc de marbre derrière lequel il se tenait tapi, que le messager (accouru du fond des collines en un marathon saisissant pour annoncer aux vieillards perses la défaite de Salamine) en eut le souffle si coupé qu'il oublia pratiquement la moitié de son texte, que le son du pipeau, emporté loin de nous par une brise traîtresse fit dérailler le chœur bien souvent et que Xerxès, le roi vaincu, arriva en titubant sur l'orchestra comme un homme ivre, en raison des aiguilles de pin qui rendaient sa marche hasardeuse. Tout cela, semble-t-il, fut de peu d'importance au regard du spectacle que tous suivirent pendant une heure dans un silence impressionnant.

Huit ans plus tard, je revins sur ce même théâtre avec la même troupe pour y rejouer *Les Perses* mais cette fois j'interprétai le roi Xerxès. Les lieux s'étaient transformés. On avait aménagé un mur de scène et des *parodoi* – couloirs latéraux permettant aux acteurs de faire des entrées moins acrobatiques. L'état des routes aussi s'était amélioré. Elles étaient maintenant goudronnées et les Ondes Martenot arrivèrent intactes. Mais le changement le plus marquant était vraiment celui du public. Plus de paysans, de visages burinés, de fête au milieu des pins, d'ânes et de mulets braillant et criant à tue-tête mais des étrangers, des touristes français, allemands, anglais et, à l'écart, des cars Pullman. La représentation, cette année-là, fut meilleure que la première. Pourtant, quelque chose manquait à l'atmosphère de ce lieu : la liesse, les cris, les brouhahas et le silence de ces milliers de paysans attentifs suivant nos gestes et nos chants.

A la fin des *Perses*, le roi Xerxès, censé venir de Salamine après avoir retraversé la Grèce avec ses troupes en débandade, arrive en son palais de Suse pour clamer son malheur aux vieillards du chœur. Pour ne pas rater cette entrée, il fallut repérer le moment précis où je devais émerger d'un bosquet de pins situé à près de deux cents mètres pour parcourir la distance jusqu'à l'orchestra. Le vent, cette fois, soufflait dans le bon sens et je tendais l'oreille, à tout moment, pour percevoir, par bribes, les dialogues et les chants du chœur. Je me souviens qu'ainsi blotti au pied des arbres, le masque sur la tête et les cothurnes aux pieds, drapé dans un immense manteau rouge en haillons, je fus tout à coup envahi d'un trac épouvantable. Impossible de le réprimer. S'il avait fallu me lever et parler à cet instant précis, aucun son n'aurait pu sortir de ma bouche. « Il faut absolument penser à autre chose, me dis-je, à n'importe quoi, sinon je ne m'en sortirai pas. » Mais rien n'y fit. Je pensais aux choses les plus invraisemblables et les plus saugrenues. Mon trac ne fit que redoubler. Pendant ce temps, une cigale inconsciente s'en donnait à cœur joie juste au-dessus de moi. Son chant m'exaspéra. Je la cherchai des yeux et finis par l'apercevoir, à peine distincte de l'écorce. « Tu te moques bien d'Eschyle et d'Epidaure! pensais-je. Tu as une sacrée chance de chanter pour toi seule, sans t'occuper de chanter juste! » Je fis un geste. Elle se tut. Reprit son chant un peu plus tard. Le jeu m'amusa. Je m'imaginais déjà à sa place (j'aurais à cet instant donné mon âme au diable pour y être), agrippé à l'écorce, baigné de soleil couchant, de vent chaud, parfumé de résine, chantant à tue-tête, élytres fous, pour le ciel ou pour l'amour d'une âme sœur. Et me sentir cigale ainsi, un court instant, dissipa aussitôt tout mon trac. Quand je me levai au signal attendu, je me sentis aussi léger, aussi insouciant qu'elle.

A peine quitté l'abri rassurant du bosquet, je retrouvai le grand théâtre en plein soleil. Et avant même de faire un pas (la tache rouge de ma cape devant se voir de loin parmi le vert des arbres) je sentis que tous les spectateurs avaient les yeux tournés vers moi. Je me mis à marcher lentement pour ne pas trébucher sur les pierres mais dès que j'arrivai en vue de l'orchestra, je sentis le trac me reprendre, sous forme d'une pensée absurde mais insidieuse qui ne me quitta plus : il y a six mille spectateurs et comme chacun d'eux a deux yeux (n'ayant pas vu de borgnes parmi eux), voici douze mille yeux braqués sur moi. Tout en ressassant ces chiffres idiots, je marchais, de plus en plus difficilement, sur des aiguilles de pin si sèches et si glissantes qu'à deux reprises je faillis m'étaler. Enfin, je parvins jusqu'au cercle de l'orchestra où je vis les regards terrorisés des choreutes (douze choreutes plus le coryphée, autrement dit vingt-six yeux de plus) s'attendant à me voir à tout moment m'affaler sur le sol.

A la fin du spectacle – alors que je tremblais encore au seul souvenir de cette marche éprouvante – des spectateurs vinrent me dirent combien cette arrivée était inoubliable. « Un roi vaincu, disaient-ils, frappé par le destin, incapable de relever la tête. » Et pour cause! pensais-je sans vouloir les détromper : je comptais une à une les aiguilles de pin!

Trois jours plus tard, nous jouâmes encore *Les Perses* à Delphes. Mais là, les dimensions plus restreintes du théâtre et sans doute l'épreuve dominée à Epidaure, facilitèrent les choses. Pour une fois, je jouais, libre, heureux et sans trac, face à des milliers d'yeux, dans un théâtre grec.

Jusqu'à présent, je n'ai parlé d'Epidaure qu'à travers l'expérience personnelle des deux représentations qui y furent données. Si je l'ai fait, c'est moins en raison de la rareté du fait (je n'ai jamais rencontré d'historien de la tragédie grecque qui ait joué lui-même sur les théâtres antiques) que parce qu'il s'agit là pour moi d'une démarche conforme à toutes les exigences que j'ai toujours eues à l'égard de la connaissance. J'ignore toujours ce que veut dire le mot : culture. Je sais seulement que pour moi, ce n'est pas un mot mais une façon de vivre et que, s'agissant de théâtre grec, il ne saurait s'associer uniquement à l'image d'un texte, d'un livre ou d'une étude sur les textes. Il n'est pas pour moi de culture autre que vécue – là où ce qu'on nomme connaissance est plus une mutation interne des cellules, un apprentissage corporel, viscéral des émois et des chants du corps que l'ingurgitation de substances pré-digérées par le cerveau vorateur des savants ou des cuistres. Culture est alors synonyme de tension, engage-ment portant les idées et les mots dans une pratique qui est à la fois l'acte d'écrire – en y risquant toute sa vie – et l'acte de jouer ou de traduire pour jouer lorsqu'il s'agit de culture grecque et de théâtre. C'est pourquoi, à peine inscrit à la Sorbonne au lendemain de la guerre, je suis entré dans la troupe du Théâtre Antique. Eschyle, Sophocle, ces noms qui ont accompagné – qui accompa-

gnent encore – ma vie furent aussi, dès les premiers mois
de l'Université, des syllabes magiques et vibrantes derrière lesquelles se profilait une Grèce rêvée et par la suite
rencontrée. Je ne pouvais envisager de ne voir en ces
noms que des auteurs de textes. D'autant que l'apprentissage progressif de leurs œuvres, la traduction et l'interprétation, dans tous les sens du terme, de leurs
pièces, me révélèrent tout ce que leur univers avait de
fantastiquement concret et théâtral, au point d'inciter
sans cesse à dire ces textes, plus qu'à les lire. Tout cela
n'est pas seulement ici une question de sensibilité ou
d'approche personnelle. Eschyle, c'est vrai, sera toujours
lié pour moi aux cris, aux lumières, aux odeurs et aux
bruits d'Epidaure (et je me souviens qu'après la seconde
représentation des *Perses*, en 1955, quand je jouais
Xerxès, je suis resté assez longtemps sur le théâtre après
le départ des derniers spectateurs et que toutes les
senteurs de la terre ont jailli brusquement comme si la
nuit montante les libérait, mêlées aux odeurs des pierres
et des gradins chauffés par le soleil de la journée –
rugueux et tièdes sous la main. Quand nous sommes
descendus avec le car vers le village du vieil Epidaure où
nous devions passer la nuit, le vent apporta sans cesse
des bouffées de ces senteurs champêtres – foin séché,
résine, térébinthe – et cela fut si fort, si intense que je me
demandai si les théâtres antiques avaient aussi ces
odeurs-là, si elles étaient celles d'un théâtre vivant ou si
elles étaient liées aujourd'hui à l'abandon et au silence
de ce théâtre mort), mais tous ces bruits et odeurs ne
sont qu'émotions, souvenirs subjectifs. Ce qu'apportèrent par contre ces expériences et ces spectacles répétés
(car nous avons joué *Antigone, Les Perses, Agamemnon,Les Choéphores* à travers toute la France et l'Europe, tant en plein air qu'en des théâtres à l'italienne),
c'est l'évidence et la confirmation que ces pièces – même
écrites il y a trois mille ans – sont parfaitement jouables
aujourd'hui et que notre regard contemporain ne peut
qu'enrichir – non détruire ni profaner – les messages
d'Eschyle ou de Sophocle. D'autant plus que ces œuvres
furent elles-mêmes non des textes savants proposés aux

penseurs de l'époque mais un édifice linguistique et tragique façonné, *maçonné* pierre à pierre par ceux mêmes qui furent les premiers inventeurs, les premiers architectes du théâtre tragique.

Pourquoi la tragédie grecque a-t-elle tenu à cette époque une si grande part dans ma vie? Traductions, essais, réflexions, articles, représentations, mises en scène, j'ai vécu la tragédie grecque à tous les stades possibles de son existence (1). Sans doute parce que j'ai toujours éprouvé le besoin de chercher dans les mots, et surtout les mots du théâtre, tout ce qu'ils portent en dehors d'eux (les parler, les proférer, les chuchoter, les chanter), et que la tragédie ancienne offre justement – par la part instante de la musique et de la scansion phonique – une gamme inouïe de possibilités. Et aussi parce que le théâtre ancien révèle, plus que les textes littéraires et philosophiques, la présence vivante et charnelle de la Grèce.

Retournons à Epidaure, à ces quelques minutes, où après la représentation des *Perses*, je suis monté au sommet du théâtre pour le regarder, vide et nu, dans toute sa dimension (et j'aurai la même vision saisissante, deux années plus tard, en 1957, en le découvrant, à l'aube cette fois, par son côté sud, au terme d'une marche à pied de deux jours de Trézène jusqu'à Epidaure). Courbes et strates de pierres, ancrées dans la colline comme les anneaux ou les spirales d'un grand coquillage fossile, lovées autour de l'orchestra, ce rond de terre battue qui fut sans doute, avant de devenir un lieu scénique, l'aire de jeu des paysans en fête. Ce qu'on célébrait autrefois, au temps où ce théâtre s'ouvrait deux fois par an aux festivals dramatiques, ce qu'on célébrait sur ce rond fruste et lisse, œil grand ouvert sur le ciel

---

(1) J'ai publié en 1960 un essai de dramaturgie antique intitulé *Sophocle* (édition de l'Arche) et traduit et mis en scène *Ajax* de Sophocle au Théâtre Récamier en 1963 et 1964.

avec en son centre la pupille de pierre de son ancienne *thymélè* – l'autel de Dionysos –, n'était pas des cultes étranges et exotiques, des cérémonies forcenées ou magiques, mais les noces conscientes du tragique et de la raison, l'alliance consentie de la passion et de la réflexion. Toute la tragédie grecque, d'Eschyle à Euripide, me semble avoir été un effort pour déchiffrer l'homme et le monde, cerner et préciser les frontières mouvantes qui les reliaient, les opposaient aux dieux. Je dirais presque qu'il s'agissait au fond (comme le faisait à cette époque la cité athénienne) de sceller, par l'exemple visible de cas révélateurs, une sorte de contrat définissant les droits des uns et les devoirs des autres. Et c'est pourquoi la tragédie fit appel, tout spontanément, à ce qui déportait l'homme hors de lui-même, à ces mythes effrayants qui charriaient avec eux la mémoire titanesque des choses, pour mieux y déchiffrer – en affrontant ouvertement l'horreur – l'énigme de nos désirs et de nos peurs. En exposant, en disséquant sur scène les grands orages, les vieux phantasmes de la conscience grecque, la tragédie permettait sans doute de mieux saisir, à force de les mettre en marche, l'engrenage des guerres et du sang, la physiologie secrète des violences dans le corps vivant des cités. Elle contribua ainsi à désamorcer ce nœud de craintes et d'épouvantes – mais aussi cette fascination – qui portaient tout le monde grec vers les grands héros surgis de ce passé vivant. Entreprise de clarification, laboratoire de réflexion critique qui, en rendant l'horreur visible, la rendait par là même vulnérable, tel fut un des aspects de la tragédie grecque. Et ce qui frappe le plus ici, malgré l'ignorance où nous sommes des détails matériels des représentations, c'est encore la simplicité, la rusticité des moyens mis en œuvre pour créer l'illusion ou la vérité d'une histoire. Quelques années plus tard, dans le livre écrit sur Sophocle, je devais revenir sur ces réflexions, essayer de situer les poètes tragiques en leur temps et surtout commencer par le commencement, en suivant pas à pas, pièce à pièce, la genèse matérielle du théâtre grec. Cela semble banal aujourd'hui de voir un acteur parler avec un autre

acteur sur une scène. Pourtant, il fallut très longtemps
pour que la parole d'un homme nommément désigné,
autrement dit d'un personnage, émerge de la gangue des
dits et des chants collectifs. Toute l'histoire du théâtre
grec est celle d'un nouveau langage. Elle traduit le
surgissement de nouveaux signes là où auparavant
n'existait que la récitation orale ou le chant religieux.
D'un côté, le mythe devient histoire, d'un autre le
récitant devient acteur. La parole se fait autonome et les
silhouettes floues animant l'horizon archaïque (floues
parce que linéaires, sans relief et sans chair, comme des
ombres privées de voix, les fantômes sans corps de
continents passés) deviennent des êtres de chair et de
sang, nantis d'un langage individualisé. Oreste, Antigone, Electre, Agamemnon, Œdipe, Héraklès, Achille,
tant d'autres encore, auront désormais une existence
propre, authentifiée par un langage, une histoire, une
biographie, et surtout une voix sortant d'une bouche
humaine. Et cela fut pour tous comme une genèse
inattendue, une révélation insoupçonnée parce que rendue visible aux spectateurs (qui « naquirent » en même
temps que les héros qu'ils allaient voir puisqu'avant la
naissance du théâtre, il y avait des assistants, des fidèles,
des participants aux cérémonies religieuses, jamais des
spectateurs). On oublie d'ailleurs que le mot grec *théâ-
tron* vient du verbe *théaomai* : regarder, contempler. Le
théâtre est à la fois le lieu où l'on voit, et où on est
regardé. L'œil, un œil nouveau naît avec ce nouveau
langage et le théâtre grec implique donc, dès sa
naissance, un nouveau regard, il est vision au sens propre et figuré du mot et ce n'est sans doute pas un
hasard si l'image que suggère immanquablement le
rond de l'orchestra est justement celle d'un œil. Ce regard neuf jailli dans la conscience – cette genèse d'une
vision nouvelle – s'exprimèrent jusque dans le sol et
les pierres par une architecture optique et acoustique
qui évoque le rond de l'œil et la grande orbe des paupières.

Alors, une fois apparus ce changement d'échelle, ce
nouvel espace intérieur et ce nouveau regard, *tout*

pouvait devenir théâtre. Je veux dire qu'il n'était nul
besoin d'œuvres spectaculaires, monumentales, sensa-
tionnelles pour qu'une pièce soit perçue comme telle. Un
simple cri, un simple chant, un simple geste d'un personnage seul en scène pouvait devenir théâtral. Ce qui
explique à mon avis que la tragédie resta longtemps
rudimentaire quant aux moyens scéniques utilisés : elle
n'avait nul besoin d'immenses déploiements de décors
ou d'acteurs (1). Le théâtre se révélait par les rapports
des personnages entre eux (et par le fait qu'ils étaient
justement des personnages) non par leur nombre ou
leurs déplacements. Il est probable que les toutes premières œuvres – celles de Thespis, de Phrynichos –
auraient aujourd'hui à nos yeux une apparence étonnamment statique et monotone. L'intérêt dramatique et
scénique de ces œuvres devait avant tout résider dans les
modulations, les différences entre la parole et le chant,
les chœurs et les monologues, dans toutes les nuances
que permettaient justement la scansion et le verbe grecs.
Comment expliquer autrement qu'il ait fallu si longtemps – plus d'une génération – pour qu'on « invente »
un second puis un troisième acteur – dès que le nombre
des protagonistes dépassa six ?

C'est pour cela que dans mon essai sur Sophocle, j'ai
comparé l'apparition du théâtre en Grèce à celle du
cinéma : comme la naissance d'un art, d'un langage et
d'un regard nouveaux impliquant une véritable mutation
dans les consciences. Le reste, les considérations sur
l'essence de la tragédie, le fatum, le destin, le sacré, les
mythes, la terreur, la pitié, la *catharsis*, ne doit venir
qu'ensuite, lorsqu'on a d'abord pris conscience des très
humbles moyens qui furent à l'origine de tout notre
théâtre.

(1) Pendant très longtemps, en effet, le même acteur joua deux,
parfois trois personnages successifs.

***

Ces réflexions, je les fais, bien sûr, aujourd'hui. Elles ne me sont pas venues telles quelles le soir où sur le théâtre désert j'écoutais la nuit d'Epidaure et le chant des grillons. Mais devant la fantastique simplicité de ce lieu théâtral, fait de simples gradins de pierre adossés à la colline, d'un rond de terre battue et, autrefois, d'une baraque en bois servant de mur de fond et aussi de décor, on prend conscience du caractère rural que conserva longtemps la tragédie en Grèce. Car, à l'histoire narrée plus haut (la naissance d'un nouveau langage et d'un nouveau regard dégageant du chant collectif une parole individualisée), il faut en ajouter une autre sans laquelle le théâtre grec n'eût jamais eu la portée millénaire qui fut la sienne : la rencontre sur la scène tragique de la campagne et de la ville.

Je m'explique. Dans les fêtes champêtres, les rites funéraires, les cérémonies religieuses saisonnières, bref dans ce que j'ai appelé le théâtre à l'état sauvage (1), on est frappé de voir combien, dans toute la Méditerranée, ces rites et ces cultes comportent d'aspects théâtraux ou para-théâtraux, de tendances à devenir spectacles. Ils contenaient en eux de véritables scenarii dont on comprend mal pourquoi ils n'ont jamais abouti à la naissance d'un théâtre : mort et résurrection d'un dieu, descente aux Enfers, hiérogamies ou mariages sacrés entre un grand prêtre et une grande prêtresse simulant l'union d'un dieu et d'une déesse, poursuites rituelles avec mise à mort simulée ou réelle d'un *pharmakos*, d'une victime expiatoire, processions solennelles, le tout agrémenté de chants, de costumes, de masques, de barbouillages et de grimages. Pourtant, toutes ces cérémonies, puissamment structurées sur le plan du rituel et de plus très populaires, ont pu se dérouler, presque immuables, pendant des

(1) *Les cultes spectaculaires de l'Antiquité classique*, étude que j'ai rédigée en 1962 pour le tome *Histoire des spectacles* de l'Encyclopédie de la Pléiade (Gallimard).

siècles sans jamais être perçues comme des spectacles.
On voit bien, par ce simple fait, que le théâtre n'est pas
né uniquement d'une invention technique (puisque les
mêmes techniques existaient depuis des siècles dans ces
cérémonies) mais de cette mutation rendant soudain
spectaculaires, théâtraux, des comportements très proches, presque identiques à ceux de ces rituels. Mais ce
nouveau regard, cette mutation n'eussent pas suffi à
rendre viable – avec l'ampleur et le destin qu'on lui
connaît – ce théâtre nouvellement surgi. Il lui fallait un
cadre, un contexte, un public nouveau, un terrain vierge
en somme où il puisse donner sa mesure. Ce cadre et ce
terrain, ce fut la cité d'Athènes où Pisistrate, au VIᵉ siècle,
transporte les fêtes rituelles célébrées jusqu'alors dans
les campagnes environnantes et fait édifier pour cela un
théâtre en bois au pied de l'Acropole. Peut-être, en
agissant ainsi, voulait-il simplement accroître son pres-
tige, sa popularité, en donnant aux Athéniens de nouvelles distractions. L'essentiel est que cette décision – ce
transfert dans la cité de cultes et de cérémonies d'origine
rurale – eut des conséquences imprévues puisqu'elle
aboutit pratiquement à la genèse de la tragédie et de la
comédie telles que nous les connaissons. C'est qu'entre-
temps – après la mort de Pisistrate – Athènes fait
l'expérience de la démocratie, s'engage dans une aventure collective originale – sans aucun précédent dans
l'histoire méditerranéenne – qui entraînera dans son
sillage dramaturges et spectateurs, en faisant d'un théâtre simplement citadin un théâtre civique. Les spectateurs deviendront aussi des citoyens, le poète tragique
deviendra membre à part entière de sa propre cité et ce
levain nouveau instille dans les sujets tragiques une
dimension qu'ils ignoraient totalement jusqu'alors : celle
de la conscience politique et de l'histoire. Alors la
tragédie, sans rien perdre de son substrat lyrique,
deviendra aussi épique et politique. Ainsi s'expliquent à
mon sens ces deux aspects si fascinants de la tragédie
grecque : d'être une réflexion critique sur la cité présente, sur le pouvoir, les lois, la violence et l'histoire
(réflexion qu'elle pose et incarne à travers les grands

mythes) et d'être en même temps, inséparablement, un cri et un chant qu'elle portera sans cesse en elle et qui confèrent à sa forme tragique, ses chœurs, ses structures profondes, une valeur émotive, une portée physique qui en font un spectacle total. Au cœur des personnages les plus inclus dans l'ordre des cités – les rois, les reines, les généraux, les devins et les messagers – persiste un chant, une mémoire venus d'ailleurs : le parfum des campagnes perdues, la rudesse et la vérité des rapports villageois, une histoire qui célèbre sans cesse, comme la mer sur un rivage nouvellement surgi, les noces de l'eau immémoriable et de la terre en son premier soleil. Ce miracle-là, car c'en fut un, eut lieu en Grèce, à Athènes, au VIᵉ siècle avant notre ère. On pourrait presque le dater, à quelques années près. Car il apparut brusquement dans la conscience grecque, comme toutes les mutations et les grandes métamorphoses.

Un dernier mot sur le théâtre grec, avant de quitter Epidaure, lieu de naissance d'Asklépios (le dieu foudroyé par Zeus pour avoir voulu supprimer la mort, aider les hommes à trouver l'immortalité), et tenter de saisir ce que fut cette métamorphose, à travers l'exemple d'une œuvre. Je choisirai *Les Perses* car j'ai interprété si souvent cette pièce que j'ai pu pendant des années l'entendre et la réentendre, la vivre et la revivre dans toutes ses nuances et sa richesse théâtrales. De plus, c'est l'une des rares tragédies grecques à prendre pour sujet non pas un mythe ancien mais l'histoire même d'Athènes. *Les Perses* racontent en effet un épisode des guerres médiques : la victoire des Grecs sur les troupes de Xerxès à la bataille de Salamine en 480 avant notre ère. Cette œuvre, jouée à Athènes huit ans seulement après les événements en question, s'adressait donc à un public particulièrement averti. Or, au lieu de situer l'action, comme on s'y attendrait, dans le camp des vainqueurs, Eschyle la situe dans le camp des Perses vaincus. Idée prodigieuse à tous les points de vue qui

donne à l'œuvre une double résonance et une double
portée : d'un côté – sur le plan *épique et narratif* – la
pièce exalte la bravoure des Grecs et dénonce les crimes
et les atrocités commis par les Perses; d'un autre – sur le
plan *lyrique et dramatique* – elle provoque un sentiment
corrélatif de compassion pour les vaincus en attribuant
au seul Xerxès et à sa démesure, à son *hybris*, la
destruction de sa propre armée. Née de l'intensité même
du désastre, la réflexion critique et les déplorations du
chœur font des *Perses* une des rares œuvres épiques de
l'histoire qui, loin d'exalter la violence et la guerre, les
condamne toutes deux en en montrant l'horreur et toute
l'absurdité.

A quel moment s'effectue dans l'œuvre ce « décollement » entre l'événement et sa conscience critique, entre
l'action et le destin? Précisément quand apparaît l'ombre du roi Darios, le père de Xerxès, que la reine Atossa,
sa veuve, vient consulter et supplier au terme d'un rituel
funéraire évocatoire qui est un des grands moments
lyriques de la pièce. Après les chants, les invocations, les
cris, la sombre danse qui permet à l'âme du défunt de
remonter jusqu'au monde des vivants, Darios, par le
message qu'il transmet à sa veuve et aux Perses, hausse
brusquement ce qui n'était qu'une expédition militaire
désastreuse au niveau d'un destin et d'une morale sans
cesse actualisables : par son *hybris* – son orgueil et sa
démesure –, Xerxès a transgressé les lois humaines et
divines, il a porté le sang, le meurtre, la violence jusque
dans le domaine des dieux en profanant les temples, en
renversant les statues, incendiant tous les lieux sacrés. Il
ne s'est pas comporté en soldat mais en vrai criminel de
guerre. Le terme n'est nullement anachronique car ce
texte de Darios conserve aujourd'hui encore une portée,
une résonance difficilement imaginables à sa seule lecture. Je n'en veux pour preuve que les réactions du
public quand nous avons présenté l'œuvre dans la
grande cour de la Sorbonne, en mai 1945, quelques
jours seulement après la signature de l'armistice. Sans
qu'un seul mot soit changé à ce texte, sans que rien dans
l'interprétation fasse particulièrement appel aux réalités

du présent, la dénonciation par Darios des crimes de son propre fils, la justification du châtiment exemplaire que les dieux lui infligent soulevèrent des réactions si enthousiastes qu'il fallut à plusieurs reprises interrompre la représentation. Lorsque Darios s'écrie à un moment, en parlant de Xerxès et des soldats perses : « ... dans leur orgueil, ils ont détruit les temples, profané les dieux grecs, incendié les statues. Les images des dieux sont tombées de leur socle sous leurs coups sacrilèges. Ils furent des criminels, c'est pourquoi ils expient leurs crimes et d'autres châtiments vont s'abattre sur eux... », les applaudissements crépitèrent, de nombreux spectateurs se levèrent de leurs chaises en criant et l'on entendit plusieurs fois répété : « Oradour ! Oradour ! » Il n'était pas possible, à l'écoute de ce texte limpide et fort, de ne pas penser aux massacres et aux génocides des nazis. Que signifie alors le mot culture si ce n'est ce miracle-là : savoir communiquer, à travers la distance des siècles, un même langage fait d'exigence morale et de refus du génocide et des lois soi-disant fatales de la guerre ?

Si l'on ajoute à tout cela que cette leçon de haute intransigeance, ce non souverain et total opposé à la violence aveugle et à la barbarie, et cette exaltation lucide et mesurée de la vaillance grecque (admise ici parce que nécessaire à la protection du sol natal, dans une guerre juste parce que défensive), si l'on ajoute que tout cela est dit non pas sous forme de slogans et de tirades ronflantes comme on en voit tant dans les théâtres soi-disant militants d'aujourd'hui, mais dans une langue d'une poésie et d'une richesse stupéfiantes, on sent bien qu'on est en présence d'une œuvre au sens plein du terme, d'un spectacle total comme on souhaiterait tant en revoir de nos jours. Au début, par exemple, dès l'arrivée du chœur, c'est la Perse tout entière, ses palais, son opulence, l'or de ses rois, la majesté de ses monuments, l'immensité de ses ressources, la diversité de ses hommes, de ses provinces, la puissance de son armée qui surgissent tout au long de la *parodos*, de l'exposition de la pièce. Plus tard, quand la reine Atossa décrit le cauchemar qu'elle vient de faire, raconte au chœur qu'elle a vu un milan (symbole de la Grèce) déchirer de ses serres la tête d'un aigle (symbole de la Perse), c'est la force inconsciente des rêves, la fascination des images troublantes de la nuit qui assombrissent soudain la clarté du ciel perse. Plus tard enfin, quand Darios surgit de son tombeau, c'est toute la voix des morts, le mystère mais aussi la lucidité prophétique de ceux qui parlent en un monde hors du temps, qui ploient les hommes sous leurs mots de feu et donnent à tous la terrifiante sensation que l'histoire est devenue destin.

D'autant qu'à ces moments qui font appel au frisson charnel du public, qui le plongent dans les transes d'un monde qui n'est plus celui des vivants, succèdent d'autres moments, des passages purement narratifs – ceux du Messager par exemple – qui ramènent aussitôt le public athénien dans la vérité, l'évidence du présent. Eschyle en tire des effets saisissants – et saisissants parce qu'historiques – quand le Messager décrit la retraite des soldats perses à travers le nord de la Grèce, décimés, affamés, traqués et même engloutis dans les eaux glacées des fleuves. A ce dernier passage, je ne pouvais m'empêcher de penser à la séquence d'*Alexandre Newski* d'Eisenstein où l'on voit les chevaliers teutoniques disparaître un à un eux aussi dans le fleuve. Si l'on retrouve si facilement Eschyle dans certains films d'Eisenstein (1), ce n'est pas seulement parce que tous deux furent des poètes épiques mais parce que chacun s'est trouvé affronté, en tant qu'homme, poète et citoyen, aux mutations de son histoire et qu'ils ont su tous deux muer en une épopée salvatrice et critique (guerre défensive, mutinerie révolutionnaire) ce qui sans eux n'aurait été qu'un épisode militaire.

Contrairement à l'idée banale qu'on s'en fait, la pérennité évidente de leurs œuvres n'est pas due à des généralisations abusives ni aux « bons sentiments » du

_____

(1) J'ai esquissé dans le *Sophocle* un rapide parallèle entre le découpage du texte du Messager dans *Les Perses* et celui de la séquence des escaliers dans le *Cuirassé Potemkine*.

texte ou de l'image mais au regard à la fois intérieur et extérieur, engagé et distant que chacun a porté sur son temps. Si je devais un jour écrire un *Dialogue des morts*, selon la mode d'autrefois, le premier d'entre eux serait un dialogue entre Eschyle et Eisenstein. Ils se rencontreraient en quelque prairie d'asphodèles, au bord d'un fleuve intemporel ne charriant plus ni cadavres gelés ni chevaliers noyés et je gage qu'ils auraient pendant leur neuve éternité, bien des choses à se dire.

VII. L'OR DE MYCÈNES

Ne serait-il resté de Mycènes que les masques d'or funéraires trouvés sur l'acropole, ils suffiraient à eux seuls à nous en raconter l'histoire. La raconter à leur façon, par le biais de la mort. Ces feuilles d'or martelées à même le visage des défunts en ont épousé les reliefs et les creux signifiants bien mieux qu'un moulage de cire. Mais au-delà de ce dialogue, le travail de l'artiste et du temps les a comme imprégnés d'une substance nouvelle, d'un intense message qui n'en font plus de simples œuvres réalistes. Le globe exagéré de leurs paupières (surtout dans le masque dit d'Agamemnon, au point que l'enflure des yeux clos m'a longtemps fait penser au regard mort des batraciens); les sourcils arqués comme une orbe ou rejoignant brutalement l'arête affinée du nez; le mouvement de la bouche suivant la courbe des moustaches; ces rides, ce frisson du métal dus sans doute à son long séjour sous la terre, tout cela donne à ces masques l'allure de portraits retouchés, d'une hallucinante création à mi-chemin du réel et de l'imaginaire. A l'encontre des masques égyptiens d'or massif (qui ne sont jamais des portraits mais l'image idéalisée du mort devenu Osiris), à l'inverse des peintures du Fayoum (si fidèles qu'on peut reconstituer à leur seule vue l'âge, l'appartenance sociale, les fonctions du défunt), ces masques mycéniens sont à la fois d'étincelants portraits et des allégories de la mort souveraine. Souveraineté rendue plus apparente encore par cet ultime effort pour préserver le visage de l'homme des altérations du néant mais aussi souveraineté de la vie sur la mort car nul doute que ces rois, ces despotes brutaux gavés de guerre, de chasse et de razzia n'aient cru continuer de régner sur leur peuple depuis leur tombe. Ce qui me frappe en ces visages, c'est moins les traces encore sensibles de la vie (telle expression des lèvres, des yeux, du visage épanoui ou fripé qui n'est peut-être qu'effet d'artiste ou saccage du temps) que la parenté de ces visages aux traits si disparates, cette affirmation du pouvoir souverain des rois par-delà la tombe et la mort. Ils continuent manifestement de régner, de chasser, d'ordonner quelque part, entre le monde des ombres et celui des vivants et cette pérennité fantomatique, cette survie posthume marquent encore la Grèce classique – l'œuvre d'Eschyle notamment – plus de dix siècles après la fin du règne de Mycènes. Si l'on veut véritablement tuer un roi mycénien, il faut le tuer deux fois, comme vivant et comme mort, en ligotant son ombre par des rites appropriés. Ainsi, dans son *Agamemnon*, Eschyle fait-il de Clytemnestre, meurtrière de son mari, un être écartelé entre la joie de la vengeance et la terreur de savoir qu'à Mycènes les morts ne meurent jamais entièrement. Dans son effort, dans son espoir dément d'abolir le règne posthume de son époux, elle mutile son cadavre en lui tranchant le sexe. Mais même ainsi, elle ne pourra vraiment le tuer : l'ombre continuera de vivre dans la tombe mais de vivre *impuissante*, sans action sensible sur les vivants. Survie végétative n'attendant, comme un bulbe enterré, desséché, qu'une nouvelle irrigation, provoquée par les libations funéraires des porteuses de vases, les Choéphores, pour reprendre racine et tige. Monde inquiétant puisque jamais il ne pourra épuiser la vie profonde de la mort, évincer les fantômes, supprimer le souverain pouvoir des ombres. Clytemnestre en saura quelque chose, elle dont l'ombre à son tour, une fois tuée par son fils Oreste, viendra hanter le matricide et déchaîner sur lui ces vampiresses que sont les Erinyes. On se sent là au cœur d'un monde où le pouvoir du sang et du néant est aussi présent et aussi agissant dans l'histoire que les guerres, les pillages, les intrigues et les lois dynastiques, aussi durable, aussi réel que les rochers géants et les murailles cyclopéennes.

A Mycènes, il faut toucher, palper les pierres, ces pierres gigantesques, séculaires que même les séismes ne purent ébranler et qui peut-être reconstituaient au sommet de cette acropole la sécurité rassurante des grottes et des cavernes primitives. Ici, ce n'est plus le poli, la patine des marbres, ce n'est plus le soyeux d'une matière domestiquée, mais le rocher brut, le grossier minéral entassé, amoncelé tel quel comme si l'on avait simplement déplacé ici et là une colline. Ce n'est pas par insuffisance de moyens, par manque de technique que les constructeurs de Mycènes ont élu ces matériaux-là. On voit bien qu'ils savaient travailler le roc, tailler et mesurer la pierre, agencer des palais moins rudes et des salles moins grossières comme celle du *mégaron*, la salle principale du palais. Il y avait là, dans le choix de ces murailles protectrices, le goût de la matière brute, d'une massivité qui défie toutes les tentatives de siège ou de percée, et peut-être la nostalgie de l'antre paléolithique. Les légendes qui ont longtemps concerné ce palais et ce lieu ne sont-elles pas d'ailleurs à l'image de la rugosité, de la brutalité des pierres? Elles sont fantasmes de Cyclopes, pulsions d'un monde anthropophage, vorateur et dévorateur, fait de festins de sang, de rituels familiaux où l'on sert aux parents la chair de leurs enfants. Ce qui rend aujourd'hui ces légendes évidentes à nos yeux (j'entends par là : dotées d'un sens déchiffrable), c'est qu'elles expriment un désir vierge et monstrueux où rien ne semble s'interposer entre le cauchemar et son récit. De plus, elles nous furent transmises par le biais de poètes tragiques qui voulaient en montrer l'horreur et qui, de ce fait, n'ont rien fait pour l'édulcorer. Comme si ces drames mycéniens, ces banquets d'enfants dévorés, ces mutilations de cadavres, ces crimes en chaîne se perpétuant sur toute une lignée étaient les lignes de fracture de séismes latents qui n'ont cessé d'ébranler l'inconscient de la Grèce en même temps que l'écorce du sol. Ebranlement salutaire en un sens puisqu'à force de réfléchir sur les crimes et le sang répandu des Atrides, les poètes tragiques ont affirmé, affiné leur besoin d'ordre et d'harmonie, conjuré les ancêtres vampires, dressé peu à peu les statuts et les statues d'un ordre différent.

Crépuscule à Mycènes. Au milieu d'un paysage aride vers le nord mais qui s'adoucit vers le sud et le golfe d'Argos au point de laisser percevoir de grandes toisons vertes avant la mer; au milieu de la paix dorée de la plaine, de l'ordonnance des cultures, du patient travail qu'on devine à l'entour pour modeler terrasses et sillons, l'acropole apparaît comme un roc antédiluvien, un monolithe primitif isolé dans la mémoire grecque. Seule tache de couleur au milieu du gris intense des rochers : de petits cyclamens tournés vers le soleil. Le reste n'est que brûlure, terre ocre ou noire, empreinte de Cyclopes. On dit : l'acropole de Mycènes mais ici, ce terme est impropre. Il faudrait dire aire ou repaire. En dépit de leur homonymie, ces mots n'ont pas même origine ni même histoire mais à Mycènes, on a envie de les confondre. Mycènes est aire et repaire d'aigles, aire où les aigles se repaissent. Les aigles, en l'occurrence, ce sont ces rois et ces chefs mycéniens qui entassaient ici le butin ravi au cours de leurs razzias et qui, dans le texte d'Eschyle, se comparent eux-mêmes à des lions gorgés de sang. Rien de plus tranchant (exacerbé encore par les contrastes forts du paysage) que ce repaire où s'entassaient or et diadèmes, coupes et tapis de pourpre, face à ce lieu dénudé et brûlé où l'eau elle-même se cache très loin sous la terre. Débauche de luxe et de faste au milieu d'un terroir où ne devaient pousser que seigle et herbes jaunes. On a peine à croire que tant de puissance, de rayonnement, d'emprise sur la Grèce ait pu naître et jaillir de ce nid d'aigle rétréci. Mais c'est à cela sans nul doute que Mycènes dut sa force et sa brutalité : à la nécessité d'aller toujours plus loin pour sauver son existence. Il fallait à tout prix s'étendre hors de ces

murailles oppressantes, lutter contre un monde archaïque où la nature elle-même était emplie de fauves (on
pratiquait la chasse au lion – inconnue à Cnossos – et
cela rapproche davantage Mycènes des temps néolithi-
ques que des temps historiques). On devait vivre à
Mycènes d'une façon très peu différente de celle des
toutes premières communautés urbaines et l'on devine
ici une lutte pour vivre et pour survivre – se défendre et
s'étendre – totalement absente de l'univers crétois. Tout
d'ailleurs – en dépit de ressemblances superficielles dues
sans doute à la présence d'artistes et d'artisans crétois
auteurs de fresques et de décors – oppose Mycènes et
Cnossos. La cité crétoise se mêlait au monde environnant, sans muraille isolante, comme si ville et campagne
vivaient en pleine osmose. A Mycènes, la ville et le palais
se retirent, s'isolent totalement du monde environnant,
se recroquevillent au sommet de la colline haute. A
Cnossos, des murs légers, des couloirs infinis, une architecture libertaire. A Mycènes, des murailles géantes
lovées sur des chambres glaciales, repliées sur une vie
palatiale et secrète dont les poètes tragiques ont bien
rendu l'atmosphère étouffante. Un fait me frappa à
Mycènes, un vide que je ne pus cerner et préciser
qu'ensuite : l'absence de théâtre, presque partout présent sur les sites grecs et crétois. Absence d'un lieu de
plein air grand ouvert sur le ciel. On se sent loin ici de
Dédale et d'Icare. Les rocs qui enserrent, écrasent les
lieux de vie sont le contraire du Labyrinthe qui enfermait
ses prisonniers en des méandres sans issue, dus à la ruse,
à la raison extrême de Dédale. Pas de Labyrinthe à
Mycènes mais un monde de pierres lourdes et de rocs
qui nous entraîne vers les abysses de l'histoire.

Des années plus tard, traduisant le poète Séféris, je
découvris un poème intitulé *Mycènes* (écrit en 1935) où
l'auteur exprimait exactement, devant le poids des pierres et cette image cyclopéenne du destin, le même
sentiment d'angoisse. C'est Oreste qu'il fait parler en ce
poème, après le meurtre de sa mère, Oreste et ses mains
matricides, encore prisonnier de son crime et des pierres
muettes au message de sang. Ce poème, il faudrait le lire

sur les lieux mêmes car d'Eschyle jusqu'à Séféris, c'est un même sillage, un même flot d'images intensément semblables qu'engendre le seul mot de Mycènes : une trame si inscrite dans les gènes de l'homme que seul l'acte suprême du refus – le meurtre de la Mère – peut parvenir à la briser. Ainsi crie et supplie Oreste, dernier habitant de Mycènes et premier habitant, premier citoyen du nouveau monde qu'il apporte à la Grèce :

« Donne-moi tes mains, donne-moi tes mains,
  Donne-moi tes mains.

J'ai vu dans la nuit
La cime aiguë de la montagne;
J'ai vu la plaine noyée au loin
Dans la clarté d'une lune invisible;
J'ai vu, tournant la tête,
Les pierres noires amoncelées,
Ma vie tendue comme une corde,
Début et fin,
L'ultime instant
Mes mains.

Comme sombre celui qui porte les grandes pierres.
Ces pierres, je les ai soulevées autant que je l'ai pu
Ces pierres, je les ai aimées autant que je l'ai pu
Ces pierres, mon destin.
Par mon sol même mutilé
Par ma tunique même supplicié,
Par mes dieux même condamné,
Ces pierres.

Je sais qu'ils ne peuvent savoir, mais moi
Qui tant de fois ai pris
La voie qui mène du meurtrier à la victime
De la victime au châtiment
Du châtiment au nouveau meurtre :
A tâtons dans la pourpre intarissable
Le soir de ce retour
Quand se mirent à siffler les Erinyes

Parmi les herbes rares
J'ai vu les serpents et les vipères entrelacés
Lovés sur la race maudite
Notre destin.

Voix jaillies de la pierre, du sommeil
Plus sourdes ici où s'assombrit le monde,
Souvenir de l'effort s'enracinant dans le rythme
De pieds oubliés frappant le sol.
Corps engloutis dans les assises
De l'autre temps, nus. Yeux
Fixés, fixés sur un point
Que tu cherches à discerner – en vain –
L'âme
Qui lutte pour devenir ton âme.

Le silence même n'est plus à toi
En ce lieu où les meules ont cessé de tourner.

Il n'existe pas d'acte plus démesuré, plus scandaleux, plus dramatique que de tuer sa propre mère. Eschyle a parfaitement senti dans l'*Orestie* combien la portée de cet acte et du geste d'Oreste, même « couvert » par un ordre des dieux, était forte et chargée d'horreurs. Mais il a aussi senti – et magnifiquement exprimé – la portée libératrice, illuminatrice de cet acte en raison de son horreur même. Tout comme Œdipe incestueux, Oreste matricide voit s'ouvrir la lumière d'un nouveau monde où le Crime par excellence se mue en exorcisme bienfaisant, le sang maudit en signe d'une nouvelle alliance. Il fallait chez Oreste le long cheminement contre son propre sang, cette révolte extrême contre l'image *et le corps* de la mère, pour qu'il parvienne à provoquer cette collective mutation des consciences. On n'a pas fini de fléchir et de réfléchir (et je prends consciemment ce mot en ses trois sens possibles) devant cet acte qui demeure avec le suicide, défi suprême, totale libération. Mais on devine aussi, à travers le trouble constant, le malaise de la conscience grecque à la seule idée de ce crime, combien il propose à la méditation un type de héros singulier, en marge des autres modèles héroïques. Car tuer sa propre mère semble un acte exemplaire sur le plan diachronique et signifiant du mythe (quant à ses implications dans l'histoire) mais qui ne peut – et ne saurait – servir de modèle réel au comportement des humains. Il faut donc, pour en conserver la portée salvatrice tout en la déchargeant de sa valeur d'exemple, isoler (je dirais même enkyster) l'acte d'Oreste à l'intérieur d'une lignée, d'un récit, d'une époque bien délimités. La légende le permettait qui limite l'histoire à la seule famille des Atrides. Mais, ainsi surgi des profondeurs du passé grec, porteur des gènes maudits des lignées mycéniennes, Oreste émerge par son acte à l'orée du monde athénien, comme si cet acte abolissait et l'histoire et le temps, comme s'il résumait, dans la durée d'une seule vie humaine, le long trajet de l'aventure civique de la Grèce. En transformant les Erinyes, ces vampiresses d'un autre temps, en Euménides, c'est-à-dire en déesses bienveillantes, en inversant en somme le signe marquant le sang (au sens mathématique du terme), Oreste abolit l'ancestrale sujétion du génos et du clan, et, ayant tué sa mère, n'a plus qu'à se trouver des frères. Frères qui ne seront plus de son sang, mais les nouveaux citoyens de l'ordre jaillissant, des frères par alliance, au sens civique et politique du terme. En cet horizon neuf que fait surgir Oreste apparaît son nouvel habitant, cet Autre dont l'existence, la présence, la conscience ne pouvaient surgir qu'en écartant, en supprimant tout ce qui, jusqu'alors, empêchait sa naissance. La Mère était cette ombre opaque interposée entre l'homme et ses nouveaux frères.

Je sais bien en écrivant cela que je néglige volontairement toute l'infrastructure historique, juridique, voire linguistique de l'*Orestie*. Mais je ne fais pas ici une étude sur Oreste. J'essaie de revivre son mythe, à travers les réflexions que m'inspirèrent Mycènes et surtout l'*Orestie* et les poèmes de Séféris. Je m'en tiens donc à l'histoire même, comme si elle était vraie. Et ce que fonde Oreste, avec l'Aréopage et les nouvelles institutions démocratiques d'Athènes (une démocratie surgissant de ce sang congédié comme Athéna du cerveau fracturé de Zeus), c'est un ordre civique dont l'harmonie et la pérennité seront désormais assurées par les pactes, les lois et les échanges *consentis*. Aujourd'hui, la connaissance et la maîtrise de l'avenir ne reposent évidemment plus sur ces reniements archaïques, ces actes forcenés, ces exorcismes dramatiques. S'il vivait de nos jours, Oreste serait peut-être futurologue! Mais je crois plutôt qu'entre l'exorciste et le futurologue, Oreste occupe un espace bien à lui, celui qui sépare, dans la conscience et dans l'histoire, le sang de la raison, les forteresses des cités et, de Mycènes à Athènes, les rocs cyclopéens du marbre ciselé.

VIII. A TRAVERS L'ARCADIE

Il y a en grec des mots dont les syllabes m'ont toujours fait rêver. Magie des sons d'abord, de résonances, d'échos inhabituels à nos lèvres romanes.

> Rhadamante, Erymanthe, Atalante
> Olynthe, Amarynthe, Tyrinthe,
> Rhamnonte, Amathonte, Phlionte.

Si je m'amusais à décortiquer les consonances et les phonèmes de ces mots, il serait facile d'en faire apparaître le commun dénominateur : ces suffixes en – *ante*, – *inthe*, – *onte* qui tous trois, par leurs voyelles sourdes, sont comme l'écho d'un autre son, d'un autre mot, absent, invisible ou inentendu. Reste à savoir pourquoi certains mots, ou dans le cas présent certains suffixes, vous parlent plus que d'autres. Certains de ces mots sont des noms propres (Rhadamante, Atalante), tous les autres, des noms de lieux. J'ai toujours ressenti à les prononcer un plaisir et un émoi presque charnels, comme ces syllabes primordiales – *OM, KHA, PTAH* – que les mythes imaginent dans la bouche des dieux créateurs et qui, à l'origine du monde, donnèrent frissons à l'air, ondes à l'eau, vie à la terre jusque-là immobile et stérile. De ces trois syllabes, je préfère la dernière – *P T A H* – laquelle, modulée par le dieu égyptien du même nom, fit surgir tertre et lotus de

l'océan figé par ce pouvoir conjugué de la bouche et du
cœur divins. Car, dit l'un des plus vieux mythes égyptiens sur l'origine du monde, le mot et les organes qui le
profèrent (langue, dents et bouche) sont la forme sonore
et vibrante du sperme et des mains : eux aussi peuvent
engendrer et façonner. Ici, ce n'est plus de sens qu'il
s'agit, sens du mot originel prononcé (lequel ne joua
jamais le moindre rôle dans les mythes de création) mais
du son lui-même, de son énergie vibratoire, de sa
profération. *Dents et lèvres, semence et mains d'Atoum*,
dit un vieux texte de Memphis. Formule prémonitoire
qui pourrait faire rêver aujourd'hui les plus audacieux
des linguistes.

   Alors, tant pis pour ceux qu'un mot, un écho, une
musique de consonnes et de voyelles ne savent plus
entraîner au fond d'eux-mêmes ou loin d'eux-mêmes.
André Breton disait qu'il ne faut pas confondre les livres
qu'on lit en voyage et ceux qui font voyager. Les livres
ne sont pas seuls, mais également les mots, à receler
l'étrange pouvoir d'agir sur nos désirs et sur nos actes.
Ainsi de ceux cités plus haut, dont beaucoup me menèrent sur les lieux dont ils portent le nom. Ainsi encore du
mot *STYX*. Ce n'est pas seulement l'histoire, la légende
attachées à ce mot qui furent à l'origine de l'attraction
qu'il exerça sur moi. Ses lettres insolites y ont joué le
rôle essentiel, insolites et sonores comme un sombre
cristal, un quartz noir, enfermant l'écho des cavernes,
S T Y X, comme stalactite qui se brise. Ou aussi cet
autre mot grec *N Y X*, qui signifiait la nuit et dont
les deux dernières lettres – comme celles de *STYX* –
peut-être parce qu'elles inversent pour nous l'ordre
courant de l'alphabet et qu'elles doublent inutilement
le son (YX et X se prononçant identiquement pour
nous mais non pour les Grecs anciens) ont une résonance à la fois étrange et lugubre qu'on retrouve précisément dans nombre de mots évoquant la nuit ou
désignant des animaux nocturnes – *stryx* pour la chouette
hulotte, *lynx* (*lygx* en grec ancien), *bombyx* pour certains papillons de nuit. Le latin – et par la suite le roman
puis le français – adouciront ces mots en *nocturne* et

en *strigidé* comme si ces langues avaient du mal à supporter le malaise engendré par ces voisinages dissonants.

Le Styx était un fleuve qui coulait aux Enfers et qui, comme tous les fleuves infernaux, avait une sombre histoire. Il était fils de Nyx (la Nuit) et des Ténèbres. Généalogie qui nous plonge d'emblée au cœur d'un flot d'images à la fois vierges et millénaires : essayons de nous représenter, de décrire – comme en quelque devoir dicté par les dieux aux hommes-enfants – le sexe de la Nuit ? D'ailleurs je dis *il* en parlant du Styx puisqu'en français fleuve est un mot masculin mais les fleuves en Grèce pouvaient être hommes ou femmes. Styx, justement, était fille de la Nuit et des Ténèbres. Et comme ce nom – en tant que nom commun – signifiait aussi froid glacial, frisson, horreur, on voit que ce mot débordait de connotations : nuit, froid, glace, frisson. En tout cas, on donna ce nom à une source d'Arcadie dont l'eau, sourdant de terre au pied d'une haute montagne, était – est toujours – d'un froid glacial. C'est cette source que je décidai d'aller voir.

Péristéra – dont le nom vient peut-être du mot grec signifiant *colombe* bien que je n'y aie guère remarqué de pigeons, colombes ou ramiers – est le dernier village où s'achève la route de Phénée, le dernier lieu habité avant les falaises du Styx. Il est situé au cœur de l'Arcadie, au centre d'un cirque de montagnes qui toutes ont leur légende et leur histoire : le mont Cyllène qui domine le gros village de Phénée (que les gens de la région appellent le mont Ziria), le Chelmos qui donna naissance au Styx mais que, fidèles à sa sombre réputation, les gens ici appellent *Mavronéro* – Eau Noire – et, barrant tout l'horizon sud, la chaîne des Aroania dont les sommets aux formes étranges ont alimenté toute une mythologie locale : le *Néradorachi* – Crêt de la Néréide; l'*Aïtorachi* – Crêt de l'Aigle; le *Mirmidorachi* – Crêt de la Fourmi; le

Koutroulopyrgos – la Tour Effondrée. Village montagnard avec ici une place bordée d'un mur et dominant la
vallée où coule le Mavronéro, une grande fontaine, des
arbres à profusion et une unique taverne. Comme dans
la plupart des villages montagnards, les murs sont faits
de pierres apparentes grossièrement jointes et sans crépi,
de toits pentus recouverts de tuiles romaines. Chaque
maison a son balcon et, parfois, un grand auvent sous
lequel on entasse le bois. Peu d'habitants à demeure :
moins de cent – bûcherons, éleveurs de chèvres, récol-
tants de miel – et quelques citadins originaires du village,
qui travaillent à Patras et à Kalavryta (plus rarement à
Athènes) et ne viennent ici que l'été.

Au moment où j'arrive sur la place, quelques vieillards
fument tranquillement. Après-midi de fin septembre,
village encore endormi dans la sieste et quelques enfants
qui s'ennuient. Dès qu'il me voit, le tavernier (homme
osseux, au parler rare, à la moustache agressive) prend
un air ennuyé. Ses premiers mots : « Ici, il ne vient
jamais d'étranger. Je n'ai rien à manger et je n'ai pas
de chambre. – Aucune importance, lui dis-je. Moi, je
vis d'amour et d'eau fraîche. Et pour dormir, j'ai un
sac de couchage. » Mais cela ne le rassure pas. Mon
arrivée bouleverse ses habitudes. Et tandis qu'il essuie
avec une attention extrême les tables vides du café, je
devine à son expression qu'il se demande : que vais-je
faire de lui ? Il a bien tort de s'inquiéter. Il n'a pas, lui,
mon expérience de la Grèce. Depuis Homère (et sans
doute depuis bien avant) il n'a jamais dû arriver qu'un
étranger, dans un village retiré, reste sans gîte et sans
couvert. Aussi l'ai-je regardé, détendu et souriant,
pendant qu'il s'affairait à chasser des mouches somnolentes.

Le soir, la solution se présenta sous les traits d'un
couple athénien logeant au-dessus du café. L'homme
m'offrit aussitôt le gîte, le couvert espérés. « Demain, lui
dis-je, je me rendrai au Styx. Je ne vous dérangerai pas
longtemps. – Mais vous pouvez rester le temps qu'il vous
plaira. On ne rencontre pas souvent d'étrangers par ici.
Surtout quand ils parlent grec. » Quoi de plus naturel,

après tout, au pays de l'Eau Noire, au cœur de l'Arcadie, que de vouloir regarder dans l'entrée des Enfers? Mais pour cela, il faut un guide. « Il y a plein de sentiers partout et c'est loin », me dit un vieillard aux cheveux si lisses et si blancs qu'ils sont pour moi un avant-goût des neiges du Chelmos. Tout seul, vous allez vous perdre. Ne vous inquiétez pas. On est allé chercher quelqu'un. » J'admire ce *on*. Comme si, depuis mon arrivée, sans qu'un seul mot, un seul mouvement aient été perceptibles, le village s'agitait dans l'ombre pour résoudre tous mes problèmes. Le *on* ne tarde pas à revenir : c'est le petit-fils du vieillard qui ramène Léonidas, le chasseur le plus réputé du pays. Il part chasser demain dans la direction du Chelmos avec un autre ami. Je n'aurai qu'à les suivre. « Demain matin, quatre heures, me dit-il. Ne vous occupez pas des provisions. Nous aurons ce qu'il faut. »

Je suis au pied de la grande falaise où sourd l'eau du Styx. Filet glacial qui garde encore, en cascadant sur les rochers de schiste sombre, l'ombre du gouffre d'où il sort. Des heures durant, nous avons traversé un paysage impressionnant, dénudé, fait de rochers striés, incisés de silice, de grandes falaises aux strates fracturées où s'accrochent sur quelques surplombs des pins rabougris et des épicéas qu'on devine en hiver torturés par le vent. Ici et là, aussi, quelques genévriers et des buissons de myrte dont le soleil levant répandra les senteurs. Partout des schistes aux reflets métalliques, feuilletés et vergetés comme un velours brillant. Mauve, violet, gris et grenat. Couleurs du vaste corridor qui mène à l'issue des Enfers. Rien d'oppressant pourtant ni de cauchemardesque en ces murailles irisées, en ces arbres ployés. C'est l'imagination des Grecs anciens – qui durent rarement le visiter – qui leur fit voir ce lieu comme hanté d'ombres infernales. Du névé qui domine au sommet – et dont on n'aperçoit ici qu'une frange aveuglante – l'eau coule à l'intérieur de la montagne et ressort sous un antre bas au fond indiscernable. Je trempe mes mains, mon visage en sueur dans cette eau vive qui garde encore son goût de neige ensoleillée. Et maintenant, étendu au soleil en regardant les aigles qui depuis le matin planent au-dessus de nous, caressant l'épagneul de Léonidas cou-ché à mes côtés, le ventre haletant, je repense aux curieuses légendes que cette eau sombre a suscitées, cette eau qu'on croyait maléfique et mortelle au dire de Pausanias :

A peu de distance des ruines de Nonacris (une ville entièrement oubliée, recouverte, car nulle part je n'en ai vu de traces), *il y a un ravin au fond duquel l'eau jaillit. Les Grecs disent que cette eau est le Styx. Elle suinte du ravin, tombe sur un gros rocher et de là descend se jeter dans le fleuve Crathis. Elle est mortelle pour tout être vivant, homme ou animal. Par la suite, on lui découvrit d'autres propriétés singulières : le verre, le cristal, la porcelaine ainsi que les plats vernis-sés, les objets en argile cuite se brisent si on les mouille avec cette eau. Les objets en corne, en fer, en cuivre, en plomb, en étain, en argent pourrissent si on les trempe dans cette eau. L'or lui-même ne résiste pas à son terrible pouvoir. Mais au fond qu'y a-t-il là d'étrange ? La divinité n'a-t-elle pas conféré aux choses les plus viles un pouvoir que n'ont pas souvent les plus précieu-ses ? Le vinaigre dissout les perles, le sang de bouc dissout le diamant. Ainsi l'eau du Styx, corrompt-elle toutes les matières, à l'exception du sabot de cheval. On dit qu'Alexandre en mourut pour en avoir bu.*

Etrange, l'idée qu'Alexandre ait jamais pu venir dans cette gorge perdue, en ce pays du bout du monde. Il est vrai que c'est là un privilège des héros : ils ont le don d'ubiquité et on les retrouve toujours dans les lieux les plus éloignés, aux extrémités de la terre, au bout de tous les mondes, même si c'est pour y mourir. Je retourne m'asperger d'eau glacée que le soleil sèche presque aussitôt. Léonidas me regarde et manifestement me désapprouve mais il ne dit mot. Peu loquace, cet homme. Depuis notre départ, il n'a pas prononcé trois mots, si ce n'est, ici ou là, pour me désigner un sommet, me montrer une perdrix fuyant dans les basses ravines. Il est vrai (j'aurais pu m'en douter à son seul prénom) qu'il est originaire de Sparte, et donc aussi *laconique* qu'un Spartiate. Laconique. Je réfléchis sur ce mot, tout en jouant, yeux mi-clos, à fixer le soleil. Pense-t-on, lorsqu'on le prononce aujourd'hui, que ce mot est vieux de plus de trois mille ans et qu'il est passé tel quel du grec dans notre langue ? Ce sont les autres Grecs qui autrefois donnèrent ce sobriquet aux gens de Sparte, qui avaient la réputation de parler peu et par formules brèves. Ils les appelèrent Laconiques au sens de Laconiens, c'est-à-dire de Laconie, province dont Sparte était la capitale. Mais en changeant de langue, le terme a perdu sa motivation et seuls quelques-uns se souviennent qu'il transmet encore jusqu'à nous la mémoire d'une province morte.

Léonidas (qui pour l'heure semble somnoler, adossé au rocher, le fusil en travers des genoux) est un Laconien laconique. Homme aux formules brèves (même pour rappeler son chien égaré dans le fond d'un ravin), aux gestes concis, à la marche mesurée, régulière des gens habitués aux longs parcours dans les montagnes. Au retour, tandis que gorges et vallées se recouvrent d'une ombre dense, il se montrera plus loquace. Il me parlera de son enfance à Sparte, de ses chasses sur le Taygète (dont il connaît tous les sentiers et où il me fait promettre de le retrouver l'an prochain). Mais le soir, quand nous serons arrivés à Péristéra, il se contentera, au moment de nous séparer, de me tendre son adresse écrite sur un vieux papier et de me serrer la main, sans un mot, avec un sourire laconique.

Arcadie : mot chargé d'un message trompeur, d'images mensongères. Pays qu'on voulait habité de bergers bucoliques, de bergères dansantes, de pâtres folâtrant, de chevrières toutes navrées d'amour. D'où vient cette légende ? De ce XVIIe siècle qui éprouva le vieux besoin de créer, dans les fastes et l'ennui de Versailles, le rêve d'une nature domestiquée par l'homme, prodigue de ses

présents et aussi éloignée de la vie quotidienne et réelle
des campagnes françaises que Cythère et l'Arcadie pouvaient l'être de l'Ile-de-France. En fait, l'Arcadie fut
toujours – et demeure encore aujourd'hui en des lieux
comme les sources du Styx – une province à part, un
cirque de villages isolés par de hautes montagnes, proté-
gés par de denses forêts et dont les habitants maintinrent
très longtemps des habitudes et des usages archaïques.
Contrée en somme qui de tout temps fut *ce pays clos
tout en montagnes qui ont pour toit jour et nuit le ciel
bas* dont parle Séféris dans un de ses poèmes. Elle fut
longtemps foyer de résistance aux ingérences des cités
(qu'elles se nomment Sparte, Corinthe ou Athènes),
foyer de survivance aussi de cultes barbares et sanglants : au temps d'Eschyle et de Platon, on sacrifiait
encore des enfants sur le sommet du mont Lycée en
l'honneur de Zeus Lykaios. Ses montagnards conserve-
ront ce caractère insoumis et revêche. Et je ne peux
tenir pour un hasard le fait que ce soit ici, dans cette
région où je suis aujourd'hui, que fut justement donné le
premier signal de la grande insurrection contre les
Turcs, de la guerre d'Indépendance. De l'autre côté du
Chelmos, à une heure de Kalavryta – capitale du nome
d'Arcadie – se trouve le monastère d'Aghia Lavra où
l'archevêque de Patras, le 25 mars 1821, leva – au sens
propre du mot – l'étendard de la révolte contre l'occupant turc. Scène qui, tel chez nous Rouget de l'Isle
chantant la Marseillaise, est devenue l'une des icônes les
plus populaires de la Lutte. Tout récemment encore, en
1971, à l'occasion du cent cinquantenaire de ce jour, elle
fut représentée sur une série de timbres-poste. Au pied
de l'archevêque, dans l'église où tous les lustres et
chandeliers ont été allumés (et où l'on voit sur l'iconostase les yeux brillants des saints) des kleftes et des
pallikares – longs cheveux noirs tombant sur les épaules,
fustanelle blanche, tsarouques aux pieds, épée, sabre ou
pistolet à la ceinture – baisent le drapeau grec en criant :
ELEUTHERIA I THANATOS! LA LIBERTÉ OU LA
MORT!
   Bien entendu, il s'agit là d'une image d'Epinal. La

guerre d'Indépendance ou plutôt la Révolution (comme les Grecs l'ont toujours nommée) avait déjà commencé çà et là dans le nord de la Grèce. Mais le propre de toute ferveur et de toute histoire populaire est d'élire certains lieux, certains hommes ou certains actes pour leur donner valeur de signe. Et le signe de la Révolution fut bien justement ce signal, ce drapeau grec brandi au monastère d'Aghia Lavra.

Lorsqu'on voyage aujourd'hui en Grèce, on rencontre à chacun de ses pas cette histoire de la Révolution, avec ses dates, ses lieux et ses faits héroïques, ses noms de capétans et sa mythologie aussi. C'est elle qui donne aux rues la plupart de leurs noms, aux cafés et aux tavernes beaucoup de leurs enseignes, aux navires leurs appellations et qui jalonne de repères et de souvenirs romantiques la mémoire récente de la Grèce. Kolokotronis, Karaïskakis, Kanaris, Miaoulis, Koundouriotis, Sachtouris, Androutsos, Katsandonis... ces noms qu'on retrouve partout en Grèce sont ceux de combattants de la nouvelle Iliade, les seuls qui parlent encore pour des oreilles grecques. Ayant mené leur épopée à travers les mers et les montagnes, ils ont eu eux aussi leurs chantres, leurs rhapsodes qui les accompagnaient jusqu'au cœur des combats. *Moi, j'agirai et toi, tu écriras*, écrit magnifiquement le chef Karaïskakis au poète Panayotis Soutzos. Cette histoire si mal connue et même ignorée en France, j'ai envie de la présenter, sous forme de brèves narrations, parce que c'est ici, au cœur de l'Arcadie, qu'elle a pris naissance et qu'une grande partie de l'histoire actuelle de la Grèce devient incompréhensible sans elle.

Brève histoire de la révolution grecque

L'occupation turque.

Pendant exactement quatre siècles, les Turcs ont occupé la Grèce. A part quelques très rares provinces isolées (comme le Magne), ils seront partout dans les villes, les moindres villages, les îles, les montagnes. Pour ceux qui aiment le repère des dates, cette présence turque débute avec la chute de Constantinople en 1453 et s'achève, selon les provinces de la Grèce, en 1829 pour la Grèce continentale, le Péloponnèse, les Cyclades, en 1881 pour la Thessalie, en 1913 pour la Macédoine, la Crète, la Thrace occidentale, en 1920 seulement pour la Thrace orientale. C'est là un fait qui a son importance : Alexandrinople, à la frontière gréco-turque, n'est redevenue grecque que depuis cinquante ans. Des îles comme Lemnos, Samothrace, Mytilène, Chios, Samos et Ikaria étaient encore turques il y a moins d'un siècle. En tant que nation hellénique et Etat souverain, la Grèce est l'un des plus jeunes pays d'Europe. Elle a à peine cent cinquante ans.

Les deux Grèce.

Il y a donc deux Grèce, pour nous limiter aux grands faits de l'histoire : celle qui est née dans les temps mycéniens et peut-être au-delà et qui aujourd'hui encore est jeune de quatre mille ans, et celle qui est née avec l'Indépendance et qui, en tant qu'Etat, a tout juste un siècle et demi. Ce que sont ces deux Grèce, je veux dire leurs rapports mutuels, ce qui les lie et ce qui les oppose, je n'en parlerai pas ici. Car ces divisions entre ancien et moderne risquent d'être aussi arbitraires que les frontières changeantes qui depuis plus d'un siècle rapprochent et séparent Grecs et Turcs. La Grèce a eu plusieurs histoires, plusieurs races, plusieurs occupants mais le Grec, lui, n'a qu'une seule histoire qui, en son sang, sa langue et sa culture, a commencé dans les temps les plus reculés et qui, depuis un siècle et demi, l'a doté en plus d'un statut de citoyen.

L'hellénisme de l'ombre.

Le peuple grec seul, au début, se souleva contre les Turcs. Seul en ce sens que les notables et la bourgeoisie citadine ne rallièrent qu'ensuite cet élan populaire. Pendant les siècles de l'occupation turque, l'Eglise orthodoxe sut maintenir chez tous les Grecs l'image et la conscience de la Grèce. L'influence étrangère elle-même ne se fit pas sentir tout de suite sauf celle des intellectuels grecs à l'étranger qui, comme Righas Ferraios ou Adiamantis Coray, luttaient pour la résurrection de l'hellénisme ou appelaient à l'insurrection. Il faut bien sentir et comprendre ce miracle – plus important peut-être que le miracle grec des temps classiques : cette permanence, cette survivance pendant quatre cents ans de pression et d'oppression turques d'une langue et d'un peuple asservis puis leur résurrection.

La guerre des kleftes.

Donc, insurrection populaire au début. Quelques chefs, capétans vénérés, groupent autour d'eux des hommes. Il y en aura vite des milliers, dans le Péloponnèse, en Epire et en Roumélie. Guerre qui est surtout de guérillas, avec quelques rares mais spectaculaires batailles rangées comme aux Dervénakia, près de Némée. Premières guérillas où apparaît déjà l'image du peuple en armes. Mais les premiers exploits ne mènent pas encore à la victoire. Les Turcs commencent à réagir et surtout les combattants grecs se divisent entre eux. C'est là un mal inné en Grèce. Les cités antiques ont passé leur temps à se combattre entre elles et les provinces grecques partiellement libérées feront plus tard de même. En 1824, alors que la guérilla connaît plusieurs défaites et qu'Ibrahim Pacha équipe en Egypte une flotte immense pour attaquer le Péloponnèse, au pire moment de la Révolution, de graves scissions divisent entre eux les combattants : soldats paysans contre notables et citadins, Péloponnésiens contre insulaires et Rouméliotes. En 1943 et 1944, en pleine résistance contre l'occupant allemand, il en sera encore de même : maquis de l'E.L.A.S. (Armée populaire de Libération) contre ceux de l'E.D.E.S. (Ligue républicaine et nationale).

La guerre des civils.

Ces combats fratricides en pleine guerre contre les Turcs inaugurent en Grèce une histoire, marquent des affrontements et des oppositions qu'on retrouvera par ailleurs en beaucoup de révolutions populaires ou de luttes de libération : le peuple prend les armes sous l'égide de chefs prestigieux mais qui connaissent mieux les secrets des montagnes que les voies de la politique. Tous se battent *contre* les Turcs mais *pour* quelle Grèce ? Celle des paysans et des marins n'est pas la même que celle des notables, de la bourgeoisie des îles et des villes qui n'a rallié le combat qu'après ses premières victoires. Ce sont eux, ces notables, qui ont conçu en 1822 la première Constitution grecque, démocratique et libérale, mais qui ne satisfait pas toutes les aspirations des combattants. Ces combattants, la bourgeoisie les craint autant qu'elle les admire : ne qualifie-t-elle pas, dès 1822, de « démagogique et séditieux » l'élan populaire des campagnes ? Entretemps, les Turcs regagnent le terrain perdu et Ibrahim Pacha reconquiert une partie du Péloponnèse. La Révolution est sur le point de s'effondrer. C'est alors qu'interviennent les Grandes Puissances.

L'intervention des étrangers.

Grandes, ces puissances l'étaient par rapport à la Grèce épuisée. France, Angleterre, Autriche, Russie. Aucune d'elles, on s'en doute, n'offrira à la Grèce une aide désintéressée. A travers ce peuple et ces combats, elles poussent des pions plus ou moins forts, des intrigues plus ou moins ouvertes. Il s'agit en aidant la Grèce de briser la puissance ottomane mais aussi de contrôler l'ambition des Tsars sur l'Egée et le pays grec lui-même une fois qu'il sera libre. La Grèce paiera jusqu'à nos jours – et elle paie en ce moment même où j'écris – de n'avoir pu se libérer entièrement elle-même des Turcs. Car désormais installées dans la place, les Puissances ne la quitteront plus. La fameuse question d'Orient pose ici sa première interrogation et elle continue de le faire. Après leur victoire écrasante sur la flotte turco-égyptienne à Navarin, les Puissances ont vaincu les Turcs et peuvent dicter à la Grèce son régime – la Monarchie – et son roi – Othon de Bavière. Cet étranger de dix-huit ans, choisi *pour* les Grecs mais non *par* eux, débarquera à Nauplie, capitale provisoire de la Grèce, en 1833. Il ne quittera la Grèce qu'en 1862, chassé par la révolte de l'armée. Trente ans d'un règne où la Grèce fit le difficile et mouvementé apprentissage de sa fausse liberté.

J'arrête ici cette très brève histoire. Moins celle du peuple grec (sans cesse omis, sans cesse oublié dans tous les règlements, constitutions, interventions et ingérences qui pourtant ne parlent que de lui) que celle d'une classe de notables qui firent de la Grèce un pays semi-colonial, un protectorat politique où s'affrontent des désirs, des ambitions, des intérêts qui lui sont en partie étrangers. Pourtant, quelle force de création, et quelles traditions fantastiques existent chez ce peuple, traditions encore bien vivantes ! J'y pense à propos de ce retour du Styx quand le soir, dans la taverne emplie de monde, Angéliki se mit soudain à entonner des kleftika.

Lorsque je descendis sur la place dominant la vallée où brillaient les feux des villages sur les versants d'en face, j'aperçus une jeune fille assise sur le parapet. Robe blanche, yeux noirs, cheveux noirs. Elle me regarda, surprise de trouver là un étranger. Dix-huit ans et toute la beauté que la Grèce a des siècles durant conservé aux filles des montagnes, comme celles que l'on voit sur les gravures du siècle dernier – longs cheveux noirs séparés par une raie médiane et tombant jusqu'à leurs chevilles ou réunis en tresses – ravitailler les kleftes, danser sur les montagnes, remplir les cruches à la fontaine. Aussi réservée d'ailleurs que ses aïeules devant l'étranger au regard insistant qui la contemple sans rien dire, comme une apparition resurgie dans l'aube des combats. Elle se nomme Angéliki et termine ses études au lycée de Kalavryta. Mais son grand désir, son unique joie c'est le chant. Elle veut aller à Patras puis à Athènes pour l'apprendre.

Depuis le soir d'Athos où Christos le muletier avait chanté dans l'ermitage de Pakome, je n'avais plus guère réentendu de kleftika, ni surtout une voix semblable. Voix d'Angéliki : rauque mais qui se fait trille et filet dans les hautes vocalises du chant. Presque rocailleuse parce que heureusement non travaillée, c'est-à-dire déformée par les écoles. Que deviendra-t-elle cette voix, lorsqu'elle sera passée par l'Odéon de Patras ou le Conservatoire d'Athènes ? Par elle, ce qui pourrait n'être que mélodie nostalgique et traînante devient révolte et plainte, effusion et appel au destin, détresse primitive, venus de plus loin que le monde des kleftes, d'un monde né dans les premiers temps de Byzance. Ce sont de grands espaces qu'ouvre ce chant dans la mémoire, celui des montagnes insoumises, des déserts orientaux où veillaient les akrites, ces guetteurs des confins, ces *hommes du bout du monde* que Byzance postait face à l'Euphrate, à l'Arménie, face aux plateaux d'Anatolie. Chants de prouesses insignes mais aussi de l'exil imposé, à la fois bravades et complaintes, entre la fascination des combats et celle de la mort. C'est cette mémoire-là qu'on retrouve en ces chants kleftiques, en ce lyrisme inné qui fait parler entre elles les montagnes, pleurer les aigles et les rochers, gémir les fleuves. Et je suis sûr que la façon dont chante Angéliki est elle aussi mémoire de la gorge et des lèvres, celle que ne peut restituer aucun Conservatoire. A mes côtés le secrétaire de la mairie (qui plus tard d'une voix émue récitera dans le café un poème qu'il a composé sur le Chelmos, poème grandiloquent sur les neiges, les eaux du Styx et les villages d'alentour qui menèrent les premiers les combats de 1821) me fait un grand clin d'œil avec ce geste millénaire des Grecs – doigts dressés réunis vers le haut – pour dire sans mot : c'est beau, hein ?

A mon autre côté, un gosse énorme de seize ou dix-sept ans, fils de vacanciers de Patras, se ronge les ongles avec frénésie en s'empiffrant de pistaches. Figure déjà empatée, gestes empotés, yeux perdus dans la graisse des joues, stupide, capricieux, nourri selon toute évidence de nouilles, de moussaka, de pastitio et autres étouffe-chrétiens et étouffe-musulmans, qui fabriquent depuis des siècles la graisse des Grecs sédentaires. En face de lui, sa mère, matrone informe gavée, elle, de kadaïfs, de baklavas, de galaktobouriko et d'amigdalo-tès, de toutes ces sucreries qui contribuent à fabriquer les beautés plantureuses encore en vogue en ce pays. De ces monstres voraces et boudinés, image plutôt classique

de la petite bourgeoisie grecque, – dont tous les chromo-
somes doivent contenir des gènes eux-mêmes obèses à
force d'être gavés comme des oies humaines – sortent
des voix fluettes, inattendues. Je me dis que si on les
prenait tous deux, mère et fils, pour les presser et les
coller ensemble, ils reconstitueraient à merveille ces
boules androgynes à quatre bras et quatre jambes que
Platon imagine à l'origine du monde. On comprend là
comment se crée, comment se forme ce couple insécable
qu'est en Grèce une mère et son fils, qu'aucune opération chirurgicale – comme celle que préconise Socrate
dans *Le Banquet* – ne pourra jamais séparer. A vrai dire,
je ne crois pas qu'il en était ainsi dans les temps
antiques, la famille n'y jouant pas le rôle qu'elle joue
depuis. L'épouse et mère n'y était pas toujours seule au
foyer, le père ayant souvent à demeure une concubine
« pour les soins de tous les jours » comme le dit
Apollodore. Et aussi parce que l'enfant était vite arraché
à l'emprise familiale, soumis très tôt à l'influence de la
cité, de l'éducation collective. C'est le christianisme qui,
là encore, en faisant du mariage un sacrement indissolu-
ble, a créé le monstre social de la famille. Monstruosité
que l'homme grec ne fit qu'accentuer, en reléguant la
femme aux tâches du foyer et en passant lui-même le
plus clair de son temps hors de chez lui. Là réside
finalement la véritable horreur de tout inceste : en cette
tradition qui d'un côté voua mère et fils à vivre ensemble
dans un foyer d'où le père est toujours absent et que par
ailleurs on ne puisse jamais choisir sa mère. Quelle
beauté peut bien revêtir l'inceste lorsque la mère est
comme la Chose hideuse et repoussante qui, en face de
moi, en ce café de Péristéra, couve des yeux son fils et
l'encourage dans ses manies ? Quitte à rajeunir les vieux
mythes, imaginons alors l'histoire d'Œdipe transposée
dans la Grèce moderne : une Jocaste obèse et monstrueuse, gavée de baklavas, bichonnant un Œdipe hébété
en train de se ronger les ongles. Telle fut ce soir-là, après
les chants magiques d'Angéliki, la revigorante image
œdipienne que m'offrit ce café villageois : une mère
abusive et frustrée, un père inexistant et sans doute

impuissant et, entre eux, un enfant, éternel refoulé et
futur abruti, bref le typique trio de la petite bourgeoisie
grecque.

Ce voyage vers les sources du Styx – puis ensuite la
marche vers Phénée, Stymphale, Némée, Titanè et
Sicyône, je l'ai fait en 1966, année de mon dernier séjour
en Grèce. Le pays était dans une situation politique
impossible, pratiquement sans gouvernement, entre des
élections passées et faussées comme la plupart d'entre
elles en Grèce et de futures élections, promises pour
l'année suivante. De son palais vétuste et othonien, le roi
Constantin continuait ses intrigues, poursuivait ses jeux
d'enfant pleutre et gâté. Jamais autant qu'en Grèce une
monarchie n'a révélé en plein XXᵉ siècle un visage aussi
rétrograde. Rois d'opérette qui se succédèrent depuis
l'Indépendance, mais dont l'argent, les prérogatives et le
pouvoir de fait sur les ministres et sur le Parlement ont
longtemps maintenu la Grèce dans un statut anachronique et une dépendance quasi totale à l'égard des protec-
teurs étrangers – Russes, Français, Anglais autrefois et
Américains aujourd'hui. La brève expérience républicaine de la Grèce entreprise par Vénizélos en 1924 fut
impuissante à libérer le peuple grec de cet attachement
maladif, archaïque pour une monarchie dont on ne lui
montrait que les fastes, le folklore et dont il ignorait les
intrigues secrètes et la scandaleuse richesse : liste royale
d'abord, Fonds Royal et Prévoyance Royale prélevés
sous forme de taxes insensées et obligatoires et qui,
jusqu'à ces dernières années, ont ponctionné le peuple
grec. Tout cet univers factice de princesses et de princes,
de mariages pompeux et d'amourettes de palais dont se
nourrit la presse du cœur, le peuple grec l'a connu,
vécu, payé de son travail depuis l'Indépendance. Ce qui
ailleurs n'est finalement que distraction de princes, sans
incidences concrètes sur la vie politique des nations, fut
en Grèce une réalité quotidienne, l'expression d'un pouvoir discrétionnaire de rois maintenus sur le trône par les

ingérences étrangères. Au point qu'on peut dire sans outrance que toute la vie politique grecque se limite depuis un siècle et demi à une constante rivalité entre les désirs et les impératifs du Palais et ceux des tenants d'une démocratie réelle, comme si la personne et les intérêts du roi et de sa cour constituaient l'axe majeur de la Grèce. C'est là, dans ce non-sens que fut en Grèce le règne ininterrompu de ces dynasties étrangères (la maison bavaroise des Wittelsbach pour Othon, la maison danoise des Glucksbourg pour tous ses successeurs) qu'on saisit le mieux le poids des interventions étrangères. Poids si net et si peu caché que, jusqu'à la chute d'Othon en 1862 (vite remplacé par un autre roi choisi par les Anglais) les trois partis politiques qui se partageaient les miettes du pouvoir s'appelaient ouvertement Parti français, Parti russe et Parti anglais ! Autre image révélatrice, moins dramatique heureusement : quand le peuple grec, au terme de neuf ans de combats, se vit imposer comme roi un prince bavarois de dix-huit ans ne parlant pas un mot de grec, le premier souhait de ce dernier (après le choix d'Athènes comme capitale du nouvel Etat) fut de se faire construire un grand palais sur l'Acropole ! Il en fut heureusement dissuadé par des conseillers avisés mais les plans étaient prêts et les dessins tracés : ils comportaient devant la face sud du palais une reconstitution grandeur nature de l'Athéna Promachos et une énorme rotonde flanquant l'aile sud-ouest. Pendant ce temps, la Grèce vivait à l'heure bavaroise : conseillers, architectes, savants, soldats, tout venait de Bavière. La langue officielle demeura un temps l'allemand et les décrets devaient être rédigés en grec et en allemand pour être compris de ceux qui les prenaient et de ceux qui les exécutaient ! On a quelque peu oublié aujourd'hui les étrangetés et les cocasseries de cette époque romantique et bavaroise, oublié aussi ses scandales et ses injustices. On a moins oublié – parce qu'on en voit les effets aujourd'hui encore – l'architecture de ce temps, où Athènes se couvrit de monuments néo-classiques revus et corrigés par les architectes allemands. On impose ainsi à la Grèce, dans ses bâtiments, sa vie

politique et sa langue, une image d'elle-même revue et
corrigée par des éléments étrangers. Ce n'était sûrement
pas cette image qu'aurait pu un seul instant espérer
Kolokotronis, le plus populaire des grands chefs de la
Révolution, celui qu'on surnomma le Vieux de Morée.
De quelle Grèce pouvait-il rêver, ce guerrier des montagnes, ce capétan intraitable et autoritaire, que les artistes
de l'époque représentent toujours avec sa fustanelle
immaculée, son gilet brodé, ses cheveux blancs flottant
sur les épaules et son casque à cimier, étrange objet à
mi-chemin du casque antique des hoplites et du couvre-
chef des policemen anglais? Le peintre allemand Von
Hess l'a dessiné, en 1828, assis sur un rocher et regardant des kleftes danser au son d'un *bouzouki*. D'autres
œuvres plus populaires, les marionnettes du *Karaghioze*
par exemple, le théâtre d'ombres grec, le représentent
surtout à cheval, le bras tendu désignant l'horizon, avec
son casque à cimier et, aux côtés, un grand sabre au
fourreau damasquiné.

Et je pensais à lui, justement, à ce Vieux de Morée,
ultime descendant des kleftes, en écoutant ces kleftika
qui ont transmis son image et son souvenir, et au plus
célèbre d'entre eux que me chanta Angéliki :

Kolokotronis kathétai se rizimio lithari
K'olo syllogotane to oneiro pou ide...
Kolokotronis est assis sur un ferme rocher
Et sans cesse revoit le rêve qu'il a fait...

Eida ston ypno mou, eida ston oneiro mou
Eida kai kaei to fézi mou k'i founda to spathiou mou
J'ai vu dans mon sommeil, et j'ai vu dans mon rêve
J'ai vu brûler mon fez et rougir mon épée.

Nous étions assis sur un rocher, aussi *rizimio*, aussi
ferme et inébranlable, aussi ancré dans le sol d'Arcadie
que celui de Kolokotronis – rocher qui est l'image et le
symbole des *péproména tis philis,* des destins de la race
grecque – Angéliki et moi, le lendemain matin de cette
fête au café de Péristéra. Je voulais qu'elle me chante

d'autres kleftika et qu'elle les chante pour moi seul,
avant mon départ pour Phénée. Nous avons marché un
peu à l'écart du village, choisi un rocher près du sentier
menant au Styx. Elle s'assit et chanta. Il n'y avait autour
de nous que les montagnes, le bruit du vent, les sombres
sommets des Aroania. Je n'oublierai pas ce matin-là, ni
la simple beauté de ces chants. Dernière vision de
Péristéra et des chemins du Styx : Angéliki, les yeux
fermés, les deux mains jointes entre ses jambes, la tête
tendue vers le ciel et l'image défunte de cette Grèce
héroïque qui allait être tuée dans l'œuf pour tous ceux
qui, pourtant, ne juraient que pour elle et par elle.

IX. LES VOIES DE LA LÉGENDE

Némée. Stymphale. Phlionte. Titanè. Encore des noms riches et sonores évoquant une terre sauvage, les forces vives et neuves de la Grèce mais aussi l'enfance difficile des monstres et des géants : lion de Némée, oiseaux anthropophages de Stymphale, et Titan, frère du soleil et fondateur de Titanè. Ces légendes archaïques, je les ai recherchées de Némée à Stymphale, de Stymphale à Sicyône, après le Styx, en ce dernier automne grec, parcourant à pied cette région d'Argolide et ces marches de l'Arcadie, dans l'odeur sûrie des vendanges, des raisins noirs séchant en nappes au soleil. Senteurs fortes et fermentées qui me suivent tout au long des chemins avec le bourdonnement des mouches, des guêpes et des abeilles bruissant autour des nappes sucrées comme si l'air fermentait lui aussi. Hommes et femmes affairés dans les champs (c'est aussi le temps des fèves et des olives) brassant de temps à autre les grappes noires étendues entre les vignes sur des toiles et me donnant à pleines mains ces raisins tièdes et déjà sirupeux.

C'est avec ces raisins (ceux bien sûr qu'on ne laisse pas sécher) à la pulpe juteuse et sombre que l'on fait ici le vin lourd, presque noir mais admirablement fruité que l'on nomme Sang d'Héraklès. Chaque raisin est une goutte de sang d'Héraklès (celui qu'il a perdu dans son combat contre le lion) comme chaque goutte de résine, la larme ambrée de quelque nymphe ou quelque femme métamorphosée en arbre par un dieu : Myrrha, Héliades, Méléagrides. Myrrha devenue arbre à myrrhe pleure encore sur son triste sort; les Héliades et les Méléagrides la mort de leur frère Phaethon et Méléagre. C'est pourquoi Apollon, ému par leur douleur, les a muées en arbres frémissants : trembles et peupliers. Mais, ce faisant, songea-t-il qu'au lieu d'atténuer leur chagrin, il ne fit que le rendre immortel? J'ai toujours été attiré par ces mythes de métamorphose entre les plantes et les hommes. Je les crois signifiants bien au-delà de leur séduction poétique, de leur structure narrative, de leur référence à un monde où l'on peut aussi déchiffrer (pardon : décoder) des messages cachés, des informations sous-jacentes, tout un réseau de mythèmes rusés que l'inconscient des Grecs a tendus dans l'enchevêtrement de ces récits pour le plus grand profit des universitaires d'aujourd'hui. Derrière ces légendes (et en dehors de leur aspect étiologique : expliquer pourquoi certains arbres exsudent de la résine, pourquoi les peupliers frissonnent sans cesse dans le vent, pourquoi certaines fleurs s'ouvrent avec le soleil, se ferment avec la nuit et pourquoi le narcisse croît dans les lieux humides, sa blanche corolle penchée vers l'eau) transparaît un univers singulier où le végétal est proche – très proche – parent de l'homme et semble conserver en lui l'émoi et la mémoire de sa forme première, le souvenir du traumatisme originel qui lui donna naissance. Car c'est toujours à la suite d'un épisode dramatique, d'une mort imminente, d'un viol, d'une transgression, d'un inconsolable chagrin que les dieux consentent à transformer les humains en arbres et en fleurs comme s'ils ne voyaient d'autre issue à leur cas que la mort immédiate ou la survie végétative. Myrrha l'incestueuse, qui fit l'amour avec son père et que ce dernier voulut tuer ensuite, Adonis agonisant, éventré par un sanglier, Kyparissos tué par un disque lancé par Apollon, Narcisse noyé dans le miroir d'eau où il eut la révélation de lui-même, Clytie amoureuse d'Hélios se consumant dans le désert sans pouvoir détacher ses regards du soleil, Crocus, Smilax, Hyacinthe, Daphné, Dryope, tous ces humains furent changés en plantes par les dieux, en ce seuil crucial et indécis de leur destin ouvrant sur l'immortalité totale de la mort ou celle plus relative d'un arbre ou d'une fleur. Et ils devinrent ainsi arbre à myrrhe, anémone, cyprès, narcisse, héliotrope, crocus, salsepareille, jacinthe, laurier et jujubier. Et l'hibiscus aussi dont la couleur mauve – comme me l'expliqua savamment un paysan d'Attique près du village de Markopoulon – vient de ce qu'il fut taché par le sang menstruel de la première femme.

Même aventure, toujours aussi déterminante, vécue dans les instances cruciales de l'agonie ou d'une mort imminente, entre l'homme et le monde animal. Pour les Grecs, beaucoup d'animaux étaient d'anciens hommes métamorphosés par les dieux, mais en général (à l'inverse des hommes-plantes) à titre de châtiment : l'aigle, la cigale, la chouette hulotte, la fourmi, le cygne, le paon, la corneille, le rossignol, le cerf, l'ours, le loup, le lynx, le serpent, le hibou, la pie, l'araignée, l'hirondelle, la huppe, la perdrix, la belette, le héron étaient des êtres humains qui se nommaient Périclymène, Tettyx, Nyctimène, Mirmyx, Cycnos, Argus, Cornyx, Philomèle, Actéon, Callisto, Lycaon, Lynkos, Cadmos, Ascalaphos, Piéride, Arachné, Procné, Térée, Perdrix, Galanthis et Ardée... Le mythe ne dit pas toujours qu'ils sont à l'origine de telle ou telle espèce animale. Mais l'important, c'est leur métamorphose opérée à la suite d'une faute de leur part, d'un acte caractérisé d'*hybris* : insolence ou insulte à l'égard d'un dieu, refus de célébrer tel culte, transgression d'un interdit, meurtre sacrilège. Comme si ces humains-là, pour accomplir délibérément de tels actes, se sentaient mal dans leur peau, refusaient leur condition d'homme, se comportaient agressivement à l'égard des autres et des dieux pour consacrer leur rupture avec le genre humain. Actéon qui, malgré l'interdit, surprend Artémis nue dans son bain, Ascalaphos qui se moque de Déméter déguisée en vieille femme pour rechercher sa fille Coré, Arachné qui prétend tisser mieux qu'Athéna, Lycaon immolant un bébé malgré l'interdiction des sacrifices humains, Callisto enfreignant son vœu de virginité dédié à Artémis,

Térée violant sa belle-sœur Philomèle... tous se comportent de façon aberrante – eu égard aux règles communes
– et se trouvent ainsi rejetés de tout statut humain.

A travers ces mythes dont l'étude serait passionnante
(car outre qu'elle révélerait leurs structures cachées, elle
ferait sans doute apparaître les relations très spécifiques
qu'entretenaient les Grecs avec l'univers animal), on
devine une frontière fluide, comme poreuse, entre ces
mondes, permettant des échanges réciproques. A cet
égard, l'histoire de Mirmyx est particulièrement éclai-
rante. Mirmyx était une jeune Athénienne très habile de
ses mains (comme l'était la jeune Arachné très habile en
tissage) qui un jour se vanta d'avoir inventé la charrue.
Acte d'hybris, la charrue étant l'invention d'Athéna. La
déesse, pour la punir, la changea donc en fourmi. Mais
Zeus qui, sans doute, avait des vues sur la jeune fille, lui
restitua la forme humaine. Ainsi, les dieux peuvent
s'amuser à faire passer les humains d'un monde à
l'autre, au gré de leurs caprices. La métamorphose
apparaît réversible. Un peu comme en ces contes bleus
où un héros changé en bête à la suite d'un sort retrouve
un jour sa forme humaine. Mais dans le mythe de
Mirmyx, il s'agit moins d'un sortilège que d'une véritable métamorphose. Dans les contes, les hommes-bêtes
conservent leur nature et leur conscience humaines,
continuent de parler et de réagir en humains. Dans les
mythes grecs, rien de tel. Les humains perdent tout en
perdant leur nature, ils s'animalisent entièrement. Quel
dommage d'ailleurs qu'une fois redevenue femme, Mirmyx n'ait pas noté ses souvenirs de fourmi! Mais c'est là
raisonner en occidental d'aujourd'hui. Ces métamorphoses étant des châtiments, les métamorphosés ne doivent
garder aucun souvenir de leur ancien état, comme s'il
s'agissait d'une suite de naissances et de renaissances.

Singulière – et merveilleuse – est également la légende
grecque de l'enfant métamorphosé en gecko. Le gecko
est un petit lézard à peau jaune clair ponctuée de taches
ocre foncé, avec des pattes terminées par de petites
ventouses. Elles lui permettent de monter le long des
murs et même de marcher au plafond. A l'inverse des

autres lézards, il gîte volontiers dans les maisons dont il aime l'ombre fraîche. Ce qu'on remarque surtout en lui, ce sont les moucheture de sa peau, qui font penser à des taches de son et durent impressionner les Grecs puisqu'elles ont suscité elles aussi un mythe étiologique, intégré à celui de Déméter et de sa fille Coré.

Quand la déesse, partie à la recherche de Coré – Perséphone, sa fille, enlevée par le dieu des Enfers – eut parcouru en vain toute la Grèce, elle arriva un soir, assoiffée, épuisée, dans la plaine d'Eleusis. Elle avait pris l'apparence d'une très vieille femme et c'est sous cette forme qu'elle frappa à la porte d'une maison pour demander à boire. La maîtresse de céans lui offrit aussitôt le brouet qu'elle avait préparé pour le soir, composé *d'eau, de miel et de grains d'orge*. Déméter l'avala goulûment, si goulûment que le gosse de la maison, un jeune garçon « au regard dur et insolent », précise Ovide, éclata de rire en la voyant. Or, s'il est une règle de conduite qu'il faut suivre une fois pour toutes dans sa vie, c'est celle qui enseigne à ne jamais rire des dieux. Déméter, outrée et furieuse, expédia donc à la tête du gosse les restes de son bol. Voilà l'enfant couvert de ce mélange de miel et de grains d'orge et qui, peu à peu, sous les yeux effarés de sa mère, se change en gecko.

Cette histoire m'a toujours passionné depuis les temps anciens où je la lus pour la première fois dans *Les Métamorphoses* d'Ovide. Elle nous révèle d'abord pourquoi le gecko a une peau couleur de miel parsemée de taches sombres comme des grains d'orge. Pourquoi aussi il aime à se tenir à l'ombre fraîche des maisons plutôt qu'en plein soleil puisque c'est un ancien enfant. Mais évidemment il y a beaucoup plus dans ce mythe. Essayons d'imaginer – d'imager – cette scène à la fois mythique et quotidienne : une vieille femme portant le deuil, épuisée par la route, couverte de poussière, s'assied pour souffler dans une humble maison et demande à boire et à manger. La maîtresse de céans lui offre spontanément son brouet. Et son gosse, disons son fils ou son petit-fils, un *micro*, un *pitsiriko* comme on dit en

Grèce, un de ces gamins au crâne toujours rasé, aux yeux vifs, déluré, insolent et prêt à toutes les farces, reluque sans y croire cette ruine ambulante qui avale son brouet d'une façon si comique. Bien entendu, le gosse ignore, ne peut même imaginer un seul instant que cette loque épuisée est une divinité. Et qui plus est, la plus grande, la plus ancienne, la plus puissante des divinités puisque c'est la Grande Mère, la Terre nourricière en personne! Mais le mythe – les mythes – ne peuvent entrer dans ces détails purement psychologiques. Et c'est ici que les images prennent fin, que les parallèles s'arrêtent, que les anachronismes perdent leur sens : cette scène vespérale – par le rire insolent de ce gosse – se mue en un destin tragique. Il y a eu impertinence à l'égard d'une divinité, acte d'hybris et cela suffit car seuls comptent les actes des humains – dans leurs rapports avec les dieux – non leurs intentions, leurs pensées, leurs croyances. On se rend compte alors que dans tous les matériaux culturels de la vie grecque – tragédies, mythes, chants populaires – ces mécanismes se reproduisent constamment, provoquant des conséquences irrémissibles, à la suite d'une erreur, d'un malentendu, d'une ignorance ou d'un acte manqué. Le dedans de l'homme ne compte pas ici, il est exclu du monde mécanique des mythes. Quelque chose a été accompli, une transgression commise qui entraîne, parce que perpétrée en un temps vierge encore, en un temps matriciel, un devenir définitif. L'enfant aurait pu ricaner devant toutes les vieilles femmes du monde *mais pas ce jour-là, à cet instant et devant cette femme-là*. Nous sommes ici dans l'aube des structures, à l'aurore des significations, dans la préhistoire fondatrice des actes qui gouvernent nos vies et notre monde. Et dans ces aubes-là, tout a sens, tout est gros de destins. Un rire, un seul regard impertinent peuvent à jamais changer le monde.

« Ici, la terre est belle mais comme toutes les filles elle est ingrate et dure » me dit Stavros, un vigneron de

Koutsomadi, près de Némée. Des yeux clairs dans un visage osseux et rude – deux bleuets sur un sombre granit –, une moustache roussie par le tabac et des mains aux veines saillantes qu'il agite sans cesse pour chasser les guêpes. Nous sommes assis sous la treille de sa maison bordant la route où je marchais et d'où il m'a fait signe pour m'inviter. Autour de nous, les éternelles nappes de raisin noir bourdonnant et une intense odeur de moût. « Nous ne vivons pratiquement que des raisins ici. La terre ne convient pas à l'olivier et le rendement n'est pas bon. Plus haut là-bas (et sa main désigne vers l'ouest les franges bleues des monts d'Arcadie) ils ont de l'eau à profusion, des torrents et de la verdure. La montagne, autour de Goura, de Phénée est pleine de châtaigniers. Ici, la terre est sèche. Toute l'eau est pour la vigne. Et si une seule année le prix du raisin baisse, alors on s'endette à la Caisse agricole pour le reste de ses jours. » De l'endroit où je suis assis, je vois les colonnes du temple de Zeus se dresser au-dessus des vignes. Un peu plus bas, un bosquet de cyprès entoure une chapelle. Paysage d'Argolide fait d'une ordonnance alternée – et comme mesurée par une main savante – de vignes, d'oliviers, de cyprès. La terre est jaune, sèche, idéale pour le raisin. Les vignes ont tout recouvert, jusqu'à l'ancien théâtre de Némée dont elles ont épousé l'orchestra – et les oliviers, les gradins. Etrange rencontre que celle de ce théâtre dont les formes enfouies se répètent en strates d'oliviers et en scène de vignes. C'est ainsi que les premiers archéologues d'Epidaure découvrirent aussitôt l'emplacement du théâtre : par les pins qui avaient poussé sur les gradins et dessinaient au flanc de la montagne un grand amphithéâtre d'arbres. Les hommes n'ont pas la mémoire inconsciente des plantes. Les ruines de Némée – et celles, encore plus vagues, de Stymphale – n'évoquent plus grand-chose aujourd'hui aux gens de la région. Ici, sur une aire dégagée au milieu des rangées de vignes, quelques colonnes encore dressées, des tambours effondrés, l'ébauche d'une palestre. Seul le village voisin du nom d'Héraklion garde le souvenir du passage d'Héraklès. Stavros le vigneron n'a que faire de ces souvenirs. Mais celui de Dervénakia – les Petits Défilés – un passage situé juste au-delà du temple, sur la route de Corinthe à Nauplie, où le Vieux de Morée, Kolokotronis, étripa les troupes turques, évoque encore quelque chose de précis. Ce qui ne fait qu'accroître son amertume. « On était célèbre autrefois, hein ? On parlait de nous dans le monde entier. La preuve, il y a plein d'étrangers qui viennent jusqu'ici pour voir toutes ces ruines. Mais maintenant, qui sommes-nous, hein ? Qu'est-ce que c'est la Grèce, aujourd'hui ? Ils en ont fait un pays qui doit partout mendier son pain. Pourquoi ? » et, dans le geste traditionnel des Grecs, il pointe vers moi sa paume retournée, index en avant, doigts écartés comme une étoile qui implore ou supplie. Attend-il, en cette aube de mouches et de moût, que moi, l'étranger, je le rassure, le réconforte ? Mais sa fierté reprend vite le dessus. Il ne veut ni pitié ni même compréhension : « Grand pays, petits hommes ! » fait-il résumant en une seule phrase lumineuse ce que les historiens érudits s'acharnent à dire en plusieurs tomes. Sa femme nous interrompt un instant – couverte d'un grand fichu noir dans la nuit duquel je surprendrai deux yeux clairs me fixant à la dérobée – pour nous apporter du fromage. Nous mangeons en silence. Puis je me lève pour partir, afin d'éviter la grande chaleur de midi. Stavros me fait signe d'attendre. Il cherche un papier pour écrire son nom et son adresse. Il veut que je lui envoie une carte postale de Paris. Et il écrit, mouillant à deux reprises son crayon : Stavros Vorvosourzis, Koutsomadi, Corinthias et me tend le papier en me disant : *Ta grammata, den ta xéro kala. To skoleio mou, ézo einai.* « De l'instruction, je n'en ai pas beaucoup. Mon école, la voici. » Et il me montre les vignes alentour.

Soleil intense. Chaleur sèche. Solitude. Je suis étendu à l'ombre des pins, sur le versant d'une colline, dans la direction de Stymphale. J'ai pris un raccourci – indiqué par Stavros – mais à présent, à force d'hésiter sans cesse entre des sentiers bifurquants, je ne sais plus très bien où je me trouve. Aucune importance, d'ailleurs. J'ai tout le temps d'arriver à Stymphale qui doit être à quelque quinze ou vingt kilomètres, pas plus. C'est pour ces instants-là que je marche en Grèce depuis tant d'années : pour me perdre ainsi dans un paysage inconnu, au cœur de la chaleur, élire tel bosquet de pins pour une halte indéfinie ou m'étendre au soleil quand il y a un peu de vent pour sécher la sueur. Et aussi pour ces heures de l'aube ou du couchant, quand les lumières vibrent, que les odeurs s'éveillent ou se replient, que l'on sent brusquement en soi, autour de soi, le bruissement immobile du temps, l'embrasement de l'air figé, ce grand silence qui, dit-on, recouvrit toute la Grèce juste avant qu'une voix invisible ne crie : le grand Pan est mort ! C'est en ces heures-là – où naissent en soi comme des sens inconnus, des sensations aiguës, des perceptions qui vous portent à la fois au-delà et en deçà des magies quotidiennes – que j'ai vraiment connu la Grèce. Ce paysage, ici, sur ce versant, dans cette solitude d'Argolide m'émeut tant qu'on a envie de devenir soudain silence et ombre, présence muette et chaude sur la terre, à l'écoute des voix secrètes, comme le vécut et l'écrivit autrefois, en sa terre de Leucade, le poète Sikélianos :

> ... *comme la cigale qui tait son cri*
> *dès qu'un nuage couvre le ciel,*
> *le grillon qui cesse son chant*
> *dès qu'il entend un pas humain,*
> *les Voix divines de la terre*
> *se taisent elles aussi*
> *dès qu'elles entendent le pas novice*
> *de ceux qui ne savent pas Les écouter.*

Sikélianos qui se couchait des nuits entières contre la terre, qui ne voulait, en ces instants, y marcher que pieds nus – comme les anciennes prophétesses de Dodone rendant leurs oracles en déchiffrant le bruissement du vent dans les chênes sacrés de Zeus – et qui

s'agenouillait sur la terre d'Attique et se pressait contre
ses pierres

> *pour écouter leur battement*
> *monter en moi comme un chant de grillon*
> *dans la nuit de lumière*

et qui, de cette terre d'Argolide où présentement je me
trouve pensant à tous ceux qui depuis trois mille ans,
d'Empédocle à Séféris et d'Hésiode à Sikélianos, ont
déchiffré, aimé et restitué les mots énigmatiques, le
message talismanique de cette terre ingrate, dure, sèche,
stérile, épuisante, torride et pourtant fantastiquement
aimée, a écrit :

> *Terre d'Argos, ocre embrasé*
> *ardant sous le soleil comme fer rougi*
> *dans le brasier des grands coquelicots...*

Immobile, j'écoute les bruits : cigales, grillons, insectes par légions crissant autour de moi comme grésille-
ments de brindilles dans le feu. Immobile, je hume les
odeurs : résine, térébinthe, myrrhe, ciste peut-être (ces
fleurs roses là-bas aux corolles échancrées) thym, origan,
sauge et menthe sauvage (une odeur retenue par la
chaleur du sol mais qui se déploie brusquement dès
qu'on bouge la tête). Et la terre elle-même, son goût de
poussière sèche, de cendre ambrée.

Un bruit, dans le buisson là-bas. J'y cours. C'est une
tortue fuyant dans les buissons épineux. C'est en regardant ainsi un beau jour une carapace de tortue qu'Hermès, dit-on, eut l'idée de la lyre. Ou plus exactement de
la *phormyx* (nom sonore lui aussi mais là, à juste titre),
sorte de lyre élémentaire à quatre cordes auxquelles
Orphée en ajouta trois. De cette légende est née une
devinette antique que les enfants répètent encore de nos
jours. « Quel est l'animal qui ne dit mot de son vivant et
ne chante qu'après sa mort ? » Réponse : *I chélona !*
I chélona ! La tortue ! La tortue !

De nouveau immobile, ouvrant de temps à autre les

yeux vers le soleil émietté à travers les branches. Depuis des jours, ma peau a repris ses couleurs grecques. Roussie, cuivrée, mordorée par la mer, le soleil. Je le sens partout sur mon corps. Astre amical qui a perdu pour nous la peur, l'appréhension qu'il inspirait jadis. Je ne suis pas sûr que les Grecs anciens aient vu dans le soleil un dieu toujours bénéfique et encore moins un préposé à leur bronzage. La plupart d'entre eux le tenaient pour un dieu (malgré tous les efforts d'Anaxagore pour montrer qu'astres et planètes n'étaient que des boules enflammées, ce qui lui valut d'être exilé d'Athènes jusqu'à sa mort), un dieu dont le feu n'était pas toujours bienveillant. Les noms que les Grecs donnèrent aux chevaux qui tiraient le char du soleil montrent qu'en dépit de leur beauté chantante – Pyroïs, Phlégôn, Eoôs et Aethôn – ils évoquaient ce qui brûle et ce qui calcine autant que ce qui luit – l'Enflammé, l'Embrasé, le Brillant, le Brûlant. Mais j'aime cette image : ce quadrige d'or fondu illuminant le monde et ces chevaux de feu dont les grandes crinières de flammes évoquaient autrefois ce qu'on nomme aujourd'hui protubérances et l'haleine embrasée, ces ions et ces photons dont le soleil, paraît-il, nous bombarde.

Sur le grand plateau qui s'étend juste au pied du Ziria (ce mont Cyllène où Pausanias dit avoir vu des merles blancs), entre les villages de Goura et de Phénée, il y a chaque année, le second dimanche de septembre, une grande foire aux animaux et un marché. Des marchands ambulants viennent en voiture de Corinthe et de Patras et les paysans, à mulet de leurs montagnes.

Une fois débarrassées de leur chargement, on expédie les bêtes sur le plateau où elles paissent librement. A les voir ainsi, au pied de ces montagnes, en ce cirque d'herbes jaunes, avec leurs harnais, leur bât et leurs couvertures bariolées (et aussi, çà et là, des gens, hommes et femmes, étendus à même le sol, enveloppés dans des couvertures et qui font quoi au juste, je n'en sais

rien, ils attendent sans doute la fin de la foire), on se
croirait en quelque campement oriental, à l'arrivée ou la
veille d'un grand voyage. Peu de choses bien captivantes
en ce marché. Quelques objets d'usage rural : cloches et
clochettes pour troupeaux, petit matériel agricole et
d'autres plus nombreux d'usage domestique. Le plastique a déjà envahi l'Arcadie (adieu, les rêves de Poussin !)
et l'on y voit exactement les mêmes objets hideux aux
couleurs criardes que sur le reste de la planète. Bien
entendu, il y a aussi quelques étals de livres, une famille
gitane qui vend des tapis orientaux, une religieuse là-bas,
seule, en plein vent, proposant d'horribles Christ en buis,
des chapelets, des bracelets de faux ambre, des ex-voto,
et ces gravures pieuses et sirupeuses qu'on trouve au-
dessus des lits dans toutes les chambres grecques. Le
mauvais goût qui préside en tous pays à ces images
édifiantes atteint en Grèce des sommets inviolés : saint
Charalambe debout sur un démon noir crachant encore
le feu, saint Dimitri et son éternel Barbare, saint Georges
et le sempiternel dragon, le prophète Elie sur son char
et, plus insipide que toutes les autres réunies, les deux
saints Théodore à cheval, gros poupons tenant leur lance
comme un cierge en pistache et emmêlant leurs nimbes
dans le soleil couchant. Je passe sur ces autres gravures,
plus complexes et plus étudiées, édifiantes au-delà de
tout espoir ou de tout désespoir, qui montrent les
récompenses du Bon et les châtiments du Méchant.
Dans le ciel, un Bon Dieu de Prisunic siège entouré des
mots : *OLA TA AKOUEI, OLA TA BLEPEI, OLA TA
GRAPHEI*. Il entend tout, il voit tout, il écrit tout. La
preuve en est que, sortant d'un nuage, une main dodue,
armée d'une plume d'oie (Dieu n'a donc pas de stylo ?)
écrit une liste noire sur une page blanche. Le reste est à
l'avenant : le Bon fait l'aumône aux infirmes, le Méchant
pousse son ami dans le ravin. Le Bon reçoit l'extrême-
onction des anges. Le Méchant l'extrême ponction des
diables.

Heureusement, des bouffées d'odeurs alléchantes me
tirent de mon agacement. Je vois un boucher s'affairer
autour d'une chèvre, deux hommes tourner d'un air

OI AΓIOI
ΘEOΔΩPOI

Les saints Théodore.

hilare deux gros cochons rissolant sur les braises. A côté d'eux, sous les yeux et le nez d'un pope boulimique (que je vois s'empiffrer depuis une heure de tout ce qui lui tombe sous la main) un gamin surveille des *cocoretsia*, ces brochettes d'abats enrobés d'un boyau de porc, farcis d'oignons et d'origan et qui sont un des régals des fêtes grecques. Et je regagnerai à Phénée, en profitant d'une voiture, la maison de l'instituteur où je loge ce soir.

Maison spacieuse, au plafond de poutres tordues et noircies avec, au fond de la pièce principale, la loggia réservée aux lits et, entre deux fenêtres ouvrant sur la verdure, une belle cheminée blanche. Dans une pièce attenante, un métier à tisser. Ici, les femmes tissent encore elles-mêmes leurs vêtements et leurs couvertures. Toute la famille de l'instituteur, sa belle-sœur, son beau-frère, son fils et sa bru, vit dans cette maison d'une vie autarcique; le bois de la forêt proche, le vin de la plaine, la laine des brebis, les fruits et les légumes du jardin leur permettent de vivre modestement mais sans privations. Tout le monde travaille, femmes et hommes. Le maître de maison me montre d'ailleurs, très fier, sa toute dernière acquisition : l'eau courante qu'il a installée lui-même et qui évitera aux femmes de faire de continuels va-et-vient jusqu'au puits.

Comme je m'étonne de voir toute cette famille au complet (il manque encore deux personnes absentes ce jour-là) sans que personne ait jamais émigré aux Etats-Unis, en Australie, au Canada ou en Europe comme c'est le cas dans tant de familles rurales en Grèce, il me répond : « Ici, en Arcadie, on est de vrais autochtones. On n'aime pas s'expatrier. Même si la vie est dure – surtout l'hiver avec la neige – on préfère rester ici. Nous ne sommes pas tout à fait comme les autres Grecs. » Voilà l'invisible frontière qui sépare l'Arcadie des provinces voisines où l'émigration est courante. Ici, les familles se groupent, se resserrent sur elles-mêmes, malgré l'attrait de l'argent étranger. Le soir, je goûterai un tsipouro fait avec des arbouses. Une seule gorgée et me voici replongé dans les soirées d'Athos, où j'en buvais presque

chaque soir. Un goût fort mais parfumé, aussi délicat
que celui des letchi chinois et qui, plus que tout autre,
est pour moi la quintessence aromatique de la Grèce.

Il n'y a plus d'oiseaux carnivores à Stymphale. Au
cœur des grands roseaux qui couvrent presque tout le
lac (si hauts qu'ils me dépassent largement et qu'il est
impossible de pénétrer dans cette dense roselière à demi
immergée) on entend dans le soir des pépiements loin-
tains, rien d'autre. Silence impressionnant en ce lieu, un
des plus oubliés de la Grèce où les vestiges du temple
d'Artémis sont à peine visibles sur la minuscule acropole
qui domine le lac. Pausanias y vit des plafonds ornés
d'oiseaux en plâtre ou en bois et derrière, dans le
temenos du temple, des statues représentant des Vierges
avec des serres d'oiseaux. D'ici, on peut voir sur la
mousse et sous l'eau des traces de la ville ancienne. Tout
autour, de grandes montagnes sombres et ce lac immobile et stagnant. C'est presque l'atmosphère désolée des
lochs des Highlands, reconstituée dans la chaleur lourde
des marécages. Au pied de l'acropole, une fontaine
antique encore entourée de ses murs. A côté, des tambours de marbre jonchent la mousse. Un troupeau de
chèvres pâture un peu plus loin. Deux bergers devisent
assis sur le rebord de la fontaine. Image bucolique surgie
soudain au détour de ce pays rude, comme celles que
décrit Castellan dans ses *Lettres sur la Morée* ou que les
peintres anciens ont figurées dans leurs toiles sur l'Arcadie. Auraient-ils pu jamais penser, ces peintres, que ces
bergers, ces eaux limpides, ces calmes animaux, ces
colonnes moussues qui pour eux illustraient l'Arcadie
(image intérieure d'une Grèce édénique embellie par les
miroirs trompeurs où se reflétait l'Age d'Or) existaient
ici même, en cet endroit précis, avec les mêmes ors
crépusculaires, la même mousse épaisse où s'étouffent
les pas ? Sous l'eau, des centaines de petits poissons
jouent avec le soleil. Plus loin, une chèvre bêle. Les
bergers, immobiles comme s'ils posaient eux aussi pour

un peintre invisible, ont déjà oublié ma présence. Je ne suis guère pour eux qu'un inexplicable étranger, égaré dans leur paysage familier. Paysage estompé aujourd'hui par tous ces siècles de silence au cours desquels Stymphale ne fut plus rien – et n'est toujours rien d'autre – qu'un pâturage pour les chèvres, un nom sur une carte et un refuge d'oiseaux invisibles et plaintifs.

On prétend que récemment un miracle se produisit : les gens de Stymphale célébraient sans grande conviction ni grand sérieux la fête d'Artémis Stymphalienne, en ayant escamoté plusieurs rites, quand soudain une énorme coulée de boue obstrua l'entrée du gouffre où se perd le trop-plein du lac. Les eaux s'amoncelèrent jusqu'à former une étendue de quatre cents pieds de long. Sur ce, un cerf poursuivi par un chasseur se jeta dans le lac et le chasseur le suivit à la nage. Tous deux disparurent dans le gouffre et, en un instant, toute la plaine se vida. Depuis ce jour, on célèbre la fête d'Artémis avec plus de sérieux.

Ce texte de Pausanias sur Stymphale me paraît plein de saveur et d'enseignement. Car il est l'un des rares à nous donner une image non conformiste sur la façon dont les Grecs anciens célébraient leurs cultes. C'est que pour nous – par des associations spontanées ou inculquées par l'enseignement traditionnel – on associe immanquablement le mot *rite* au mot *solennité*. Tout ce qui est *rituel* apparaît nécessairement hiératique, solennel et grave. Or les rites comme d'ailleurs les croyances tendent tôt ou tard à s'émousser, dans la Grèce ancienne comme partout. Et les cérémonies deviennent plus ou moins mécaniques, simples répétitions de gestes et de paroles qu'on accomplit sans conviction. Je dis sans conviction et non sans ferveur ou sans foi parce que c'est le terme employé par Pausanias et aussi parce que les mots ferveur ou foi n'avaient aucun sens pour les Grecs anciens dans le cas des cultes. La nature, la raison d'être des cérémonies et des rites n'étaient pas d'exprimer la foi, la dévotion, encore moins un besoin de communion à l'égard de la divinité mais d'exécuter simplement un ensemble de prescriptions rituelles (sous des formes multiples : sacrifices, échanges de biens et de sang) instaurant, perpétuant et sanctionnant des rapports explicites et codifiés entre les hommes et les dieux. Les dieux grecs avaient autant besoin des hommes que ces derniers avaient besoin des dieux. Et les rites – qu'ils soient sacrifices propitiatoire, expiatoire, purificatoire – apparaissent alors comme une sorte de contrat – dépourvu de toute effusion et de toute attitude mystique – entre deux cosignataires, détenteurs chacun d'un pouvoir ou d'un bien qu'il échange avec l'autre. But du contrat : le maintien et la bonne marche de l'univers. Ce qui explique que, comme tout contrat réglant des échanges de bien, le rite soit précis et souvent fastidieux : à telle divinité, on sacrifie telle partie de tel animal (un porc, un taureau, un bélier blanc, un cheval noir), on utilise tel bois et pas tel autre (les sacrifices à Zeus Olympien se faisaient uniquement avec du bois de peuplier) en récitant telle formule liée en général à la version locale du mythe sacrificiel ou à la nature particulière du pouvoir divin qu'on sollicite : Zeus Olympios et non Zeus Lyktaios par exemple, Zeus assembleur de nuées et non Zeus conducteur d'armée, Zeus sauveur ou Zeus des mariages. L'essentiel cependant que nous révèle ce passage de Pausanias, c'est que toutes ces prescriptions finissaient à la longue (et Pausanias dit dans son texte que le miracle se produisit *récemment* c'est-à-dire à l'époque romaine) par être exécutées machinalement, littéralement expédiées par les célébrants pour obtenir au plus vite ce qu'ils demandaient en payant le moins possible de leur personne ou de leurs biens. Phénomène qui peut paraître naturel – banal même – et en même temps plus surprenant qu'ailleurs dans une culture et une religion où les dieux finalement ne demandaient aux hommes que peu de chose – des graisses brûlées sur un autel, des prémices diverses, quelques formules connues par cœur – à l'inverse du dieu des Chrétiens qui, lui, leur demande tout, c'est-à-dire une adhésion intérieure et entière. Il faut croire que ce peu de chose était encore trop grand pour les habitants de Stymphale et qu'ils avaient d'ailleurs conscience de leur négligence puisqu'ils se sont empressés d'interpréter la mort d'un cerf noyé dans leur lac comme un message impérieux, un « rappel » d'Artémis, dont le cerf était l'animal favori.

En dehors de ces sacrifices et de ces rites – échanges de bons procédés entre gens terrestres et célestes où les uns donnent ce qu'ils peuvent, les autres ce qu'ils veulent – l'homme grec pouvait se sentir quitte envers ses dieux. Ils ne le traquaient pas jusqu'au fond de lui-même, en ses pensées secrètes, en sa vie intérieure, comme le Dieu inquisiteur de la Bible qui exige de l'homme le compte de ses désirs et de ses rêves. Seuls comptaient – pour la bonne marche de leurs prérogatives réciproques – un certain nombre d'actes, de redevances que l'homme devait fournir aux dieux. Un percepteur ne vous demande pas de croire en l'essence de la fiscalité mais seulement de payer vos impôts. Vos pensées secrètes, lorsque vous les payez, n'intéressent que vous. Toutes proportions gardées, il en était de même pour l'homme grec lorsqu'il payait aux dieux ses dîmes et redevances. Mais comme les dieux grecs régissaient l'ensemble des fonctions de la vie collective et privée – la naissance, le mariage, la fondation d'un foyer, la culture des champs, la guerre, les oracles, le travail, la mort – il fallait pour chacun de ces actes et de ces circonstances obtenir d'abord leur accord et leur aide. Leur présence et leur intervention étaient donc constantes dans la vie quotidienne et portaient les Grecs à voir en ses moindres déroulements (et surtout, bien entendu, dans leurs anomalies ou leurs insuccès) une volonté divine. Quitte *intérieurement* envers les dieux – qui lui laissent le privilège de son subconscient – l'homme grec ne l'était jamais dans les rapports extérieurs qu'il entretenait avec le monde et les autres humains. Au delà des zones propres à la psyché, le divin occupait en Grèce tout le champ laissé disponible en dehors de l'intériorité, c'est-à-dire en fait, comme le dit Pindare, tout le champ du

possible. Sous cet éclairage singulier – qui est exactement le négatif de celui des Chrétiens (où le divin occupe
tout le champ intérieur de l'homme, lui laissant la
responsabilité de l'autre, du moins depuis la Renaissance, puisqu'aujourd'hui, nul ne songe plus à voir son
intervention dans le déclenchement des guerres, les
accidents d'auto, les épidémies, les tremblements de
terre, tous domaines où le Grec ancien au contraire
aurait vu un message des dieux), sous cet éclairage, le
réel et le monde extérieur tout entier, des astres aux
fourmis, est le champ d'expression du divin, qui inter-
vient sans cesse sous les formes et à travers les êtres et
les événements les plus imprévisibles. Tout est ainsi
chargé de sens, tout est porteur d'un message qu'il
convient de savoir déchiffrer : une pluie soudaine, un vol
d'oiseaux piaillleurs, un serpent qui traverse une route,
des viandes qui refusent de brûler sur l'autel, voire un
simple éternuement au cours d'une cérémonie – ce que
traduit encore la formule populaire *à tes souhaits*
lorsqu'on éternue. Langage infini, incommensurable,
vertigineux que l'univers adresse à l'homme et qui exige,
pour être décrypté – puisque les mots deviennent ici les
choses elles-mêmes – que l'homme grec établisse – en
l'inventant lui-même – le tableau des correspondances,
la grammaire de ce langage réifiant. Je ne crois pas
qu'on ait jamais perçu (alors que nous vivons
aujourd'hui dans un univers qui nous parle autrement
ou que nous faisons parler autrement) ce que représente
à la fois d'angoissant et de vital cette nécessité de
comprendre à tout prix le langage énigmatique, toujours
voilé, toujours analogique, de cet univers qui émet, à
tout instant, des messages cruciaux pour l'homme. Car
où, comment, trouver, découvrir, – et s'assurer qu'elle
est la bonne – la clé qui permet de rendre clair ce qui est
sombre, transparent ce qui est opaque ? Je sais bien
qu'aujourd'hui, tout cela fait partie de ce qu'on nomme
sémiologie mais cela ne nous avance guère car les Grecs
anciens étaient d'excellents sémiologues bien avant nous
puisqu'ils vivaient consciemment au milieu d'un monde
de signes. Le mot lui-même – *sima* – est employé très

souvent pour désigner la parole d'un dieu, son message
à travers un événement, un être ou un objet. Cessons
donc de croire qu'on a découvert quoi que ce soit
aujourd'hui en baptisant du mot sémiologie une recherche qui est bien en-deçà du problème qui nous occupe.
Et pour cela, amusons-nous et prenons un exemple.
Supposons que nous soyons dieu (mais un dieu grec,
c'est-à-dire un homme grec très supérieur, avec un
cerveau d'ordinateur pervers et rusé mais qui, bizarrement, a besoin de graisses animales pour penser, donc
de sacrifices accomplis pour lui par les hommes) et que
nous ne disposions que de cailloux blancs et de brindilles
sèches pour transmettre un message susceptible d'être
traduit en mots. Comment nous exprimerions-nous ? On
voit bien qu'avec chaque matériau, cailloux, brindilles,
oiseaux, vent, séismes, il faudra inventer un code, une
combinaison entre eux, un rapport entre leur taille, leur
nombre et leur emplacement réciproque qui soient constants et répétables. Et attendre que les hommes le
déchiffrent. Les dieux, eux, peuvent attendre plus longtemps que les hommes. Pas un paysan qui a besoin de
pluie et qui recourt à ce moyen pour savoir ce qu'il doit
faire : semer tout de suite, attendre, sacrifier son seul
animal ? Je sais bien que je joue ici littéralement avec les
faits puisque je fais semblant d'attribuer aux dieux un
code qu'au contraire les hommes ont inventé eux-
mêmes, tout en l'attribuant à leurs dieux. Mais prenons
encore un autre exemple. Je dispose pour transmettre
un message d'une troupe de corbeaux disciplinés, obéissant à mes désirs. Comment vais-je les faire voler ? Bien
entendu, je ne peux reproduire avec des corbeaux les
mécanismes du langage humain, c'est-à-dire donner à
chaque oiseau un sens précis – comme s'il était un mot
ailé – et faire dire dans le ciel une phrase d'oiseaux. A ce
compte, les augures grecs seraient toujours en train d'en
tenter le déchiffrement, aussi difficile, sinon impossible,
que celui d'une langue inconnue écrite dans un alphabet
ou des hiéroglyphes inconnus. Jamais les Grecs, dans
leur profonde sagesse sémiologique, n'ont pensé un seul
instant que les dieux leur parlaient ainsi. Alors, comment

leur parlaient-ils ou plutôt comment les Grecs se parlaient-ils à eux-mêmes par l'intermédiaire de leurs
dieux? D'abord en réduisant le message à la nature
propre du messager : un corbeau ne peut pas dire la
même chose qu'un serpent ou des feuilles de chêne.
Mais cette limitation simplifie et en même temps com-
plexifie l'interprétation du message. D'un côté, elle éli-
mine des impossibilités à la fois matérielles et sémantiques (tout ce qui n'est pas corbeau dans l'univers) mais
d'un autre, en réduisant le message à un ensemble de
signes simples et déchiffrables, elle le rend grossier,
rudimentaire par rapport au langage humain dans lequel
il doit être transcrit. Il y a perte de sens, c'est-à-dire
ambiguïté. Le message, en disant moins, dit en même
temps trop peu. Il perd en clarté, donc en utilité, ce qu'il
gagne en simplicité. Entre ces deux frontières quasi
indiscernables, toute la pensée grecque analogique a, si
l'on peut dire, tourné en rond comme ces escouades
d'oiseaux qui survolaient les temples et transmettaient
ces messages embrouillés. Là est le drame évident de ce
déchiffrement qui n'était pas, je le répète, amusement de
sémiologues en chambre, mais nécessité quotidienne de
savoir ce qu'il fallait faire, ne pas faire, en telle ou telle
circonstance. Tout instrument de message n'utilisant pas
le langage parlé ou écrit – une tortue, une hirondelle, un
serpent – n'émet qu'un message limité. Limitation qui se
retrouvera d'ailleurs – tant elle semble consubstantielle à
l'histoire des messages divins – dans le langage lui-même
des oracles dont l'ambiguïté, le caractère *oblique*
comme disaient les Grecs, le sens *réfracté* par l'épaisseur
de la tradition, perpétuaient ce long, ce millénaire dialogue entre des dieux détenteurs du savoir intégral et des
hommes qui ne pouvaient qu'en arracher les miettes.

Langage donc à plusieurs niveaux puisque l'oiseau
parle un langage inspiré par les dieux, c'est-à-dire un
langage humain que les hommes prêtent aux dieux, et
qui suppose un tronc commun de significations, de
codes établis postulés entre l'homme et ses dieux. Pour
le langage des oiseaux, par exemple, ce tronc commun
comportait les notions de gauche et de droite (voler à

gauche par rapport à un repère précis, c'est mauvais signe, voler à droite, c'est bon signe), d'arbres favorables, d'arbres défavorables (se poser sur un chêne ou un olivier veut dire oui, sur un cyprès, un peuplier veut dire non à la question), ce qui implique que les dieux ont la même « gauche », la même « droite » que les hommes, les mêmes « chênes » ou les mêmes « cyprès ». Les dieux sont censés tenir la droite pour bénéfique (pour eux-mêmes puis pour les hommes qui ont su déchiffrer leur pensée et pour eux-mêmes à nouveau puisqu'ils pourront bénéficier des sacrifices) mais comme tout cela n'est que code et grammaire des hommes, on se trouve en face de niveaux sémantiques successifs qui, du ciel à la terre puis de la terre au ciel, cascadent littéralement de domaine en domaine, de code en code, de rituel en rituel.

Pour achever ces réflexions, je donnerai un exemple de cette lecture analogique de l'univers, tiré de Pausanias. Il cite un épisode significatif survenu à Argos à propos de l'élection d'un roi. Argos alors, n'avait plus de candidat dynastique à la succession du roi défunt et il fallait en choisir un, dans la ville ou ailleurs. Deux candidats se présentèrent : Danaos, un étranger qui venait d'arriver de Libye, et un autochtone, Gélanor. Tous deux invoquèrent des arguments également convaincants pour régner, si bien que l'Assemblée des anciens ne put se décider et remit son choix au lendemain. Entre-temps, le lendemain matin, un loup apparut aux portes de la ville et dévora un taureau qui paissait dans le champ. Aujourd'hui, nul ne verrait là de rapport signifiant avec le choix d'un roi ou d'un président de la République. Mais les Grecs en jugeaient autrement car voici ce qu'en dit Pausanias :

Les Argiens établirent immédiatement un rapprochement entre cet incident et les événements de la veille. Danaos qui n'était pas argien et qui venait de l'extérieur n'était-il pas comparable au loup qui vit loin de tout être humain ? Comme le loup avait tué le taureau, on en conclut que le pouvoir revenait de droit à Danaos. Celui-ci se dit alors qu'Apollon en personne

avait dû pousser ce loup contre le taureau et c'est
pourquoi son premier soin, une fois sur le trône, fut
d'élever un sanctuaire sous le nom d'Apollon-au-loup.

Ici, Pausanias nous fournit d'emblée la clé du déchiffrement. Danaos est exogène, il vient d'un pays lointain. Gélanor, lui, comme le taureau, est autochtone, il est né à Argos. Cette opposition étranger/autochtone se retrouve dans le monde animal entre loup/taureau, animal sauvage/animal domestique. Le loup étant vainqueur, l'étranger l'emporte sur l'autochtone. Mais ceci n'a de sens que parce que le loup est l'animal favori d'Apollon. Le dieu-loup l'emporte sur le dieu-taureau ou plutôt la déesse-taureau, Héra (non nommée dans ce passage de Pausanias mais dont il parle par la suite). Il y a là un double mécanisme qui, dans les faits, se ramène pour les Argiens à choisir eux-mêmes leur roi – en se servant en l'occurrence d'un message divin par le biais de deux animaux attributs de deux divinités. Leur propre choix s'exprime donc par le biais d'un double détour et d'une double association : Danaos/loup, loup/Apollon. Ces équations ne peuvent évidemment s'étendre à l'infini mais on pourrait déceler encore d'autres associations, d'autres oppositions dans l'anecdote de Pausanias. L'essentiel est ici cette sensibilité des Grecs à la présence instante et constante des dieux dans leur vie quotidienne, même et surtout pour les décisions importantes de leur vie collective. L'étrange, en définitive, est que cette intrusion constante de l'irrationnel (mais qui ne l'est, en fait, qu'apparemment) dans le temps et l'Histoire ait toujours su se concilier avec le besoin et la nécessité du rationnel. En chaque Grec, ces deux mondes n'ont cessé de coexister sans que jamais il se sente ni déchiré ni écrasé par l'un des deux puisque, derrière l'arbitraire et l'énigme du monde, il inventa toujours les signes qui leur donnèrent un sens.

on voit ce qu'on veut voir

X. LES CYPRÈS D'ANTIGONE

A-t-on jamais véritablement réfléchi à ce fait simple, immédiat, je dirais presque, brutal : la langue grecque moderne, parlée chaque jour en Grèce aujourd'hui, cette langue est vieille de plus de trois mille ans ? Les Français qui s'imaginent toujours être les détenteurs charismatiques de la culture n'ont des autres langues – et surtout des langues orientales – que des connaissances très partielles et souvent même quasi nulles. Le grec n'échappe pas à cette constatation. L'étonnement de tant d'amis français devant cette permanence du grec de l'Antiquité à nos jours vient peut-être de ce qu'inconsciemment ils se réfèrent à leur propre langue, récente à côté du grec et, qui plus est, bâtarde puisqu'elle provient de la rencontre entre plusieurs sources linguistiques : gauloise et latine d'abord, francique et romane ensuite. Rien de tel ne s'est jamais produit avec le grec. Stavros, ce vigneron de Némée avec lequel je m'entretins un matin de septembre, parlait une langue plus vieille – et en un sens mieux conservée – que le temple écroulé de Zeus qu'on apercevait de sa treille. Il parlait en fait le même grec usité dès les temps mycéniens, comme l'ont montré les tablettes retrouvées à Pylos. Par même grec, j'entends qu'il parlait une langue qui était déjà du grec quinze siècles avant Jésus-Christ (ce qui n'est pas le cas du français) et qui a simplement et naturellement évolué, comme toute langue, pour aboutir au grec d'aujourd'hui. Pour ne pas embrouiller les choses, je reparlerai par la suite des problèmes particuliers que pose *de nos jours* la question de la langue en Grèce. Pour l'instant, je donnerai une preuve à mon sens convaincante de cette permanence, de cette continuité millénaire du grec, en l'occurrence le cas de Chypre.

La première fois que je me suis intéressé à Chypre, ce fut en 1956 pour des raisons avant tout politiques. L'île menait un combat difficile, courageux contre les occupants anglais et réclamait son indépendance. J'écrivis alors un article dans la revue *Esprit* qui exposait dans ses détails la question chypriote et prenait ouvertement parti pour les Chypriotes révoltés (1). Or Chypre est une île grecque, j'entends une île de langue et de culture grecques depuis les temps les plus anciens. Ces temps, on peut les définir exactement car les fouilles ont révélé à ce sujet des documents saisissants et difficiles à contester. Ce qu'il en ressort, c'est qu'on parlait une langue apparentée au grec dès l'époque créto-mycénienne, c'est-à-dire dix-huit siècles avant Jésus-Christ et qu'on parla une langue totalement grecque, six siècles plus tard environ, avec l'arrivée des Achéens. A partir de cette date et jusqu'à aujourd'hui, la langue et la culture de Chypre – compte tenu de caractères locaux et dialectaux – ne cesseront plus d'être celles de la Grèce. Ce qui me paraît remarquable à travers les faits exposés, c'est que Chypre présente le cas unique d'un territoire et d'une culture hellénophones – alors que par ailleurs l'île ne fut jamais grecque ni rattachée de façon quelconque à la Grèce. Ajoutons même que loin d'être rattachée à la Grèce, elle n'a cessé au contraire pendant près de trente siècles (à l'exception de deux périodes de relative indépendance, au début des temps byzantins) d'être occupée, dominée, rançonnée par une suite sans fin de conquérants, dont beaucoup s'y installèrent durablement : Assyriens, Egyptiens, Perso-Phéniciens, Ptolé-

---

(1) Numéro de janvier 1956. *Chypre, dernière colonie en Europe.* Titre dont je m'aperçus par la suite qu'il résumait à lui seul le problème. Fallait-il dire : dernière colonie en Europe ou en Asie ? L'île appartient géographiquement à l'Asie mais culturellement à l'Europe.

méens, Romains avant l'ère chrétienne, puis ensuite à
partir des Croisades : Francs, Vénitiens, Sarrasins, Ara-
bes, Turcs (pendant plusieurs siècles) et pour finir
Anglais (qui achetèrent l'île aux Turcs en 1878). Chypre
ne sera enfin libre et indépendante que tout récemment,
à la suite des accords de Zurich, en 1959. Ainsi, trente-
deux siècles de tourments, de razzias, d'occupations, de
dominations, d'importations de langues, de cultures et
de religions étrangères n'ont pu venir à bout de la
culture et de la langue propres à Chypre. Pour ma part,
je trouve cela tout simplement extraordinaire, même si
cette continuité ébranle ou infirme certaines théories
linguistiques. Rien de plus saisissant, émouvant et révélateur – comme l'a si bien exprimé Séféris dans un
poème consacré à Chypre et intitulé *Engomi* – que de
retrouver dans le sol, sur une terre soumise à tant de
pressions et d'oppressions de l'étranger, des marbres,
des pierres, des tombes vieilles de vingt siècles et portant
des mots grecs, dont certains encore compréhensibles de
nos jours. Que faut-il d'autre pour faire comprendre que
le grec n'est pas à Chypre une langue réimportée ou
réapprise mais la langue séculaire, toujours vivante de
l'île ?

Ce phénomène, on le retrouve exactement en Grèce. Il
y apparaît moins spectaculaire qu'à Chypre – car il
semble après tout normal de voir parler le grec en Grèce
– mais néanmoins très remarquable si l'on songe que
d'Homère à Séféris, il s'agit d'une même langue, au sens
héraclitéen du terme, c'est-à-dire identique en ses changements successifs. Grec ancien d'abord, puis grec
alexandrin, grec du temps des Evangiles – ce qu'on
appelle la langue commune de tout le Proche-Orient, la
koinè – grec byzantin, grec démotique de nos jours. Le
français et le roman, l'italien et le latin sont des langues
distinctes. Le grec ancien, le grec byzantin, le grec
moderne, non. Comme l'écrit justement Séféris, « la
Grèce actuelle est le pays où se déroule comme une
action vivante et non point comme une succession morte
le destin ininterrompu qu'on a l'habitude d'appeler
communément tradition grecque ». Et il ajoute : « Le

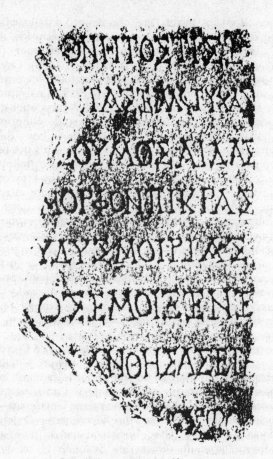

Inscription grecque à Chypre.

temps est passé où les « classicistes » pouvaient ignorer vingt siècles entiers d'histoire de la langue et des lettres grecques. Quand l'association Guillaume Budé décida d'éditer à côté des textes classiques marqués par la chouette athénienne, les textes marqués par l'aigle byzantin et ceux marqués par le saint Georges de la

Grèce moderne, elle signalait ainsi qu'une nouvelle ère venait de s'ouvrir dans l'étude des humanités ». Car il va de soi qu'il ne saurait exister de continuité d'une langue sans continuité concomitante de la culture dont elle est l'expression. Ainsi, pour tous les écrivains grecs d'aujourd'hui comme pour les historiens, la question de savoir quels rapports la Grèce d'aujourd'hui entretient avec la Grèce antique est une question absurde. Il n'y a qu'une seule Grèce puisqu'il n'y a qu'une seule langue, une Grèce identique en tous ses changements successifs. Car, de toute évidence, continue Séféris, « l'âme d'un peuple ne se divise pas. Elle vit ou elle meurt (1) ».

De cette permanence, de ce maintien obstiné de la langue, je donnerai un exemple, surgi au cours d'un de mes voyages vers le nord de la Grèce, en Béotie et en Phocide. Je me trouvais à Porto Yerméno, près d'Aegosthène, au pied du Cithéron, sur une petite plage à l'écart du village. Près de moi, deux gosses de pêcheurs, de huit à dix ans tout au plus, jouaient avec un *cavouraki*, un petit crabe qu'ils venaient d'attraper. Ils devaient sans doute le martyriser, comme font tous les gosses de cet âge, car ils le regardaient se débattre dans une flaque d'eau de mer restée dans un creux de rocher. Puis il y eut un moment de silence, au bout duquel l'un des gosses, parti se tremper dans l'eau, demanda à l'autre, resté près de la flaque : « Qu'est-ce qu'il fait ? » en parlant du crabe. Et l'autre lui répondit : « *Charopalévi* » littéralement : il lutte contre Charon, c'est-à-dire il agonise. Miracle de ce mot, fort, riche, chargé de toute une histoire oubliée et prononcé simplement, naturellement, par deux enfants en train de jouer. Le terme ne figure pas en grec ancien mais il est formé de deux mots existant dès l'Antiquité : Charon, nom du nocher qui, sur les rives de l'Achéron, passait les morts dans les Enfers et *palévo* – lutter, combattre – qui vient directement du grec ancien *palaio*. Le terme lui-même – en son

---

(1) Conférence inédite faite par Georges Séféris en Egypte en février 1944 sous le titre *Deux aspects du commerce spirituel de la France et de la Grèce*.

association – doit appartenir à la langue akritique et plus particulièrement au cycle des chants de Digénis, qui remonte au IXe siècle après Jésus-Christ. Le combat de Digénis contre Charon/Charos (qui sous ce dernier terme désigne plutôt la Mort personnalisée que le nocher funèbre) y était l'un des épisodes les plus célèbres et les plus populaires de cette épopée médiévale. Ainsi, le terme a de toute façon douze à treize siècles d'existence. En l'utilisant, ces deux enfants n'avaient évidemment nulle conscience de la longue histoire de ce mot ni du sens de ses composantes. On ne pense plus particulièrement en Grèce au personnage de Charon quand on dit de quelqu'un qu'il agonise, qu'il *charopalévi*, pas plus qu'on ne se soucie en français si l'interlocuteur porte ou non un pourpoint quand on lui pose une question à *brûle-pourpoint*(1). Il se trouve pourtant – innocence ou ignorance de ma part – que j'ai saisi brusquement ce matin-là sur cette plage, ce qu'est véritablement une langue, en tant que véhicule d'une histoire, d'une culture et d'une tradition. C'est la force inconsciente des mots – ce décollement entre leur origine et leur usage permettant de s'en servir sans aucun besoin d'en connaître les composantes – qui leur assure cette pérennité remarquable. Ces enfants font vivre le grec alors que les lettrés, qui veulent instiller dans la langue la conscience simultanée du sens et de l'histoire – par la langue dite pure, dont je reparlerai – en forgeant des mots savants, ne font que l'affaiblir ou même la rendre impraticable. Etrange mémoire que celle des lèvres qui peuvent prononcer, proférer, transmettre spontanément ces syllabes et cette histoire révélatrice ! Phénomène analogue à celui que j'ai appelé la mémoire des mains dans un ouvrage écrit il y a six ans, à la suite d'un voyage en U.R.S.S. et au musée d'art populaire de Zagorsk. Mémoire des mains : pérennité de gestes répétés, traditionnels, main-

---

(1) Sans insister, par ailleurs, sur ce fait troublant : employer *charopalévi* à propos d'un animal hausse inconsciemment ce dernier sur le plan humain puisqu'il lutte comme l'homme contre une Mort anthropomorphe.

tenant par l'exercice du tissage et de la broderie des motifs remontant à l'époque des Scythes : griffons affrontés, femme ou déesse entre deux cavaliers, oiseaux fabuleux, fleurs semblables à celles trouvées dans les tumuli de l'Altaï. Je suis persuadé qu'on se trouve ici en présence non d'une transmission savante, inculquée par des maîtres, mais d'une reproduction, d'une répétition de gestes manuels, rendues possibles par le caractère simple et répétitif de la technique utilisée (qui permet d'ailleurs aux femmes de tisser et de broder tout en parlant, sans porter au travail une attention particulière) et par ce besoin de modèles, de recours à des motifs et des thèmes maintes fois éprouvés, ce refus spontané et inconscient du changement qui caractérise l'art populaire traditionnel. Aujourd'hui, où cet art justement est en voie de disparition ou a même totalement disparu, on cherche à retrouver ces motifs et ces inspirations d'une façon consciente et savante. Mais jamais, dans l'histoire d'une langue, on ne peut espérer le faire à propos des mots. Et la Grèce en est un exemple frappant quand on pense aux efforts inutiles des lettrés et des grammairiens pour créer au lendemain de l'Indépendance, une langue grecque nationale. Jamais cette langue pure, dite *katharévousa*, n'a pu avoir d'usage populaire comme s'il y avait incompatibilité entre les mots proposés, la grammaire réinventée et la bouche, les lèvres de ceux qui depuis des siècles parlaient une autre langue, vivante celle-là, le grec démotique. A ce stade de l'histoire ou de la survie d'une langue, c'est la mémoire des lèvres qui seule assure la transmission des mots, non les lexiques ni les syntaxes fabriqués par des linguistes d'opérette. C'est bien pourquoi il n'y a eu et ne saurait y avoir en Grèce d'autre langue que cette langue populaire, dite *dimotiki*, qui seule a transmis, sans linguiste ni grammaire ni même école d'aucune sorte, un mot pourtant littéraire comme *charopalévi* au cours de plus de douze siècles. Contre tous les académiciens prétentieux et pompeux dont la Grèce regorge, les professeurs imbus de grec ancien – mais d'un grec ancien mort alors qu'il existe un usage vivant du grec ancien – contre les tenants des langues dites pures, c'est-à-dire faites de conventions mortes, ces deux enfants grecs, jouant avec un crabe, apportaient sans le savoir le défi du temps, la force interne d'une culture qui, comme le fleuve d'Héraclite, est la même dans le changement.

Juste au-dessus de Porto Yerméno, on peut voir encore les vestiges de la forteresse d'Aegosthène. Murs écroulés, murailles et tours d'angle en partie effondrées, repaire d'insectes stridents, de scorpions, de serpents. Tout en me promenant, dans la chaleur de midi, entre ces ruines envahies par la végétation, sur cette acropole antique que les Turcs par la suite transformèrent en poste de guet, en casemates écroulées elles aussi (une seule pièce est encore intacte et une famille grecque s'y est installée pour l'automne pendant la saison des olives), je me dis qu'on ne saurait imaginer de contraste plus grand ni plus révélateur que celui des mots pérennes d'une langue – par ce verbe entendu tout à l'heure – et celui des murailles effondrées, plus récentes encore que les mots en question mais qui, elles, ne transmettent plus rien. Ce qui donne aux choses, aux bâtiments par exemple, un sens et un message, c'est leur ordonnance sensible, leur ensemble encore perceptible, et la destination qu'on leur a conférée. Une pierre seule, réduite à elle-même (même si c'est une colonne ciselée, un marbre travaillé comme on en voit encore ici, un peu plus bas, sur l'emplacement d'un ancien temple démantelé) n'a plus ni message ni sens, ni même présence déchiffrable. Alors qu'un mot, un seul mot, peut encore porter en ses syllabes le contenu d'une culture, le positif ou le négatif (si son sens a changé) d'une sensibilité ou d'un regard précis, comme ces cellules – germinatives ou non – de notre corps dont chacune est en réduction notre corps tout entier. Je ne lis plus rien sur ces pierres – si ce n'est justement qu'elles sont les indéchiffrables débris d'une phrase de murs, de tours, de forteresse amputée, émiettée au point de n'être rien – abandonnées et trahies par un sens et une fonction disparus. Mais qu'un seul mot figure sur l'une d'elles, une inscription, un nom, un signe même obscur, et voici que ce sens retrouve son port et son support premiers, comme si une force sémantique – devrait-on dire magnétique? – retenait là l'histoire, la culture, la vie d'autrefois, encloses en des jambages, des creux, des angles scripturaires. Quelle matrice – et aussi quelle prison – du sens que la mémoire des lèvres et la mémoire des pierres! Supports de l'oral, de l'écrit, support du prononcé, de l'inscrit, ce miracle, aujourd'hui perçu pour la première fois, d'un mot sur des lèvres et de pierres vidées de leur sens, carcasses vides, comme celles de ces mues de cigales abandonnées sur l'écorce des arbres. Il n'y a rien à rechercher ici, dans ces choses pourtant colossales et présentes, ces pierres et ces fûts de colonnes dispersés à travers les oliviers, les tamaris, comme les cubes d'un vieux – et incompréhensible – jeu de patience. Mais il y a peut-être tout à chercher sur les lèvres de ceux qui, plus bas, sur la plage, dans les cafés, les maisons de Porto Yerméno – et de tous les Porto Yerméno de la Grèce – sont les messagers, les porteurs inconscients du vivant. Je mesure combien est vaine – malgré tout l'apport de l'histoire et des sciences modernes – la quête de ceux qui visitent les ruines, qui veulent entendre leur message, qui viennent chercher en Grèce une image que les pierres seules ne peuvent justement restituer. La Grèce d'autrefois, morte en ses temples et ses pierres, vit toujours sur les lèvres des enfants grecs. Mais qui ira la chercher là?

Juste à côté de la forteresse effondrée, une chapelle de Saint-Georges offre un peu d'ombre contre la chaleur de midi. J'y entre, je m'assieds contre l'un des murs. Odeur de cierge, d'encens froid, de cire éteinte. L'iconostase, sommairement décorée de peintures populaires : Vierge à l'Enfant, Christ, saint Georges et son dragon, est couverte d'icônes, pour la plupart récentes. Au bas de l'une d'elles, représentant sainte Hélène et saint Constantin, une main pieuse a déposé un bouquet de fleurs des champs, aujourd'hui séchées. J'aime ces chapelles

blanches qui parsèment la Grèce, en toutes ses montagnes et en toutes ses îles et dont chacune possède une
longue histoire. Elles semblent toujours délaissées mais
en réalité on sent que de temps à autre, un paysan, une
paysanne viennent y prier ou y déposer une offrande. Le
balai et le seau dans un coin, la veilleuse éteinte mais
encore pleine d'huile et, derrière l'iconostase, le coffre
en bois rempli d'objets de culte, montrent qu'on vient ici
de temps en temps. Et toujours, quelque part, les MOTS.
En regardant une de ces petites icônes populaires représentant la Vierge et l'Enfant, je vois écrit, par la main de
l'artiste, selon le mode byzantin : *Glykophilousa* – (la
Vierge) au Doux Baiser. Là encore, c'est la magie des
siècles répétés. Les lèvres paysannes, sûrement illettrées,
qui connaissent ces mots et les prononcent aux offices,
portent la mémoire des mots d'il y a trois mille ans.
Glyko : doux et *Philo* : j'embrasse. Accolés entre eux par
la foi byzantine. Et je m'amuse, pour le seul plaisir de
sentir mes lèvres imprégnées de ces phonèmes susur-
rants, je m'amuse, dans l'ombre bourdonnante, à répéter sans cesse : *g l y k o p h i l o u s a* au point de sentir
le vertige me prendre.

Pendant toute l'époque où j'y ai séjourné – c'est-à-dire
pendant les vingt années de l'après-guerre – la Grèce a
vécu, matériellement et techniquement parlant, sur les
rebuts et les surplus mécaniques de l'Amérique et de
l'Europe. Taxis Ford hauts sur roues, autobus bringue-
balant aux ressorts exsangues, camions dont chaque
tour de roue est un constant miracle, cargos rachetés à
la casse au prix de la ferraille. Voyager en Grèce pendant
ces dernières années était une petite aventure et aussi un
retour à des images et des impressions d'avant-guerre.
Tous ceux qui ont traversé la Grèce et le Proche-Orient
par ces moyens locaux savent qu'il existe aussi des
méridiens et des frontières pour les moteurs et pour les
mécaniques. Je veux dire que la façon d'utiliser, de
manœuvrer, de réparer automobiles, autocars et

camions est foncièrement différente à partir d'un certain degré de longitude. Bien sûr, vis, écrous, soupapes sont les mêmes mais on dirait qu'une fois passés entre les mains d'un Grec, d'un Turc, d'un habitant des hauts-plateaux ou des déserts, les moteurs fonctionnent selon d'autres principes, les carrosseries ignorent la limite d'âge, les véhicules deviennent brusquement investis d'une sorte d'immortalité. L'absence presque totale de normes de sécurité, l'esprit de jeu, de défi qui préside à l'utilisation du matériel – comme si autos, camions et bus étaient de simples jouets pour enfants aux mains graisseuses – expliquent sans doute cet emploi des autobus et autocars notamment (mais aussi des bateaux) au-delà de toute limite concevable. Il se trouve que ces conditions de voyage – où l'étonnement se mêle d'appréhension, parfois même de franche terreur – laissent évidemment des souvenirs marquants. Pour les sociologues qui ont toujours souci de savoir comment se forment, se nouent, se cimentent les contacts humains, rien n'eût valu un bon voyage de quelques heures dans l'un de ces autocars des lignes intérieures à travers l'Epire ou le Péloponnèse. Vendus ou donnés à la Grèce au titre de quelque plan Marshall ou de quelque loi prêt-bail, ces autobus (de marque Ford le plus souvent mais aussi Pontiac et Oldsmobile) avaient une caisse énorme avec des sièges en moleskine, un moteur à l'avant, de taille plutôt petite et deux gros phares. Peints d'un vert agressif, ils ressemblaient à des coléoptères monstrueux. Ils en avaient d'ailleurs la marche saccadée, les arrêts, les départs imprévus et intempestifs. Sur la route, dont l'itinéraire était en général régulier mais qui obéissait parfois à des détours mystérieux, les relais se succédaient de village en village, de café en café, ces véhicules servant à la fois d'omnibus et de messagerie. On pouvait ainsi, en parcourant toute une ligne, visiter une province avec le sentiment d'en pénétrer la vie secrète.

L'autobus desservant les lignes du Péloponnèse (qui partait, si j'ai bonne mémoire, de la place Aghiou Constantinou, derrière Omonia) apportait déjà, en plein cœur d'Athènes, une image en réduction des villages où il se rendait. Dès qu'on pénétrait dans le monstre vert, qu'on s'asseyait sur le siège numéroté correspondant au billet, on entrait dans un monde à part : à l'avant, au-dessus du chauffeur, brûle une petite veilleuse éclairant une icône de saint Christophore, patron des voyageurs. Ici, une paysanne voilée de noir égrène un combologue, là une autre porte déjà à sa bouche le sac en papier destiné aux estomacs fragiles (la plupart des Grecs des campagnes tombant malades dès qu'ils montent dans un autocar ou sur un bateau), un pope plus loin se signe frénétiquement. Non, nous n'allons pas vraiment d'Athènes à Némée, à Patras ou à Tripoli. Nous appareillons pour quelque pays inconnu, lointain et dangereux qui exige prières, veilleuse, chapelets, moyens anti-nausée, icônes anti-désastre. Du monde céleste jusqu'à la terre, de saint Christophore jusqu'au gamin préposé aux détails du voyage, tout un monde se met en place pour ordonner, surveiller, protéger cette expédition.

Blotti dans le ventre du monstre (avec la vague tentation de me signer moi aussi au moment du départ pour ne pas apparaître comme le mauvais œil, la forte tête qui va tout compromettre) j'inventorie les compagnons de mon voyage, les bruits et les odeurs de cet *Argo* sur roues qui peut-être un jour nous mènera vers quelque Toison d'or. Les odeurs – surtout l'été – sont celles du métal surchauffé, resté en plein soleil, de la sueur humaine et de l'essence. Les bruits : avant tout, les piaillements des volailles sans lesquelles aucun paysan grec ne voyage et qu'on a entassées derrière les sièges arrière ou dans l'allée centrale. Pendant tout le voyage, elles glousseront, caquèteront, crétèleront, coqueriqueront, glouglouteront. Sur le toit, on a amoncelé selon des lois spécifiques et tout à fait irrationnelles ces gros paniers d'osier recouverts d'une toile cousue sur tous les bords, ces matelas, cages, malles, couffins qui accompagnent tous les déplacements. A droite du chauffeur, aux pieds du gamin qui est tout à la fois son aide, son souffre-douleur et son intermédiaire auprès des voya-

geurs, sont disposés les paquets fragiles et les colis qu'on
se contente de jeter au passage sans même s'arrêter à un
homme qui attend là et les attrape au vol. Ainsi s'effectue, à vitesse tour à tour réduite et folle, le tortueux
périple, entrecoupé de haltes près de cafés à treille où
grillent des brochettes et où s'embuent des limonades.
D'incidents, d'accidents, je n'en ai jamais vu ni connu au
cours de ces années. Au terme de tous ces voyages (dans
le Péloponnèse, en Béotie, en Thessalie, en Chalcidique),
malgré l'appréhension, la peur qui soudent un court
instant au corps à corps les passagers muets d'effroi dans
les descentes en lacets notamment (les chauffeurs grecs
ignorant absolument l'usage du frein-moteur), je suis
toujours arrivé sain et sauf avec, en prime, soulagement
et euphorie. Peu d'autocars en Grèce tombent dans les
ravins, de même que peu de bateaux coulent, malgré
l'inconscience ou la négligence qui, autrefois du moins,
présidaient à leur manœuvre et à leur entretien. Il faut
avoir voyagé ainsi en Grèce, longtemps, souvent – au
début par nécessité, plus tard pour le plaisir sadique de
se dire : eh bien, je suis tout de même arrivé sain et sauf !
– pour comprendre l'importance des deux saints qui
président aux voyages : saint Christophore pour les
terriens, saint Nicolas pour les marins. D'autant que le
voyage ne s'effectue jamais en Grèce incognito. Chacun
se voit accompagné sur le quai d'une moitié de sa famille
– en larmes ou en cris – et reçu par l'autre moitié au
terme du voyage. La moitié sédentaire de la Grèce
attend, espère, guette et embrasse sa moitié voyageuse,
ses intrépides Argonautes.

Le plus frappant, pourtant, au cours de ces voyages,
est moins cette atmosphère de folie apparente, de pré-
lude à l'apocalypse marquant chaque départ que le
stoïcisme, le dévouement, l'abnégation, le savoir-faire du
gamin, du *micro*, du *pitsiriko* installé à la droite du
chauffeur, véritable ange gardien des voyageurs. Car en
fait, il est l'âme, l'esprit, le génie du voyage en personne,
ce gamin de huit ou dix ans qui pointe les billets, installe
les passagers, entasse sur le toit les bagages, verse l'eau

dans le radiateur, s'occupe de l'essence, monte, descend sans cesse, livre les paquets au passage, rattrape le bus en courant, ouvre et ferme les portes, annonce les arrêts, va chercher brochettes et limonades pour le pope ventru qui ne veut pas quitter son siège, aide les *giagias* à vomir entre deux : *Panaghia mou! Panaghia mou! Pote tha ftasoume?* – Sainte Vierge! Sainte Vierge! Quand arrive-rons-nous?, répare et au besoin change les roues en cas de crevaison et reçoit à l'arrivée, quoi qu'il arrive ou qu'il ait fait, une ou deux gifles si quelque chose ne va pas et même si tout va bien. Et tout cela dans les cahots, les cris des volailles qui, elles, ignorent tout de saint Christophore, les murmures entrecoupés de soupirs ou de signes de croix. Je pense surtout en écrivant cela aux autocars de Chalcidique que j'ai pris à chaque retour d'Athos et qui s'arrêtaient de village en village, entassant hommes et animaux aux limites de l'étouffement et empruntant les lits à sec des torrents, bien meilleurs que la route régulière. Tout cela crée, entre les passagers de ces expéditions, cette singulière entité, cette éphémère mais très consciente communauté, unies pour le meil-leur et pour le pire, qu'étaient en ces années les voya-geurs au flanc des monstres verts.

Thèbes. Début octobre. Une pluie fine tombe depuis ce matin sur la ville. Je suis dans un des grands cafés qui jalonnent la rue Pindare. J'attends. Je ne sais pas exac-tement ce que j'attends. Que la pluie cesse, sans aucun doute. Demain, je veux aller jusqu'au Cithéron, gravir la montagne, retrouver les lieux supposés de l'enfance d'Œdipe. Mais j'attends aussi quelque chose d'autre, comme si l'ennui de cette journée pluvieuse à Thèbes, le désœuvrement communicatif de ces hommes dont l'uni-que passion est le *tavli*, un jeu proche du jaquet de notre enfance, portaient l'esprit à rêver d'un ailleurs. Pourtant, on ne saurait se mêler véritablement à la Grèce, se confondre avec la vie grecque sans apprendre à rester des heures dans un café, à parler, siroter un café *métrio*,

glyko ou *vari glyko* – moyennement sucré, sucré ou très
sucré – lire cent fois les *Nouvelles Thébaines* ou l'*Echo
de Béotie*, bavarder avec le garçon, se faire cirer des
chaussures à peine poussiéreuses (il est vrai que Thèbes
est une ville emplie de poussière, apportée par les vents
du nord jusqu'ici, une poussière jaune, ocre ou rouge
selon les jours), bref recommencer demain la même
chose qu'hier, qu'avant-hier ou qu'après-demain. Ces
cafés emplis d'hommes où l'on ne voit jamais aucune
femme – sinon des étrangères, des touristes – ne sont
nullement propres à la Grèce. Je les ai retrouvés partout
dans le Proche-Orient, à Izmir, à Beyrouth ou à Alexandrie. Mais ici, ils jouent un rôle pour moi plus sensible
qu'ailleurs, un rôle difficile à cerner et dont la nature
profonde m'a toujours échappé. Exutoire du désœuvrement où l'on oublie la pauvreté et le chômage ? Mais ces
cafés sont aussi et surtout fréquentés par des retraités,
par des bourgeois aisés. Passion de passer son temps à
tout faire en ne faisant rien, puisque bien des choses se
nouent et se dénouent, se font et se défont en ces salles
vétustes, aux grandes glaces et aux tables de marbre ? Ce
monde-là également est bien un monde à part, sédentaire mais aussi clos que celui des monstres verts sillon-
nant les routes poussièreuses, le lieu des immobiles
voyages. La seule chose qu'en fin de compte on y fait
peu ou pas du tout, c'est de boire... Il y a tout un art de
vider en deux heures, goutte à goutte, un minuscule
verre de ouzo, de faire durer son café de midi jusqu'au
crépuscule, de siroter son eau, petite gorgée par petite
gorgée, comme si le temps s'instillait ainsi en chacun à la
façon des grains d'un sablier. Ici, sur toutes les têtes ou
presque, règne en maître le chapeau de paille. Il ne fait
qu'un avec le crâne et le visage, couvre-chef viscéral
aussi nécessaire au porteur – dans l'exercice du désœuvrement professionnel – que le casque à crinière à
l'hoplite, la couronne au basileus byzantin, le bonnet
noir au moine, le képi au gendarme. Signe, instrument,
symbole d'une activité ralentie, d'une fonction indécise
et pourtant nécessaire, puisqu'elle consiste à donner vie
au vide de la vie. Elle occupe tout le champ laissé libre

par la retraite, le chômage, l'absence de travail et l'éloignement (volontaire) du foyer. Symbole – je dirais même allégorie – non du soleil dont il est censé protéger, mais au contraire de l'ombre où seul il prend un sens, où il s'affirme comme attribut visible – en raison même de son inutilité. Il est l'enseigne du bourgeois et du petit-bourgeois citadin, le rappel d'une atmosphère, d'une époque, d'une classe sociale qui évoquent pêle-mêle les poèmes de Cavafy, les temps vénizéliens de l'avant-guerre, l'influence maligne d'un Occident à la fois maudit et désiré, et les fastes défunts d'une bourgeoisie citadine à la recherche du temps perdu dans les cafés.

Plus tard, dans l'après-guerre, le temps et la mode viendront des tavernes, de l'encanaillement de l'intelligentsia, de la bourgeoisie athénienne à travers les *rébétika* et les *zébékika*. Mais aujourd'hui, à Thèbes, en cet après-midi pluvieux, je vois vivre, survivre, en ce café où la vie s'écoule uniforme au rythme lent des verres d'eau – clepsydres de l'ennui – les fantômes d'une Grèce qui nous jette étrangement au visage les images oubliées de l'enfance. Il n'est pas jusqu'à ces chaussures incroyables – comme en portait encore mon père en sa jeunesse – au cuir aéré, teintes de couleurs agressives, qui ne rappellent l'Europe d'avant-guerre. Elles sont aux pieds grecs ce que sont les chapeaux de paille aux têtes grecques : le signe et le symbole de l'aisance oisive, du désœuvrement distingué. De même que le chapeau de paille affronte l'ombre des cafés plutôt que le grand soleil des rues et des campagnes, les chaussures affrontent les mosaïques des mêmes cafés plutôt que les sentiers et la poussière des rues. Elles détestent la pluie, la terre, la boue. Elles ne prospèrent qu'en ces lieux ombragés, à proximité des verres d'eau, des cafés refroidis, d'opalescents ouzos. Toujours neuves, impeccables, luisantes, éclatantes, étincelantes, elles exigent des hordes d'enfants cireurs qui, eux, vivent pieds nus et passent leur jeunesse au ras du sol à frotter, polir, poncer, briquer ces monstres jaunes, blancs, ocre ou verts. C'est tout un art d'ailleurs que de savoir trouver le cirage approprié, la brosse qui convient, avoir ce coup de main qui soudain fait jaillir éclair,

reflet, brillance sur cette opacité. Ainsi agencé, chapeau
de paille sur la tête, chaussures étincelantes aux pieds,
protégé du soleil, de la boue, le citadin peut étaler ces
pauvres substituts de sa virilité. Tristes attributs à côté
de la crête écarlate des coqs, du jabot pourpre des
dindons, des plumes dorées des faisans, des ocelles des
paons! Est-ce cela que devait m'enseigner Thèbes?
Retrouver ici, grandis, infatués d'eux-mêmes et plus que
jamais inconscients, des enfants analogues à celui de
Péristéra, astreints leur vie durant à brosser leur chapeau de paille et cirer leurs chaussures pour se sentir des
hommes? Version nouvelle d'Œdipe qui, délaissant de se
ronger les ongles sur le sein d'une mère obèse, se
présente à Jocaste sanglé d'alpaga, un chapeau clair rayé
d'une torsade noire, une canne ouvragée à la main et
aux pieds – ces pieds qui, comme l'indique son nom de
Pied enflé, ont du mal à se déplacer droit – des chaussures brillant d'un éclat ambigu.

Dans les notes prises alors à Thèbes – ville étrange
synonyme pour moi d'ennui mais où souvent j'ai eu
envie de m'arrêter, sur la route du nord, attiré par ce
vide transparent qui donne à croire que cette ville n'a
pas d'histoire (ce qui est faux, bien sûr) et que le temps y
coule plus lentement qu'ailleurs – dans ces notes, j'écri-
vais :

> « Ce qui reste d'un peuple, hormis ses ruines,
> ce sont ses mythes et les personnages qui les
> peuplent. Mais les mythes eux-mêmes ne sont
> jamais immuables. Chacun d'eux propose des ges-
> tes, des récits, des paroles sans cesse incurvés par le
> regard changeant des hommes et des saisons. Il en
> est des êtres mythiques comme de ces médailles
> antiques qui ne nous livrent toujours qu'un seul
> profil en même temps. Il faut les retourner pour
> retrouver l'autre profil, celui qui donne aux traits

leur vrai relief. Comme la face obscure de la lune.
Qu'y a-t-il de l'autre côté des mythes? »

Cette face obscure, ce verso qu'il faut lire comme un
négatif inversant les pleins et les vides (ce que les mythes
ne disent pas expressément, ce qu'ils contiennent en
filigrane, dans l'intervalle de leurs signes ou les silences
de leur récit), c'est à Thèbes que je les ai le mieux
perçus. Cette promenade que je fis sur le Cithéron (par
une journée claire, emplie de soleil, de vent, de couleurs
et d'odeurs, si différente de celle de la veille passée à
regarder les souliers et les chapeaux de paille) y fut pour
quelque chose. Les noms qui partout m'entouraient – ce
Cithéron où j'avançais entre les rochers et les buissons,
là-bas les sommets gris de l'Hélicon, derrière moi les
taches jaunes et ocre de la plaine thébaine et, devant
moi, caché par la montagne, le golfe de Corinthe – tous
ces noms étaient porteurs d'histoire et de légende. Et ce
berger que je rencontrai par chance près du sommet,
surgi tout droit d'un temps presque mythique avec sa
fustanelle, ses jambes serrées de laine blanche, ses
tsarouques cousues et recousues mais aussi ce visage
osseux, profond, dans lequel semblaient inscrits et incar-
nés toutes les odeurs, tous les labeurs et toutes les
callosités de la terre, était-ce encore celui qui un jour,
croyant bien faire, détacha de l'arbre où il se débattait
dans ses langes, un nourrisson qu'on appela Œdipe? Je
me suis senti ce jour-là comme au cœur d'une carte du
Tendre, marchant sur le pays des mythes, dans l'axe
bleu des signes. Comme sur un continent trouvé ou
retrouvé.

Retrouvé ou réimaginé. En faisant semblant de rechercher ici les traces impossibles d'un enfant légendaire,
j'allais en fait à la recherche du passé, des images de
l'adolescence resurgies après tant d'années d'enfouissement dans le présent, du pourquoi de la Grèce en moi.
Ce que je croyais être une simple promenade, une
excursion, une *ekdromi* dominicale, devint un voyage de
plusieurs jours qui m'entraîna vers Aegosthène, Porto
Yerméno, Corinthe et Pérachora avant de revenir à

Thèbes et de partir pour Delphes. Aucun lieu n'est plus
propice à ce retour aux sources que cette montagne qui
abrita le nourrisson « le plus maudit du monde », comme
dirait notre époque superlative, montagne aujourd'hui
sans arbres, aride, dénudée, aux grands rochers grêlés
de trous, de cavités où poussent encore, en ce début
d'octobre, cyclamens, asphodèles et ces fleurs qui pour
moi sont l'image automnale de la Grèce, ces scilles,
grandes jacinthes aux grappes de fleurs mauves, ondu-
lant sous le vent comme des lis de mer sous les courants
marins. Cithéron : rochers bleus, rochers gris, terre
ivoire, patinée par le vent, fleurs mauves et blanches.
Les rares bosquets sont depuis longtemps dépassés. Je
n'ai plus devant moi, au-dessus de moi, que la nudité de
la pierre et du ciel. Heureusement, il souffle un vent
doux qui rafraîchit le visage et les bras. Inutile de
chercher un endroit pour y exposer (à toutes fins inutiles) un nourrisson embarrassant : il n'y en a pas, il n'y
en a plus. Plus d'arbres où le suspendre par les pieds,
plus de buissons où le fourrer et, ce qui est plus grave,
plus de fauves pour le dévorer. Montagne comme n'importe quelle autre. Mais justement, cette nudité, ce triste
anonymat est lui-même comme un message, un
immense étendard de rocs et de buissons portant inscrit :
ICI, IL N'Y A PLUS DE MYTHES. Lieu idéal donc pour
ce ressac des images, ce flux et ce reflux des pourquoi
d'autrefois et de ceux d'aujourd'hui. On a envie ici de se
pelotonner contre un de ces rochers bossus et craquelés,
de se recroqueviller, de reprendre à l'envers le chemin
de la conscience et de la vie. N'est-ce pas cela qui
demeure *aussi* de la Grèce, à côté de ses genèses
rationnelles – astronomie, géométrie, mathématique,
médecine, urbanisme, démocratie, conscience de l'histoire – : cet inventaire lucide et unique en son temps du
pays intérieur, du hasard objectif, de l'homme face à ses
dieux et ses démons internes? Il est en Grèce des lieux
où mieux qu'à Delphes et à Mycènes, plus qu'à Olympie,
Epidaure, Eleusis, on peut saisir ou retrouver la source
du *ça* qui nous habite. Ces lieux, ce sont tous ceux que
les Grecs élirent et ressentirent comme des lieux de

passage, d'affleurement, de surgissement du monde souterrain qu'ils appelèrent entrées ou issues des Enfers et
autour desquels naquirent et se fixèrent des mythes, des
récits où affleurent justement le monde souterrain de la
psyché : Trézène où Phèdre expose au grand soleil des
désirs jusqu'alors refoulés; ce Cithéron, montagne œdipienne et plus loin l'antre de Trophonios, dieu oraculaire
où le consultant devait s'introduire sous la terre au fond
d'un puits et recevait dans la nuit chtonienne – par des
visions, des bruits, des sensations diverses – la réponse à
la question posée. Mais, plus révélatrices encore, étaient
à Trophonios les deux sources qui y coulaient : la source
d'Oubli, la source de Mémoire (sans doute faudrait-il
l'appeler source de Remémoration) dont l'eau, une fois
bue, permettait à l'homme de revivre, de se resouvenir
de tout son passé. Ni les Sumériens, ni les Egyptiens ni
les Sémites ne levèrent jamais – ni n'élevèrent à la
conscience – ce monde interne, l'eau souterraine de
la source d'Oubli, ce soleil noir en l'homme, comme le
firent les Grecs. C'est cela qui persiste pour moi dans le
mot Grèce : ce premier regard, cette première fissure
découverte et maîtrisée (cette porte entrebâillée dans la
psyché par où Œdipe aperçoit dans la chambre nuptiale
le cadavre pendu de sa mère), cette première lumière
insoutenable mais regardée en face, et parfois aveuglante
au sens propre du terme. Ceux qui chercheraient
aujourd'hui en Grèce le lieu de quelque prière ou
quelque dévotion – comme le firent autrefois Renan,
Flaubert, Lamartine et Maurras – devraient aller non
plus sur l'Acropole mais sur le Cithéron. Ils n'y prieront
plus la raison mais peut-être, en ce temple nu, perce-
vront-ils, perceront-ils l'énigme du premier cri.

Quelque temps après ce voyage sur le Cithéron, à mon
retour à Thèbes, je me mis à écrire un ensemble de
textes consacrés à l'histoire d'Antigone, textes néo-
mythiques mêlant sans cesse le passé et le présent grecs
– et que par la suite je groupai sous le titre de *Mytho-*

grammes. Mythogramme : écrire avec des mythes comme on dit pictogramme, idéogramme ou calligramme. En fait, je n'ai jamais publié ces textes, écrits dans les années 1956/1957, car ils n'ont de valeur à mes yeux que comme témoins d'une époque marquée encore par le besoin de ressusciter le passé en l'incluant dans le présent. Je ne citerai ici que quelques-uns de ceux qui, sous le titre *Journal d'Ismène*, traduisent à mon sens mieux qu'un récit actuel les images suggérées par ce séjour au pays d'Œdipe. Mais d'abord quelques mots sur Ismène.

Selon la tradition rapportée – ou peut-être inventée – par Sophocle, Ismène était la sœur d'Antigone. Sœur effacée, timide, incapable d'affronter Créon, de vivre la révolte et le grand refus d'Antigone. Ce personnage (que j'ai d'ailleurs interprété dans les débuts de mon séjour à la Sorbonne, dans l'*Antigone* de Sophocle jouée en 1944) m'a toujours attiré beaucoup plus que celui de sa sœur. Antigone – dans la tradition théâtrale tout au moins – apparaît tout d'une pièce, sans atermoiements excessifs devant un acte capital qui met sa propre vie en jeu, comme « une force qui va » selon l'expression d'un critique. Personnage rayonnant, bien sûr, mais aussi entêté, irréductible, acariâtre (comme le chœur le dit nettement) dont on imagine mal ce qu'elle serait devenue dans la vie si ses actes et sa mort ne l'avaient immortalisée... J'adhère entièrement à ce que représente Antigone pour les esprits modernes : un refus volontaire, assumé, proclamé devant un ordre sacrilège, une obéissance inconditionnelle aux exigences d'une pure conscience, exacte illustration de la phrase d'Einstein : « Ne faites jamais rien contre votre conscience, même si l'Etat vous le demande ». Mais j'adhère moins à ce qu'elle est ou ce qu'elle fut, telle qu'elle nous apparaît dans les différentes versions de son mythe : être intransigeant, sans nuances, obstiné et buté dans sa révolte même puisqu'elle n'agit ainsi que pour ensevelir son frère et non n'importe qui. Elle dit elle-même nettement, clairement, que jamais elle n'aurait affronté Créon ni désobéi à son ordre si le mort avait été quelqu'un d'autre, y

compris son propre mari car seuls les liens du sang et la
loi du *génos*, du clan familial, comptent pour Antigone.
Elle eût laissé périr ainsi, sans sépulture, mangé par les
rapaces, n'importe quel autre homme que son frère.
C'est un aspect de la révolte d'Antigone qu'on évite en
général de marquer, au point même d'escamoter carré-
ment le passage où elle explique ainsi son acte et les
limites de son refus. Car ce passage interdit de voir en
elle un symbole du refus forcené, de la défense inconditionnelle des humiliés ou des maudits. Antigone fait
partie de ces créatures singulières, solitaires, magnifiées
par une mort exemplaire mais qui, sans aucun doute,
eussent été impossibles à vivre dans la vie quotidienne de
Thèbes ou d'ailleurs. Je sais bien qu'ici je quitte le
mythe, et que j'emprunte un chemin personnel pour voir
ce qu'il y a derrière. Mais n'est-ce pas justement le sens
et le pouvoir de certains mythes que de vous entraîner
dans leur sillage, de vous inciter même à les poursuivre
hors de leur temps et dans le nôtre? Ce faisant, j'agis
comme j'ai toujours aimé le faire avec les mythes, ces
grands récifs coralliens qui croissent en nos consciences
et en notre inconscient : je les cultive, comme un
jardinier sous-marin qui enterait, grefferait bourgeons et
appendices sur le tronc abyssal, pour lui permettre de
monter vers la surface ensoleillée des eaux. Et pour cela,
je choisis le bourgeon Ismène, la seule survivante de la
dynastie maudite des Labdacides, la dernière vivante
après l'inceste, l'errance d'Œdipe, son suicide, celui de
sa mère, celui de sa propre sœur et la mort de Créon.
Qu'est-elle devenue dans ce grand silence de la ville
frappée à mort? Qu'est-elle devenue après l'extinction
apparente du mythe? J'imaginais ainsi Ismène, cette
fragile sœur, toujours effrayée par les crimes et l'histoire, la moins faite de toute la famille pour supporter
ces noces incestueuses, ces crimes fratricides, ces bains
de sang thébain, comme un miroir de ces horreurs, le
témoin survivant de ces drames préhistoriques, le seul
chaînon conscient de cet inconscient collectif jusqu'à
nous. Il en est souvent ainsi d'ailleurs dans la réalité
elle-même. Certains messages essentiels se trouvent

retransmis par des êtres fragiles qui échappent en raison
même de leur effacement, aux grands tourbillons qui
emportent les autres. Ismène devenait le creuset, le
germe, l'humble cellule d'où pouvait repartir le mythe,
d'où pouvait naître une nouvelle histoire.

> « Trois heures de l'après-midi. Seule dans les
> rues de Thèbes. Un cafetier sommeille, écrasé sur
> sa table. Une guêpe se noie dans un verre. Trois
> heures de l'après-midi. Seule dans les rues de
> Thèbes. Cette guêpe : ma dernière mémoire d'Anti-
> gone. »

La guêpe, les guêpes reviennent souvent dans ces
textes. Image née d'une simple anecdote. Tandis que
j'étais assis dans l'ombre d'un café de Thèbes, en attendant le car pour Delphes, une guêpe vint se noyer dans
mon verre d'orangeade. Je la regardai se débattre, lutter,
tenter de remonter, faire vibrer ses ailes qui résonnaient
avec un bruit suraigu, comme un vrombissement d'agonie dans cette prison de verre. Et je me demandai : ce
bruit-là, la vibration d'une aile de guêpe au fond d'un
verre. Antigone a-t-elle pu l'entendre? Etait-ce aussi
alors un bruit familier, agaçant, comme le bourdonnement des mouches ou le grignotement des vers dans le
bois? Et puis, qu'aurait fait Antigone, alors? Aurait-elle
libéré la guêpe? L'aurait-elle enfoncée dans le sucre pour
la noyer plus vite? De telles images pouvaient surgir à
l'infini. Je n'avais qu'à regarder, qu'à écouter autour de
moi pour entrer peu à peu dans la vie d'Antigone ou
d'Ismène. Ce simple fait me surprit néanmoins et peut-
être est-ce ce jour-là, en attendant le car de Delphes, que
me vint la première idée de ce *Journal d'Ismène*.

A mesure qu'elle écrit son journal, Ismène revient sur
son histoire ancienne. Elle écrit tour à tour au présent,
au passé comme si elle sentait renaître en elle la petite
sœur qui regardait émerveillée – mais jalouse aussi
quelquefois – les inventions et les trouvailles d'Antigone.
Le cahier sur lequel Ismène écrit son journal est un
cahier d'écolier aux pages rayées de lignes bleues avec

sur la couverture une image du prophète Elie montant
vers le ciel sur son char. Il y a marqué dessus au
tampon : *DIMOTIKO SKOLEIO THIVON* – ECOLE
PRIMAIRE DE THEBES.

> « Je suis Ismène. Non. Je ne suis pas Ismène. Je
> n'ai jamais été Ismène. Je n'ai été que la sœur
> d'Antigone. Dans la famille, il y avait d'abord
> Antigone puis ses frères. J'ai toujours entendu mon
> père crier à Antigone : « Va dire à tes frères... » et
> quand il s'adressait à moi : « Ismène, va dire à
> Etéocle et Polynice... » Pourquoi ? N'étaient-ils pas
> aussi mes frères ? J'ai vécu oubliée, omise, entre
> Antigone et ses deux frères. Personne ne me voyait
> jamais dans la maison. « Mais où est donc
> Ismène ? » demandait maman, impatiente. « Je suis
> là » lui répondais-je. Et elle sursautait comme à la
> voix d'un mort. »

Ismène s'ennuie à Thèbes. Elle s'y est toujours
ennuyée. En me promenant dans ces rues qui portent
toutes des noms de légende ou d'histoire – rue Pindare,
rue Epaminondas, rue Antigone, rue Œdipe, rue Ismène
bien sûr mais je ne me souviens pas y avoir vu de rue du
Sphinx (coupe-gorge où des femmes dites fatales pose-
raient aux hommes des questions œdipiennes) – je me
disais : j'ai lu beaucoup de romans grecs contemporains
décrivant la vie provinciale en Grèce mais aucun ne se
passe jamais à Thèbes. Pourtant, il doit *se passer* à
Thèbes autant de choses qu'ailleurs. A quoi rêvent ici les
jeunes filles ?

> « Peut-on vivre éternellement dans l'ennui ? Je
> sais comment les choses finiront. Je vieillirai simple-
> ment, seule. Chaque jour, mon image diminuera
> dans le miroir. Je bougerai de moins en moins. Je
> penserai de moins en moins. Mon ennui autour de
> moi sécrétera une coquille et je mourrai fixée à
> Thèbes comme l'huître à son rocher. Antigone,
> Antigone, que n'es-tu là pour chanter, crier, ouvrir

le matin ta fenêtre et m'appeler à tue-tête, comme tu le faisais si souvent : « Ismène, Ismène, viens vite, viens voir ! » Et je devais me déranger pour regarder une guêpe se noyer dans un verre... »

Les mythes abandonnent presque toujours leurs héros au terme de la mort. Ce que devient leur corps ne semble pas les tracasser. Sauf dans le cas d'Antigone, justement. Elle qui est morte pour le corps d'un mort. Mais son corps à elle, après qu'elle se fut pendue dans le souterrain où Créon l'avait emmurée, qu'était-il devenu ? Et ceux de ses deux frères, morts l'un et l'autre en se combattant ? Que firent Créon et Thèbes de ces cendres, de ces poussières d'anciens vivants ?

« Depuis qu'Antigone est morte, nul ne parle plus d'elle à Thèbes. On dirait que son nom brûle sur toutes les lèvres mais que chacun le ravale en lui comme une drogue amère. Par chance, on lui a épargné le sort des morts municipaux. Créon l'a fait enterrer – religieusement, a-t-il dit – dans un lieu de lui seul connu. « Je ne veux pas, a-t-il proclamé à la radio avec dans la voix cette enflure d'acteur provincial qui ne l'a pas quitté, même quand plus tard il délira dans sa folie – je ne veux pas – et ne tolérerai jamais – qu'elle continue après sa mort de troubler l'ordre à Thèbes ! » Troubler l'ordre de Thèbes ! C'est lui, déjà, qui devait avoir l'âme troublée. Ici, on peut le dire, l'ordre qui règne est bien celui des cimetières. Etéocle et Polynice, eux, ont eu chacun son monument. Les édiles discutèrent longtemps pour leur trouver une épitaphe. On alla même, pour une fois, jusqu'à consulter les poètes. Et l'un d'eux eut son moment d'inspiration. « Puisqu'ils sont morts, dit-il, essayons de les oublier. Et pour cela, élevons-leur un monument. » Et il proposa de graver dessus : « IL N'EST DE MORT QUE FRATERNELLE. »

XI. LES OLIVIERS DE DELPHES

> *Dites au roi : la belle demeure a croulé,*
> *Phoibos a perdu son foyer, son laurier pro-*
> *phétique et sa source chantante. Elle s'est*
> *tue, l'eau qui parlait.*

J'ai tenté de restituer le mieux possible les brèves et si émouvantes paroles du dernier oracle de Delphes, rendu à l'empereur Julien l'Apostat. Dernière prophétie – muée ici en un simple constat – prononcée en ce nombril du monde. Depuis ce jour, Delphes n'est plus que silence. Silence qui n'est pas seulement celui de pierres et de temples déchus, comme dans toutes les ruines. Le silence de Delphes, c'est avant tout celui de cet oracle éteint, de cette bouche morte, de cette source tarie d'où sourdait le verbe mantique. *Ora-cle :* autrement dit bouche ouverte proférante, bouche – antre des mots (comme la crypte – *adyton* du sanctuaire d'Apollon fut l'antre des cris de la Pythie). Mantique, c'est-à-dire divinatoire, car *manteia* vient de *mania*, la folie et la possession. Etre devin, être *mantis*, c'est être possédé, c'est être l'instrument et le canal du dieu parlant à travers l'homme, comme il parle aussi à travers les oiseaux, les arbres, les cailloux ou les vents. Langage émis en cet état second où le divin affleure en l'homme, où la Pythie devient cri disloqué, phrases broyées, émiettées dont les prêtres reconstitueront ensuite les bribes dispersées. Ce bris de la syntaxe, cet écartèlement et cet éclatement des mots est d'abord signe de présence, de pression divine à travers les organes de l'homme. C'est cela qui s'est tu à Delphes – avec l'eau qui parlait. Et c'est autour de cela – de l'*adyton*, de l'antre du sanctuaire d'Apollon où la Pythie prophétisait sur son trépied – de cet *omphalos*, ce nombril de la Terre, cette pierre qu'on disait être celle que recracha le Temps-Kronos après l'avoir avalée en la prenant pour son fils Zeus comme il recracha par la suite ses autres fils avalés avant lui (encore un sujet de réflexion mythique : ces dieux olympiens qui étaient d'anciens dieux recrachés), c'est autour de tous ces lieux, de ces symboles si fortement chargés de sens et d'histoire utérine, autour de cette bouche-nombril du monde que se dressèrent sanctuaires, trésors, satues, objets culturels innombrables, faisant de Delphes le plus riche, le plus hétéroclite des musées de plein air. Dans un texte peu connu, que je traduisis en 1964 pour une revue française, le poète Séféris revient sur l'histoire première du sanctuaire, la lutte d'Apollon et du serpent Python dont le nom signifie en grec le Pourrissant et qui marque déjà, à l'aurore du mythe, sur le plan du langage, la vocation sublimatoire de Delphes.

Au début, l'anarchie de la terre. Vint Apollon : il tua le dragon infernal, Python. Il le laissa pourrir. De ce pourrissement germa la force du dieu de l'harmonie, de la lumière, de la divination. Le mythe peut signifier que les ténèbres sont le levain de la lumière et que, plus elles sont impérieuses, plus forte sera la lumière qui les dominera... Idée fondamentale où l'on retrouve une des tendances permanentes de l'esprit grec : ce jeu, cette alliance et cette lutte perpétuelles des contraires qui font d'Apollon Pythios – Apollon Pythien – le dieu des purifications. Opposition, ambivalence qu'on peut exprimer en français en usant d'un néologisme, en disant qu'à travers ce mythe d'Apollon, la *purification* naît de la *putrification*.

Lieu des oracles donc où, à l'emplacement de la

bouche-nombril, jaillit la Parole totale, le Verbe qui dit et
prédit et qui, en raison de sa fatale densité, apparaît
énigmatique et ambigu. Je ne reviendrai pas ici sur les
réflexions faites à propos du langage des oiseaux ou des
pierres. Ce qui me paraît nouveau et essentiel en ces
oracles, c'est que le décryptage des messages divins ne
se fait plus à travers les signes imparfaits du monde
naturel mais dans et par le langage humain lui-même. Et
l'on voit curieusement resurgir, au cœur de la Parole
sacrée, cette même obliquité du Verbe, cette réfraction
du sens au cours de son passage du plan divin au plan
humain. Peu importe qu'en fait, ce soient les prêtres,
desservants du sanctuaire et de l'*adyton*, qu'on appelait
d'ailleurs les prophètes, qui aient inventé ce langage, ou
tout au moins l'aient ordonné, structuré, mis en vers à
partir des vaticinations de la Pythie. L'important est qu'à
travers ce processus, et le pouvoir qu'on lui accorde,
s'exprime une fois de plus la fascination grecque pour le
langage. Le phénomène oraculaire n'existe qu'à travers
ceux qui émettent les mots puis ceux qui les transcri-
vent, les interprètent, ceux qui les écoutent et y croient,
enfin ceux qui plus tard les commentent et les citent. Et
les oracles jouent avec les mots comme d'autres jouent
avec le feu. Ils capturent les consultants dans leurs
pièges sémantiques, les éblouissent, les étourdissent en
faisant miroiter toutes les faces des mots. A la limite,
cela donnera ce qu'on appelle justement des jeux de
mots, allant du calembour à l'énoncé ésotérique. Mais
ces mots ne sont jamais neutres, ils porteront toujours
un sens d'abord voilé et parfois dévoilé soit par une
transcription en un langage clair, soit par le langage des
choses et des faits eux-mêmes puisqu'ils portent sur
l'avenir. Je citerai deux exemples de ces jeux sémantiques (en précisant une fois de plus que je ne veux pas
dire par jeux un maniement gratuit des phonèmes ou du
sens mais l'approfondissement et la révélation de la
charge inconsciente des mots). Le premier est relaté par
Hérodote à propos de Crésus, roi de Lydie. Crésus veut
s'attaquer à l'empire perse et à son roi Cyrus. Auparavant, il consulte l'oracle de Delphes, lequel lui répond en

substance : « Si tu t'attaques aux Perses, tu détruiras un grand empire ». Tout heureux, Crésus part en campagne, se fait battre, ruine son pays, voit sa capitale incendiée et manque de finir sur le bûcher préparé par Cyrus. Avant de mourir, il demande l'autorisation de punir l'oracle menteur. Et l'oracle répond à Crésus : « Crésus, tu as agi imprudemment. Il fallait d'abord te demander : *quel* empire sera détruit? Car cet empire, c'était le tien ». On voit ici l'ambiguïté mais aussi l'adresse et la malignité de l'oracle. Quelle que soit l'issue de la guerre, l'oracle aurait dit vrai dans les deux cas. Si Crésus a pensé à l'empire perse et non au sien, c'est qu'il a mal interprété l'oracle. Il ne peut s'en prendre qu'à lui.

La seconde anecdote est rapportée par Pausanias à propos d'un Spartiate du nom de Phalanthe. Celui-ci, en raison de la famine régnant à Sparte, avait décidé de partir avec sa famille et de nombreux compagnons pour fonder une colonie en Italie du Sud. L'oracle, consulté, lui répond : « Pars sans crainte. Tu fonderas une riche et prospère colonie. Mais tu ne pourras prendre la ville de Tarente que le jour où tu recevras la pluie d'un ciel *aethra*, un ciel clair et serein ». Phalanthe trouva bizarres ces derniers mots mais comme la réponse était favorable, il partit sans plus y penser. Ses compagnons et lui débarquèrent en Italie, s'établirent sans difficultés sur la côte mais ne purent s'emparer de Tarente. Tous leurs efforts échouèrent et un beau jour, désespéré, Phalanthe se dit que l'oracle s'était moqué de lui. Il alla s'asseoir sur le rivage, en proie à ces sombres pensées, ne sachant plus que faire. Pendant ce temps, sa femme, pour le consoler, se mit à lui chercher les poux sur la tête (détail extérieur à l'histoire mais qui nous renseigne assez bien sur l'hygiène qui régnait à l'époque). Ce faisant, en voyant la douleur de son époux, elle se mit à pleurer elle-même à chaudes larmes. Phalanthe, sentant de l'eau lui couler sur la tête, se redressa et comprit aussitôt le sens de l'oracle. Car sa femme avait comme prénom Aethra, c'est-à-dire Ciel serein. Ainsi, il avait bien reçu la « pluie » venue d'un ciel serein!

Et de fait, dès le lendemain, ses compagnons et lui purent prendre la ville.

*

Je suis venu trois fois à Delphes. En 1947, en plein cœur de la guerre civile. En 1955, pour y jouer Xerxès dans *Les Perses* (représentation qui eut lieu en septembre, après un violent orage, sur un théâtre encore ruisselant d'eau et parsemé de flaques, dans une lumière d'après-midi et des odeurs de terre mouillée inoubliables). En 1963 pour la dernière fois. Cette année-là, je m'installai dans la maison de l'Ecole des Beaux-Arts, au-dessus du sanctuaire. Jours de fin septembre et de début d'octobre, à la lumière douce, mais aux nuits déjà froides. Je ne me lasse pas de regarder ce paysage pourtant connu, la grande faille des Phaedriades, les jeux de l'aube et du crépuscule en ce terroir où se conjuguent le souvenir des séismes, la brisure des rocs et la sérénité de la vallée du Pleistos et du flot d'oliviers dominant la baie d'Itéa. Deux mondes opposés et unis dont l'un exprime en ses reliefs et ses anticlinaux vertigineux les replis du serpent maîtrisé, l'autre l'accolade de la forêt et de la mer, les noces des oliviers et du soleil. Cette paix, nul doute qu'elle n'ait été ressentie autrefois comme elle peut l'être encore aujourd'hui. Le message delphique, lieu du Verbe mantique et messianique, a persisté jusqu'à nos jours. Le poète Sikélianos l'exprime à merveille, dès 1927, dans son *Discours delphique* et dans sa tentative de refaire de Delphes un lieu de rencontre et de renaissance de l'idée delphique. Il lui semblait – comme il le dit et l'écrivit alors – que Delphes était le seul lieu (plus qu'Epidaure, Olympie et Dodone à ses yeux les trois autres centres spirituels de la Grèce ancienne) qui puisse se prêter à une telle expérience. Je dis prêter mais peut-être faudrait-il dire : se donner car Delphes était pour Sikélianos un centre cosmique où les forces autrefois éveillées puis maîtrisées étaient simplement endormies. L'essentiel est qu'avec l'aide de sa femme Eva, il entreprit de réaliser ce rêve de rencontres delphiques et à deux reprises, en 1927 et 1930, organisa ce qu'on appellerait aujourd'hui un festival mais qui dans son esprit était beaucoup plus que cela. En 1927, notamment, les Fêtes delphiques alliaient la danse, le chant, le théâtre, la musique, la parole et les arts populaires – selon l'idée qu'Eva Sikélianos et le poète se faisaient des tragédies et des fêtes anciennes : danses et chants populaires de Phocide, de Béotie, d'Epire et de Macédoine; jeux athlétiques; reconstitution du rituel delphique du *Stepérion*, ancienne cérémonie dite des Couronnes commémorant le combat d'Apollon contre Python (Plutarque qui y assista dit que le spectacle comportait l'incendie de la hutte où se cachait Python, puis le combat contre le monstre joué par un homme masqué, le tout accompagné de flûtes imitant de façon impressionnante le sifflement des serpents); et surtout représentations du *Prométhée Enchaîné* d'Eschyle. C'est la première fois qu'on rejouait sur ce théâtre depuis l'Antiquité. Les documents et photos dont on dispose sur ces représentations évoquent un spectacle qui aurait sans doute un aspect démodé aujourd'hui, avec de minutieuses tentatives de reconstitution – ou plutôt, semble-t-il, de restitution – des danses et des mouvements antiques, notamment pour le chœur des Océanides, faisant appel aux figures des vases antiques et à ce que Claudel, dans la préface à sa traduction de l'*Orestie*, appelle « la vaisselle connue ». L'intérêt de cette entreprise novatrice venait néanmoins de tout le travail préparatoire sur la musique, les chœurs, les costumes et les évolutions effectué par Eva Sikélianos. Pour cela et pour mieux retrouver l'atmosphère et la simplicité du cadre antique, elle avait tissé elle-même tous les costumes du spectacle sur un métier villageois et fait appel aux gens du lieu pour certains jeux et certaines évolutions. Il y avait dans cette tentative – un demi-siècle avant les entreprises contemporaines – tout ce qui constitue aujourd'hui un authentique travail théâtral sur le texte, l'époque et les moyens modernes d'expression. D'autant que la thèse essentielle d'Eva, en ce qui concerne la musique et les rythmes utilisés, était la continuité, pour elle indiscutable, entre les rythmes antiques et les rythmes et modes byzantins. Mais il devait y avoir dans tout cela – outre les problèmes matériels et financiers – quelque chose de mal intégré dans la réalité grecque de l'époque. L'esprit delphique ne souffla que quelques jours et cette aventure – à part un second ensemble de manifestations en 1930 – demeura finalement sans lendemain. Delphes ne cessa pourtant de marquer de sa présence et de son esprit messianiques toute l'œuvre de Sikélianos qui y vécut une partie de sa vie et qui situa à Delphes, devant le temple d'Apollon, sa dernière œuvre dramatique, *Sibylle*, écrite en 1941. Il voyait dans la Sibylle de Delphes la voix même du refus contre tout envahisseur étranger (en l'occurrence Néron, dans le poème de Sikélianos) et reliait la résistance et la volonté de survie des Grecs contre les nazis à cet esprit de paix, cette volonté d'entente universelle qui étaient, pour le poète, liés au seul mot de Delphes.

Un torrent court vers le fond de la vallée du Pleistos. Sous les oliviers dont les feuillages tamisent la lumière en un jeu étourdissant de taches lumineuses, des paysans sont allongés. Il est près de midi. Toute cette vallée du Pleistos – où les touristes qui vont à Delphes ne descendent jamais – est un monde à part, écarté, caché mais fourmillant d'activités, à deux pas des sanctuaires. Je suis parti à l'aube avec Elias, le garde champêtre de Delphes qui va, pendant deux jours, faire ici sa tournée automnale. Des dizaines de torrents dévalent du Parnasse jusqu'à la mer par cette vallée et font marcher des moulins, à l'époque de la récolte des olives et après la moisson : moulins à grains, moulins à huile. Pendant près d'un mois, chaque année, à partir de la mi-septembre, les habitants de Kastri, d'Arakhova, de Desfina possédant des oliviers viennent faire la récolte et restent en général sur place dans des huttes, des cabanes ou des maisons saisonnières un peu plus confortables. Elias connaît tous ces gens un à un, par leur nom et prénom. Son rôle consiste à visiter les moulins pour en estimer le produit, à régler les différends éventuels, à surveiller aussi, semble-t-il (mais cela il ne me l'a pas dit, j'ai cru le comprendre à certains détails de ses interrogatoires) s'il n'y a pas là, parmi les travailleurs saisonniers, d'individus tenus pour suspects ou irréguliers. Des dizaines de familles possèdent des oliviers dans cette vallée et les connaissent évidemment sans qu'il soit besoin de les enclore ou les marquer car il n'y a ici que des arbres et que des sentiers. Toute la matinée nous avons marché sous ce dôme lumineux, nous arrêtant ici et là pour bavarder. Partout, à l'infini, des oliviers massifs, énormes, ventrus ou creusés de fissures profondes, bosselés, tordus, craquelés, éventrés, évoquant de façon saisissante des gnomes monstrueux, la face ricanante et figée d'esprits des bois englués en ces arbres, comme des héros transformés en plantes et immobilisés à mi-chemin de leur métamorphose. Je tâte, je caresse, je parcours de la main ces troncs qui donnent envie de les presser, de saisir cette peau rugueuse et craquelée du temps, cette écorce comme le cuir vergeté des grands reptiles. On comprend à les voir l'amour et la dévotion que les Grecs ont toujours portés à cet arbre. Dans un chœur d'*Œdipe à Colone*, Sophocle a composé un hymne à l'olivier – chant d'un homme qui dut lui aussi presser sa main contre ces troncs ruguseux, plus vieux à ses yeux que l'histoire même de la Grèce : *arbre béni*, dit-il, *ignoré de l'Asie, arbre invincible et immortel, nourriture de notre vie, olivier couleur perse, que protège Athéna, la déesse aux yeux pers !*

Un jeune paysan étendu près de moi dans la stridence des cigales me tend sa gourde d'eau. Je lui demande, montrant un arbre énorme et boursouflé, quel âge il peut avoir. Il a un geste de la main vers le ciel, qui résume l'impuissance et l'inexistence de l'homme devant l'éternité : Qui peut savoir ? La Vierge ou Apollon, ou Dieu ou Zeus ? C'est à ceux qu'il faut le demander. Moi, je n'en sais rien et de toute façon, l'essentiel c'est qu'il produise encore et toujours des olives. Il y avait tout cela dans son geste et plus encore. Et c'est vrai. Je me rends

compte combien ma question est stupide. Quelle importance peuvent avoir les chiffres dans un tel cas ? Elias
m'affirme de l'air le plus catégorique qu'il y a dans cette
vallée des arbres qui auraient mille ans et plus et qui
peut-être, dit-il, ont vu le Christ. Qu'importe, une fois de
plus, qu'ils aient vu le Christ ou Apollon ou le serpent
Python ou même Ouranos en personne, le premier dieu
du Ciel. Leur âge est au-delà des limites humaines.
Comme le message de Delphes. Ces ruines, ces arbres et
ce verbe qui défia le temps, appartiennent à un monde à
eux, un monde à l'échelle identique d'où nous autres,
humains, sommes exclus. Quel troublant message que
celui de ces arbres, que celui de ce temps inhumain,
d'autant plus troublant que justement ces arbres ne sont
pas des géants monstrueux comme les séquoias de
Californie mais au contraire de petits vieillards ventripo-
tents, des gnomes ricanant, faits à notre mesure ! Je me
souvins alors d'une phrase d'Antigone dans le *Journal
d'Ismène* où, caressant le tronc d'un très vieil olivier,
dans la banlieue de Thèbes, elle disait : « *Quelle loi
pourrait obliger un olivier à perdre ses rides ? Ses rides :
son éternelle jeunesse. Il ne faut pas se soumettre aux
vivants.* » Je m'endors, dans la chaleur de midi, au bruit
des insectes, prisonnier du vertige de ces arbres...

Le soir, en remontant vers le haut des versants, près
de ce que les paysans appellent ici le gouffre de la
Papadia, petite abîme où se perd une partie de l'eau des
torrents, dans la lumière oblique, ondoyante (et sans
avoir une seule fois depuis l'aube quitté le couvert de ces
arbres), Elias et moi arriverons à un moulin. On n'y
moud pas d'olives mais les céréales – surtout seigle et
avoine – récoltées un peu plus loin sur les terrasses entre
Arakhova et Kastri. On les apporte ici à dos de mulets.
Les bêtes sont là d'ailleurs, attachées aux arbres, immobiles et regardant quoi ?, dans cette pose marmoréenne
qui est le propre des mulets. Une famille vit là, pendant
le temps des moutures, quatre personnes d'Arakhova. Le

sol est en terre battue, les murs de pierres grossières
recouvertes de chaux où la fumée de l'âtre, en refoulant,
et celle de l'encens ont laissé de grandes traînées noires.
Dans un coin de l'unique pièce où l'on mange et l'on
dort, l'iconostase. Le paysan ne se déplace jamais un
certain temps sans ses icônes. Celle qui se trouve ici – un
saint Dimitri – vient de la maison d'Arakhova. Avec elle,
la famille transporte l'âme, l'ange gardien de son foyer.
Nous nous installons dehors, à même le sol, pour dîner.
De la cendre de l'âtre – qui fumait encore quand nous
sommes arrivés – l'homme retire une galette de pain de
seigle, cuite ainsi directement, sans four, sans levain
sous les braises. Vieille recette, plus vieille que le plus
vieux des oliviers du Pleistos. C'est une pâte non levée,
dense mais tiède et molle à sa sortie des cendres, qui a
encore un goût de fumée et de terre. Avec la galette, des
olives et des noix. Pour boire, l'eau du torrent tout
proche. Pendant le mois ou les deux mois passés ici (car
le moulin appartient à ces gens et il moud évidemment
pour tout le monde), cette famille vit ainsi : galette de
seigle, olives et noix. Vie active passée tout le jour à
moudre, empaqueter, trimballer les sacs, charger,
décharger les mulets et le soir, à s'étendre, harassé, sur
la terre aux odeurs de feuilles d'olive séchées, masti-
quant ce pain ferme, qui sèche vite et devient aussi dur
qu'une roche qui s'effriterait sous les dents. Vie mesurée, parcimonieuse où chaque olive, où chaque noix
semble comptée. Juste au-dessus, à quelque trois cents
mètres peut-être, les cars de touristes vont et viennent,
dans le bruit des transistors et des radios. Le message de
Delphes, en cette dernière année de mon séjour, ce fut
peut-être cette soirée sous la lune et ces feuillages
sombres, à écouter ces voix paysannes parlant dans la
nuit, ces visages qui devenaient à leur tour des figures
fantomatiques, étranges et aussi dures que les esprits
prisonniers de ces arbres.

LES ÎLES NUES

Mais que cherchent-elles nos âmes, à voyager ainsi
Sur des ponts de bateaux délabrés,
Entassées parmi des femmes blêmes et des enfants
[qui pleurent
Que ne peuvent distraire ni les poissons volants
Ni les étoiles que les mâts désignent de leur
[pointe?

Georges SÉFÉRIS.

XII. LES VENTS DE L'ARCHIPEL

Pendant toutes mes années grecques, j'ai presque toujours voyagé d'îles en îles sur le pont des bateaux. Je crois avoir pris tous les navires – terme euphémique d'ailleurs pour beaucoup d'entre eux – qui desservaient Cyclades et Sporades. Il y aurait un roman, une chronique voire une épopée à écrire sur ces bâtiments vétustes et increvables, arches flottantes, Exodus ambulants qui transportaient alors de port en port la moitié nomade de la Grèce : *Moschanti, Elsi, Pandélis, Ionion, Maryléna, Despoina, Glaros, Nautilos, Ekatérini, Andros, Angélika, Elli, Ellas, Pindos...* Certains d'entre eux ne naviguent sûrement plus aujourd'hui, tant ils étaient déjà à l'extrême limite de l'usure, il y a dix ou quinze ans. De ces périples accomplis vers Patmos, Ios, Amorgos, Pholégandro, Sérifos, Cos, Alonissos, Chios, Mytilène, j'ai gardé des souvenirs encore plus marquants que ceux de mes voyages terrestres en autobus. C'est que les bateaux portent et transportent en eux le même monde de paysannes et paysans livides, de grand-mères exsangues, de popes ventrus, de volailles, de matelas, de paquets mais à une échelle bien plus vaste et plus révélatrice encore. Chaque autobus vert était, en réduction, l'image d'un village. Chaque bateau blanc était, lui, l'image d'une île entière.

A vrai dire, je n'ai pas toujours voyagé ainsi pour mon plaisir. J'ai encore le souvenir de certaines traversées dont je me serais bien passé si j'avais pu prendre l'avion ou attendre une meilleure époque, effectuées par d'infernales tempêtes comme seule en connaît la Méditerranée quand les meltems se déchaînent, enroulé dans mon sac de couchage sur le pont supérieur (car je déteste dans ces cas-là voyager dans les ponts fermés peuplés de vieilles gémissantes et vomissantes, d'enfants hurlant, dans un chaos de bagages enchevêtrés, imprégné d'une odeur de vomi capable de donner la nausée à saint Nicolas en personne(1)), agrippé au banc pour ne pas dégringoler à chaque vague et ce, pendant douze ou quatorze heures de suite! Si j'ai voyagé ainsi, ce fut pour la raison bien simple que je n'avais pratiquement jamais d'argent. Voici maintenant vingt-cinq ans que je ne vis que de mes livres et si ma situation financière est un peu moins désastreuse ces dernières années, elle n'a pas foncièrement changé, quant à sa précarité. Aussi me paraît-il indispensable de préciser un certain nombre de points et de détails matériels avant de partir pour les îles et d'embarquer dans ma mémoire l'embrun de ces mers si souvent parcourues.

Quand je dis que je vis de mes livres depuis environ vingt-cinq ans – exactement depuis le retour de mon second voyage en Grèce en 1950 qui justement décida de ce choix – cela veut dire que je n'ai jamais eu d'autres ressources que celles de ma plume, selon l'expression consacrée. Or plume, cela veut dire : écrire. Ecrire des livres d'abord, des articles ensuite, des traductions éventuellement(2). J'ai aussi – mais cela en des années toutes récentes – collaboré à l'O.R.T.F. pour des émissions littéraires et effectué un certain nombre d'adaptations théâtrales d'œuvres anciennes et modernes. Je précise tout cela pour faire comprendre un point tout à fait essentiel : savoir que pendant ces vingt années de voyage et de séjour en Grèce, j'ai dû à chaque fois le faire entièrement à mes frais. Pour moi, pas de C.N.R.S., pas de Hautes Etudes, pas d'Institut, collège ou fondations

---

(1) Saint Nicolas est en Grèce le patron des marins.
(2) On trouvera en fin de volume une liste commentée des différents livres et traductions publiés concernant la Grèce.

dispensateurs de francs ou de drachmes. Pas non plus d'éditeur. Helléniste, mais helléniste libre, sans attache universitaire, voyageur le plus souvent solitaire (ayant toujours trouvé en Grèce la ou les femmes sans lesquelles je ne saurais vivre car aimer un pays ne saurait se concevoir sans aimer ses femmes ou ses hommes, selon ses goûts), écrivain dont l'œuvre est certainement révélatrice de moi-même (puisque j'ai choisi tout ce que j'ai écrit, sans aucune contrainte extérieure même pour les traductions) et en même temps profondément différente de celle dont je rêvais adolescent (mais que maintenant, au seuil de la cinquantaine, je compte fermement entreprendre)(1), bref n'appartenant à aucune maison d'édition ni aucune institution quelconque susceptible de me faire vivre, je mène une vie et une activité entièrement libertaires. Je ne suis pas un universitaire et je n'ai jamais voulu l'être (ayant définitivement liquidé ce problème quand, après ma licence de lettres, je choisis de partir en Grèce à pied au lieu de briguer je ne sais quelle situation d'enseignant) ni un chercheur scientifique car les essais et livres publiés sont plus une recherche intérieure que l'étude objective d'un domaine précis de la connaissance. Je ne suis pas non plus un comédien, bien que j'aie passé des années à jouer des pièces grecques et à travailler pour le théâtre, ni un journaliste, bien que là encore j'aie travaillé souvent dans des journaux ou des revues, après la guerre surtout à *Combat*, *Constellation* et *Caliban* et qu'il m'arrive aujourd'hui d'écrire à l'occasion dans les pages littéraires du *Monde*, du *Nouvel Observateur* ou du *Magazine Littéraire*. Je suis écrivain, oui. C'est la seule chose dont je sois sûr depuis que je suis né. Mais là aussi je vis en marge, en dehors de tous les milieux littéraires que jamais je n'ai fréquentés, n'ayant aucun souci d'être à la mode, d'être dans, sur ou sous le vent et encore moins

(1) A ce jour, cette œuvre « dont je rêvais adolescent » a commencé de se concrétiser avec le récit intitulé *Le pays sous l'écorce*, paru en 1980 aux éditions du Seuil, *Sourates*, paru aux éditions Fayard en 1982 et *Marie d'Egypte*, mon premier roman paru aux éditions J.-C. Lattès en 1983.

de laisser après moi une trace quelconque. Ce besoin toujours douteux de célébrité et de postérité, je l'ai liquidé lui aussi, au sens tout ce qu'il y a de plus psychanalytique, et peu me chaut, comme on disait jadis, d'avoir mon nom en corps 6, 8, 10 ou 12 sur des couvertures ou sur des journaux. Bref, je ne sais finalement pas au juste pourquoi – c'est-à-dire dans quel but manifeste et manifesté – j'ai voyagé en Grèce depuis vingt ans et encore moins pourquoi j'écris ce livre si ce n'est pour faire partager ce que j'aime. Tout cela, donc, aboutissant à ce problème simple : pendant vingt ans il m'a fallu me débrouiller. Sur plus de vingt-cinq voyages effectués en Grèce au cours de ces années, il n'a dû s'en trouver que deux ou trois où je sois parti en ayant assez d'argent pour rentrer en France. Mais ces problèmes en fin de compte n'ont strictement aucune importance. La preuve en est qu'ils ne m'ont ni empêché de voyager ni contraint d'écrire autre chose que ce que j'ai voulu écrire. Je ne suis mort ni de faim ni de froid ni de maladie et chaque voyage – en raison des incertitudes et des aléas qui le marquaient sans cesse – m'apparaissait toujours comme le premier. Je dois même à ce manque d'argent d'avoir connu la Grèce telle que les Grecs eux-mêmes, j'entends les Grecs pauvres, la vivent et la parcourent. Toutes ces années, je les ai passées avec eux, à côté d'eux et souvent même chez eux. De plus, comme je l'ai dit plus haut, j'ai la chance d'avoir une santé solide, un tempérament paysan joint à un goût marqué pour l'imprévu qui firent que je m'adaptai très bien à tous les changements et que j'ai pu me montrer indifférent au confort matériel. Aujourd'hui encore, si la rencontre de la beauté ou de la vérité est à ce prix, je coucherai dehors et me nourrirai de pain et d'olives tout le temps qu'il faudra. C'est le but, le but seul qu'il ne faut jamais perdre de vue, *a fortiori* lorsqu'il s'agit de voyages. Et ce but, lorsqu'on vit ainsi dans son corps et son temps organique, cette existence, ce rappel constant du réel, ce fut toujours pour moi de pouvoir rencontrer la Beauté ou la beauté – qu'elle se nomme Patmos, Hydra, Amorgos, Artémise, Vassilika ou Angéliki – et au besoin, comme le poète, de l'asseoir sur mes genoux.

*
**

J'ai lu très peu de récits de voyage en Grèce. J'ai lu la *Prière sur l'Acropole* de Renan, lu aussi l'*Itinéraire de Paris à Jérusalem* de Chateaubriand, les deux merveilleuses nouvelles du comte de Gobineau, *Le mouchoir rouge* qui se passe à Céphalonie et *Akrivie Frangopoulo* qui se passe à Naxos. Ajoutons quelques pages de Lamartine et le *Voyage en Orient* de Gérard de Nerval. J'ignore ce que Barrès a pu dire de la Grèce et ne m'en soucie nullement. J'oubliais aussi quelques pages de la correspondance de Flaubert où il parle de ses excursions dans le Péloponnèse et de son séjour à Patras. Rien d'autre. Dans ce domaine, je n'ai ni modèle ni référence. Les livres sur la Grèce moderne se sont multipliés ces dernières années mais à part *Le colosse de Maroussi* d'Henry Miller, les merveilleux ouvrages, inconnus en France, de Patrick Lee Farmor sur la Roumélie et le Magne, et ceux de mon ami Lawrence Durrell sur Rhodes et le Dodécanèse, aucun ne m'a vraiment touché et ne semble être entré dans le cœur des êtres et des choses. Si : quelques très belles et justes pages de Michel Déon dans *Le rendez-vous de Patmos*. C'est peu pour un helléniste. Mais je n'ai jamais ressenti à propos de la Grèce le besoin de lire à tout prix ce qui fut écrit sur ce pays, du moins sur le pays moderne. Ne me sentant pas la mentalité ni les goûts d'un explorateur j'ai vite fui l'exotique et le pittoresque pour rechercher ce *familier différent* qui est la seule approche possible d'un pays. Rien d'ethnologique donc dans ma façon de voir et de vivre. Je dirais même (et je m'en rends compte justement en écrivant ce livre) que je n'ai jamais observé la Grèce ni les Grecs d'une façon systématique ou approfondie. Je ne me suis amusé à le faire qu'une fois, au cours de mon dernier voyage, dans l'île de Psara. Mon séjour y gagna certes en informations et en connaissance, mais je m'aperçois que les premières

impressions ressenties dans cette île perdue, avant que je
ne me mette à parler, à questionner, à explorer et à
inventorier, sont demeurées finalement les seules vraies.
Il y a sur la Grèce moderne des ouvrages importants,
essentiels, rédigés par des spécialistes : démographes,
géographes, économistes, ethnologues auxquels je ne
saurais me substituer sans rire. C'est à présent – à ce
stade de sa rédaction – que je perçois ce que peut être
l'Eté grec et surtout ce qu'il ne peut pas être : il est le
livre d'une amitié, d'une liaison au sens amoureux du
terme, avec un pays, un peuple, une histoire partagée et
des drames partagés eux aussi. Donc, il est injuste, il est
partial, il est partiel. Je ne peux pas considérer les Grecs
comme une entité démographique : il y a en Grèce des
Grecs qui m'ont exaspéré comme il y en a qui m'ont
fasciné. Il y a ceux que je fuyais, ceux que je recher-
chais. Il y a des régions où je n'ai jamais eu envie d'aller,
d'autres dont je ne parvenais pas à m'arracher. C'est
tout cela qui constitue pour moi mes liens avec la
Grèce : du beau fixe, azuréen à l'orage et aux meltems
intérieurs, ils sont passés par tous les stades. A aucun de
ces stades, mon regard ne s'est posé *à froid* sur ce pays
et je sais que jamais cela ne me sera possible.

Mais revenons aux îles. Au seuil de ce voyage vers
l'archipel, je repense à cette expression, souvent lue
dans les agences maritimes du Pirée, d'*agonès grammès*,
les lignes stériles. Les compagnies maritimes intérieures
desservent un certain nombre d'îles lointaines et perdues
où vivent deux, trois, quatre familles tout au plus – îles
qu'il faut tout de même desservir – et qui financièrement
ne leur rapportent rien. Le terme stérile signifie donc :
non rentable. Mais le mot grec *agonès*, sans gones
(terme utilisé exclusivement en biologie) donne à cette
expression une résonance particulière. C'est le poète
Elytis, l'auteur d'*Axion Esti*, le plus beau, le plus fort, le
plus grec des textes poétiques parus depuis l'après-
guerre, Elytis, le grand poète de l'Egée, le défricheur et
déchiffreur des îles blanches, qui me parla un jour de
cette expression, de ce poème inscrit dans toutes les
agences. Lignes stériles : voyages sans lendemains, voya-

ges *inféconds*, exacte image de ce que l'on ressent
souvent, quand on circule en Grèce sur ces ponts de
bateaux délabrés, cette errance inutile et sans fin, que
Séféris a exprimée dans le poème cité en exergue.
Moi-même, pendant ces années cycladiques, j'ai porté
d'île en île une errance poétique, une quête inexplicable
qui me firent ressentir quelquefois ces déplacements
comme une émigration intérieure sur des lignes infécon-
des. Lorsqu'on voyage ainsi à la façon des Grecs, il y a
toujours quelque part en soi un sillage qui jamais ne se
referme tout à fait. Là encore, je mesure à quel point ces
années insulaires furent à la fois enrichissantes et para-
doxalement immobiles. J'ai approché le paradis en
vivant à Patmos, à Hydra mais aussi ce mal de la beauté
vacante, de la misère quotidienne dans un paysage
enchanteur, de cette pauvreté qui colle depuis des siècles
à la peau des Grecs et les contraint justement à quitter
ces îles pour travailler à l'étranger. Misère et beauté : il
faut vivre ainsi dans les Cyclades et le Dodécanèse pour
voir se ternir peu à peu le voile blanc des îles. On ne peut
en vouloir aux touristes de rechercher ici les mirages de
l'évasion. Mais on ne saurait soi-même l'éprouver sans
mélange. Aussi ces années laissent-elles en moi une
empreinte ambiguë comme ces fossiles incertains dont
on ne sait s'ils sont ceux d'une espèce nouvelle, d'un
chaînon marquant de la vie ou les derniers témoins
d'une espèce en voie d'extinction. Les îles grecques sont
un peu comme eux, entre deux mondes, entre deux
espaces et deux temps, figées qu'elles sont dans une
beauté sereine dont l'envers est une vie mesurée, difficile, sans avenir précis.

Je me souviens, au cours de mon second séjour en
Grèce, de l'éblouissement ressenti devant la beauté
sévère de l'île d'Anaphi, au sud de Santorin. Je n'y
passai qu'une journée, sur le cargo qui me ramenait de
Crète à Eleusis, et qui devait y charger ou y décharger
une partie de sa cargaison. Quand plus tard à Athènes je
parlai de ma découverte à un ami grec, il me dit :
« Anaphi! Oui, je me souviens très bien. J'y ai passé
deux ans comme déporté. Moi, je ne peux pas la trouver

belle ! » Ainsi les îles ne parlent-elles pas toujours des mêmes choses. Enfer ou paradis, enfer *et* paradis, cette blancheur soudain factice d'Anaphi mais aussi de Pholégandro, de Léros, de Cassos dont les noms évoquent, pour la mémoire grecque, des lieux d'exil, de déportation, de résidence *forcée*, voire de tortures. Depuis les temps les plus anciens, les îles ont servi de lieu d'exil. Six siècles avant Jésus-Christ, le philosophe Parménide mentionne déjà l'île de Yaros comme un lieu de déportation, cette île où les Grecs hostiles au régime des colonels étaient encore déportés pendant l'été 1974 ! C'est là une histoire qu'on oublie ou même qu'on méconnaît totalement : cette face obscure des îles blanches, ces rochers nus, ces plages désertes, cette mer étincelante qui ne sont nullement ici un lieu d'évasions romantiques mais, quelquefois, d'évasions tout court. On a du mal à accoler le mot enfer, le mot prison à ces îles qui auraient pu abriter une vie si différente. Pour ma part, ce sentiment, renforcé par les engagements politiques pris au cours de ces années aux côtés des Grecs emprisonnés et déportés, contribua de façon décisive – comme la visite à Delphes en 1947 avait effacé en moi le mirage des pierres – à m'interdire de vivre innocemment au paradis des îles grecques.

Un des mes endroits préférés fut longtemps, dans l'île de Salamine, au bas du village de Paloukia, le cimetière des bateaux. On y voyait (et sans doute y voit-on toujours) de vieux caïques au rebut, à moitié éventrés, à tous les stades de la décomposition. Plus loin, des files de cargos au repos ou au chômage forcé. Entre les deux, un minuscule café. Une table et deux chaises, toujours inoccupées, au bord de l'eau, à côté de deux caïques renversés sur le flanc. J'ai passé des heures en cet endroit, à regarder, écouter et parfois écrire. Seul presque toujours sauf les soirs où Phrosso, quand son père était absent, pouvait se sauver de chez elle et venir me retrouver là. Juste en face, il y a les tavernes et les cafés

de Pérama, où l'on construit barques, caïques et caboteurs (1). Des bateaux vont et viennent sans arrêt entre
l'île et la terre. Je guettais Phrosso et je savais qu'elle
arrivait, sans même l'apercevoir, quand sur la rive en
face, Barba Yorgos, un pêcheur dont j'étais devenu
l'ami, apprêtait sa barque rouge, baptisée *Chara* – Joie.
Phrosso s'y précipitait, me faisant de la main de grands
signes depuis la rive et je commandais au café un ouzo
de plus pour le passeur. Jamais, malgré les incessantes
traversées que je lui faisais faire, Barba Yorgos ne voulut
accepter d'argent. Il lui arrivait, quand rien ne l'appelait
ailleurs, de s'asseoir à côté de moi et de me regarder
écrire en silence, suivant d'un œil étonné les signes
kabbalistiques que j'alignais sur le papier car il ne savait
pas écrire. Il était né à Pérama, et avait travaillé toute sa
vie aux chantiers navals puis à l'arsenal de Salamine. A

Barba Yorgos.

(1) Il n'y a plus ni tavernes ni cafés ni caïques à Pérama. A leur place
d'interminables et sinistres entrepôts. Surtout n'y allez pas !

présent, seul, à la retraite, il vaque ici et là, passant les gens qui se rendent à Paloukia ou en reviennent et quand le temps est beau, partant jusqu'à Egine, avec sa barque à rames, pour pêcher. Il ne prenait qu'un seul ouzo qu'il buvait par gorgées minuscules, comme un oiseau.

Au café de Paloukia, le tavernier dès qu'il me voyait m'apportait un double ouzo et un *mézé*, un hors-d'œuvre qu'il s'ingéniait à varier chaque jour : une olive, un bout de tomate, un morceau de féta ou de casséri, un tentacule grillé de poulpe, un petit calmar frit. A la nuit tombante, Phrosso et moi quittions le café qui fermait et partions en face à Pérama où on pouvait entendre à cette époque d'excellents bouzoukia, ces orchestres populaires dont je reparlerai et de grosses femmes qui chantaient des *tsiftétélia*, des chants d'Asie Mineure en se dandi-nant sur l'estrade.

Ces jours heureux de Paloukia se situèrent entre les années 1957 et 1960. Quand je quittai Phrosso, cette année-là, à la suite d'événements dramatiques, je n'eus plus jamais le goût d'y retourner. Barba Yorgos vit-il toujours ? A-t-il toujours *Chara*, sa barque rouge ? Le patron du café, qui me voyait disparaître chaque année entre le mois de novembre et de juin, ne semblait pas comprendre que je partais chez moi en France. Pour lui, chez moi, c'était en Grèce. « Quand est-ce que tu l'épouses ? » finit-il par me dire un jour en parlant de Phrosso. « Une si belle fille et qui t'aime, tu sais ! » Aussi, dès qu'il me revoyait en mai, en juin ou en juillet, selon les ans, il me disait, tendant vers moi ses paumes, l'index brandi dans l'espace – geste grec du *pourquoi* – : « Mais où es-tu passé, tous ces jours-ci ? » Et c'est lui qui avait raison : ces années-là, j'avais beau passer l'hiver et le printemps en France, je demeurais en Grèce. Il m'arrivait même, pour accroître ce sentiment d'installation, de familiarité, de partir en laissant de menues dettes chez l'épicier d'Athènes où je faisais régulièrement mes cour-ses. « Je vous paierai la prochaine fois » lui disais-je la veille de mon départ. Et je réglais ma dette l'année suivante, une dette qu'il avait évidemment oubliée.

Il est difficile de dire pourquoi j'aimais tant Paloukia.
Sans doute parce qu'ici, au retour des îles, j'y retrouvais
leur présence invisible, dans les odeurs de goudron, de
mazout, de mer et de poulpe grillé. Lieu mélancolique,
avec cette mer immobile et la mort lente des caïques,
mais si étrange par ailleurs, si insolite en ses recoins qu'il
était pour moi comme un décor surréaliste. En s'avan-
çant un peu vers l'intérieur, on découvrait d'autres
bateaux, en pleine terre, abandonnés là comme par un
vieux raz-de-marée, tenus par des béquilles ou couchés
sur le flanc. Je n'ai jamais compris ce que ces bateaux
faisaient là puisque nul, à part les gamins qui y jouaient,
ne semblait s'y intéresser. Je me disais que personne –
aucun vieux marin en tout cas – n'aurait osé porter la
main sur eux, les démembrer, les dépecer comme on le
fait d'une baleine échouée. Mais le plus attirant, le plus
magique était, entre le café et la baie aux cargos
immobiles, un terrain vague où l'on avait jeté tous les
accessoires inutiles : ancres rouillées, poulies, mâts brisés, vieux cordages, engrenages de toute taille qui for-
maient là le trophée improvisé de quelque dieu marin.
D'autant qu'en haut de ce tas d'objets hétéroclites, il y
avait une sirène, une vieille figure de proue, toute
rongée, écaillée, creusée comme un tronc d'olivier. Elle
devait être là depuis longtemps et j'ai souvent pensé
l'emporter. Finalement, j'ai préféré la laisser là, où elle
avait sa place. Elle était, elle aussi, une ruine mais une
ruine encore vivante, plus vraie que celles des temples et
des cités mortes. Au fond, ce lieu évoquait un poème sur
les voyages morts, les périples défunts, écrit avec des
mots de bois, d'ancres et de mâts brisés. Etait-ce là,
finalement, ce port tant recherché par les âmes errantes
dont parle Séféris, ce mausolée dressé, dans l'agonie des
vieux caïques, au Marin et à la Sirène inconnus ?

*
**

Sur le pont du bateau, partout, des corps pêle-mêle,
enroulés dans des couvertures, grelottant sous le vent
humide et froid qui souffle depuis des heures. Sur la
plage arrière, des lampes oscillent dans la nuit comme
des lampions fous, les lumières d'une fête passée dont les
convives auraient roulé à terre. Mais ici ils sont ivres de
vent, de froid et de tangage. Sous certains corps, des
tapis, des nattes. A côté, les paniers, les valises, les
matelas, les cages à oiseaux, les réchauds sans lesquels
aucun Grec ne semble pouvoir voyager. Lorsqu'on doit
séjourner longtemps sur un pont, tout le problème est de
repérer d'emblée, dès Le Pirée, une place où étendre son
sac ou sa couverture. De marquer en somme son territoire à la façon d'un animal. Encore faut-il pouvoir
choisir les meilleures places, ce qui exige expérience,
sang-froid, vélocité. Repérer d'abord et avant tout d'où
le vent soufflera, de quel côté le navire risque d'embarquer les embruns ou les vagues. Ensuite, éviter les
fumées rabattantes de la cheminée. Enfin, choisir si
possible un lieu bien abrité, adossé à quelque cabine ou
quelque barque de sauvetage, pour éviter d'être enjambé
et bousculé toute la nuit. Pendant des années, je me suis
trimballé en Grèce avec un sac de couchage tout bleu
que les embruns, le sable des plages, les mille aléas des
nuits passées un peu partout avaient empesé et rendu
quasi imperméable. Emmitouflé à l'intérieur, le capuchon rabattu sur la tête ne laissant passer que le nez, je
pouvais affronter les vents et les pluies sans être trop
trempé. C'est ainsi que j'ai voyagé des années, grosse
chenille bleue aux lentes reptations, regardant les étoiles
danser et les mâts osciller dans la nuit. J'ai connu ainsi
des heures de bonheur, même par mauvais temps,
décidé à rester là jusqu'à la fin du voyage ou du monde,
rivé au territoire choisi d'un œil expert dès ma montée
sur le bateau. Je n'ai plus rien à faire, dans mon cocon,
qu'à attendre, à rêver, à penser à Phrosso, à Vassilika, à
Angéliki ou, plus souvent encore, à me demander pourquoi je suis ici, ce que je fais exactement sur ce bateau

dément. Partout des odeurs de vomi (qui a rendu le pont
si glissant qu'il n'est même plus question d'y marcher
pour me rendre aux toilettes ou quêter un café à quelque
barman moustachu et grognon), des odeurs de suie, de
mazout, de peinture, de rouille, de mer noire dévalant
sur le pont en gros paquets saumâtres, bouillonnant sous
le clair de lune.

Certaines fois, l'angoisse me prenait malgré tout
quand le bateau roulait trop fort et craquait sous une
vague géante. Alors, j'arrêtais le premier homme d'équipage que je voyais passer, agrippé au plat-bord, et je lui
demandais d'un ton très détaché : *fortouna?* C'est la
tempête? En général, il répondait avec un rictus appuyé
de la bouche : *Ochi! Thalassitsa!* Non! C'est une petite
mer! Que serait-ce alors s'il m'avait dit : *Thalassara!*
Une grosse mer! usant de ses suffixes ingénieux que le
grec dispose au bout de tous les mots. *Thalassitsa,
thalassara*, une petite mer, une grosse mer. Mais à vrai
dire je n'avais pas toujours l'humeur si linguistique. La
mer, même *thalassitsa*, me paraît démontée, déchaînée
par le vorrias, le vent du nord, qu'on appelle aussi
meltem quand il souffle en été (et je pense, pour me
réconforter, à l'image paisible et si belle du poète Elytis
disant : *là-bas, une voile blanche, bergère des meltems*).
J'aime malgré tout les noms des vents en grec, noms
repris d'ailleurs des termes occidentaux. Aux noms
anciens : *Kaïkias, Skirôn, Zéphyros, Lyps, Euros et
Apiliotis* ont succédé les noms modernes : *Graigos,
Maïstros, Ponentès, Garbis, Ostria et Levantès.* La rose
des vents porte des noms venus d'ailleurs, comme les
vents eux-mêmes. Le plus curieux est ce *Graigos*, mot
déformé qui signifie précisément le Grec. Dans son
grand hymne au monde grec, *Axion Esti*, le poète Elytis,
en même temps que les montagnes, les fleurs, les femmes, les îles et les arbres, a chanté les vents *simandorès*,

*les Maîtres Vents, qui officient,
et bercent l'Océan comme la Vierge l'Enfant,
soufflent, embrasent les orangers,
sifflent et soulèvent les montagnes*

Novices imberbes des tempêtes
Coureurs filant des mille dans les cieux
Hermès aux pétases ailés
et le caducée des orages

Le Noroît, le Levant, le Suroît,
le Ponant, le Grec, le Sirocco,
l'Auster, la Tramontane.

*
*

Au matin, par un ciel dégagé de nuages, les premières îles se levèrent : vers le nord, la crête d'Icaria, mauve sur la mer violette; devant, Patmos, presque à ras des flots et vers le sud, tout juste visibles, les deux rochers de Lévitha et de Kynaros. L'Egée est si riche en îles que jamais l'horizon n'y est nu. Toujours, on distingue un îlot, une île basse ou haute sur l'eau, reconnaissable à ses croupes claires. Je ne connais rien de plus merveilleux que cet éveil, cette montée des îles à l'aube, dans le temps clair, sur la mer gorgée de « moutons », de crêtes blanches, d'écume rose. Un grand oiseau marin plane dans l'éblouissement de l'aurore, jouant avec les vents au-dessus du bateau. Je l'ai souvent revu dans ma mémoire avec

ce goût de terre et d'herbe que prend parfois l'amour,
ce goût de vent, d'embrun que prend parfois la mort
et la beauté de l'oiseau solitaire
porté aux quatre coins du ciel
comme l'incessant vertige des quatre vérités (1).

Même à terre, une fois reposé entre les murs blancs d'une chambre où les guêpes bourdonnent, avec sur la fenêtre la cruche en terre où perle la fraîcheur de l'eau, ce vertige ne vous quitte plus. Longtemps, ruelles, cours à basilic martelées par le vent, terrasses et cafés continueront de danser, de trembler dans votre tête, et

---

(1) Extrait d'un poème écrit alors que j'habitais Patmos.

jusqu'au sourire d'une petite fille qui revient de l'école et vous dit d'une voix claire : *Kaliméra, kyrié!* Bonjour, monsieur!

Cette beauté des îles, j'ai mis longtemps à en ressentir les raisons. Ces raisons, je ne les cherchais pas. Elles sont venues peu à peu, d'elles-mêmes, car je n'ai jamais pensé à disséquer tout ce qui est ici miracle incessant pour les yeux, équilibre du corps et des choses comme si les murs, les rues, les maisons, les chapelles et même les arides terrasses où végètent tamaris et jujubiers (mais il y a aussi à l'aube l'odeur des feuilles de figuier qu'on froisse dans ses mains) dessinaient le labyrinthe d'un secret immémorial, les pièces d'un grand jeu de patience dont tous les architectes s'épuisent à retrouver l'évidente harmonie.

Non, c'est beaucoup plus tard, une fois de retour en France et sachant que de longtemps je ne retournerais en Grèce – après le coup d'Etat des colonels –, que ces images lumineuses s'organisèrent d'elles-mêmes peu à peu, commencèrent à me livrer ces messages enfouis dont je parlais au début de ce livre. Chaque maison, dans la plupart des îles, a été construite sans aucun plan précis, sans architecte, par le goût et pour le besoin des hommes qui y vivent. Mais rien n'y est fait au hasard. S'il y a des cours closes, entourées de murs hauts, c'est pour se protéger des vents. Si les murs et les pièces sont passés, repassés sans cesse à la chaux, c'est pour renvoyer la chaleur du soleil, et retenir dans la journée la fraîcheur de la nuit. S'il y a des terrasses au lieu de toits en pente, c'est pour recueillir l'eau de pluie et alimenter les citernes en des lieux où les sources sont rares et même inexistantes. Non, rien n'est là par hasard et pourtant tout semble né selon la fantaisie du hasard, selon des lois indiscernables donnant la curieuse impression que chaque village est l'œuvre consciente de quelque architecte oublié.

La première raison expliquant ce sentiment de bonheur physique, de présence organique des choses, c'est d'abord la taille, les dimensions relatives des maisons et des rues, le rapport sensible de chaque ensemble avec l'espace environnant. Tout y est – dans ce qu'on éprouve consciemment et dans ce qu'on ressent inconsciemment – à une échelle humaine. Par humaine, j'entends un rapport précis entre la taille de l'homme et la taille des choses, y compris celle du paysage. Ce rapport est surtout sensible dans les îles moyennes, celles dont on pourrait justement faire le tour en une seule journée comme Patmos, Psara, Pholégandros, Sikinos, Lipsos –, qui ne peuvent contenir trop de monde sans que ce sentiment disparaisse aussitôt. Il suffirait ici de quelques dizaines de personnes en plus ou en moins pour que se rompe immédiatement ce fragile équilibre entre l'espace construit et l'espace non construit, le monde humain et le monde naturel. Equilibre précaire qui explique justement le destin de ces îles, tour à tour désertées, moribondes ou surpeuplées par le tourisme. Que trop d'habitants émigrent à l'étranger, faute de ressources suffisantes, et l'île cesse de vivre de sa vie propre, n'attend plus que de l'extérieur ce qui la fera vivre. Elle *se désole* aux deux sens du terme car le départ des jeunes et des adultes la livre aux vieillards, aux petits enfants, aux jeunes filles attendant des années le retour du promis, parti au Canada ou en Australie, et aux femmes solitaires. Par contre, si trop de monde y afflue, comme c'est le cas depuis quelques années avec l'invasion touristique, elles perdent aussi cet équilibre et leur caractère propre pour devenir de simples colonies de vacances. Ainsi, pour que vive heureusement une île des Cyclades ayant les proportions requises (car les grandes îles comme Naxos, Mytilène ou Andros sont des continents miniatures plus que des îles où jouent ces lois harmoniques et précises), il faut un savant dosage entre ce plus et ce moins d'habitants comme si chaque arbre ici, chaque recoin de mer était lui aussi à l'échelle mesurée de ceux qu'il doit nourrir. On peut d'ailleurs, en de telles îles, faire une simple expérience qui révélera comment naît et comment disparaît ce sentiment physique d'harmonie, de rapports bienfaisants entre soi et le paysage. Il suffit de se promener dans les rues : de partout, on peut voir la mer. A certains moments, quelquefois, on la perd de vue. Combien de temps faut-il se déplacer, descendre ou monter pour qu'elle réapparaisse ? Car chaque échappée vers la mer restitue instantanément ce sentiment d'être à sa juste place, comme une bouffée d'air en un lieu trop longtemps renfermé. Les anciens Grecs avaient d'ailleurs parfaitement ressenti ce problème, cette nécessité de trouver la meilleure échelle et le meilleur rapport possible entre communauté humaine et espace naturel. Pour Hippocrate, ce rapport doit concerner le lieu construit et les éléments naturels qui l'entourent : orientation générale de la cité, exposition au soleil, alignements par rapport aux vents dominants, régime des sources et des eaux. Il est d'ailleurs l'auteur d'un *Traité des airs, des eaux et des lieux* qui, il y a vingt-cinq siècles, pose déjà les principes de ce qu'on nommerait très exactement aujourd'hui une « politique de l'environnement ». Aristote, lui, va plus loin (à la suite de Platon) en fixant un rapport numérique, de nature démographique. Pour lui, aucune cité n'est viable si elle a plus de dix mille habitants. L'harmonie est une question d'espace biologique qui implique une surface précise, une distance reconnue entre les bâtiments, une savante répartition des vides et des pleins. Il faut, pour retrouver l'espace vierge du dehors, ne pas avoir à franchir plus de cent fois la longueur de l'espace où l'on vit, c'est-à-dire celle de sa maison. Mais, en dehors de ces réflexions, qui gagneraient aujourd'hui à être réétudiées mais dont la plupart à l'époque demeurèrent théoriques, on s'aperçoit qu'en certaines îles, elles se trouvent spontanément et empiriquement appliquées. Il y eut là un art immédiat de l'espace, un bonheur constant mêlant à tout moment la fantaisie et la raison : art de mettre chaque pierre à sa juste place de lumière, de s'inscrire dans le paysage sans jamais le meurtrir, de prolonger en somme le désordre inconstant de la mer par ce désordre apparent des maisons, blanches comme des vagues pétrifiées.

XIII. JOURNAL DE BORD (1)

PATMOS. *Ile appartenant aux Douze Iles orientales* (Dodécanèse) *où saint Jean écrivit l'Apocalypse. Lieu rêvé pour oublier la fin du monde.*

1956 ou 57.

Aucune note. Aucun journal, alors. J'y ai passé trois jours, après la Crète, à rêver à Icare, et à ramasser de merveilleux galets multicolores sur une plage lointaine. Du haut du mont Saint-Nicolas (181 mètres) à l'extrême nord, on voit l'île d'Icaria et, par meltem, la mer ponctuée d'éclaboussures et ocellée d'écume blanche. Souvenir de la chute d'Icare?

1960.

Installé dans une maison blanche de la *scala*, la ville basse du bord de mer, l'escale, l'échelle comme on disait jadis. Je loue tout le premier étage à une famille de pêcheurs : une terrasse, une grande chambre, une cuisine, une douche. Le prix défie toute concurrence et

(1) J'ai consacré un des textes de mon livre *Sourates* à Patmos, en développant ce thème, sous le titre : *Sourate du dernier monde* (1982).

permet, même à un écrivain, d'y nourrir les plus folles envies. La nièce de la maison, Koula, vient faire le ménage tous les matins. Entendons par là qu'elle époussette cinq minutes puis que je l'entraîne sur le lit pour bavarder. Dès le deuxième jour, je lui dis : « pourquoi n'irait-on pas se baigner ce soir à Tarsana ? » (C'est une plage après le port.) Elle me regarde de ses yeux clairs sans esquiver les miens et me répond en soupirant : « Si seulement je pouvais, *kyrié Zak* ! »

Puisque je suis à Patmos, autant en finir tout de suite avec l'Apocalypse. Dès l'aube, le lendemain de mon arrivée, je monte à la *Chora*, la ville haute. La grotte de Saint-Jean, où il vécut ermite, est à mi-pente. On y montre, cerclés d'argent, les deux trous où il aurait posé la tête et les mains avant de mourir. Il y a une petite iconostase représentant le saint en dormition, des veilleuses, des candélabres, toutes les dorures habituelles de la superstition appelée dévotion. Ce lieu où fut écrit un des plus beaux textes du monde (un de ceux qui font voyager, non de ceux qu'on lit en voyage) est devenu, comme tous les lieux semblables, un reliquaire de souvenirs défunts. Mais celui-là, plus que tout autre, aurait dû rester nu. Quand on regarde le paysage de Patmos à l'entrée de la grotte, on se demande comment saint Jean put ressentir l'agonie du monde en un lieu aussi merveilleux. Aucune beauté ne devait plus pouvoir l'atteindre, le reconcilier avec un univers qu'il croyait moribond. Et ce drame humain et divin dont les chrétiens ont fait ensuite leurs délices leur ferma pendant des siècles toute perception de la beauté. Chapelles, églises, cathédrales n'ont chanté la gloire de Dieu sur leurs chapiteaux ou leurs fresques que lorsqu'on sut vraiment que le monde continuerait. De toute évidence, ce n'est pas la Beauté que saint Jean dut asseoir ici sur ses genoux mais la Bête Ecarlate.

Bien entendu, cette histoire s'est muée en légende. Dapper, un marin hollandais qui visita Patmos au XVIIe siècle note dans son journal de bord :

Les habitants racontent qu'il y a ici un figuier dont les fruits poussent naturellement au bout des branches

avec le mot Apocalypse marqué sur la peau du fruit...
On raconte aussi qu'on montre dans le petit cloître
voisin (de la grotte de l'Apocalypse) *la main d'un*
homme dont les ongles croissent comme à une per-
sonne vivante et à qui, quand on les rogne, ils revien-
nent quelque temps après. Les Grecs disent que c'est la
main dont saint Jean écrivit l'Apocalypse et les Turcs
prétendent qu'elle soit d'un de leurs prophètes.

Et voilà! Tout est en place pour l'affrontement des
fanatismes : chrétiens et musulmans se battront pour un
doigt desséché. Comme demain Russes et Chinois s'af-
fronteront peut-être pour la momie embaumée de
Lénine.

Les visions de l'Apocalypse ne donnent ici de cauchemar à personne. Deux fois par semaine, les bateaux de
croisière déversent deux ou trois cents touristes qui se
précipitent sur l'unique taxi de l'île ou les mulets qui les
attendent pour monter vers la Chora. Puis, après la visite
de la grotte et du monastère, ils retournent au bateau où
ils dînent et passent la soirée à danser. Le soir, par les
nuits de *bounatsa*, de calme plat, j'entends de ma
terrasse les flons-flons de la danse, les tangos et les
cha-cha-cha, des rires, des applaudissements. Il doit
certainement se trouver à bord quelque « gentil anima-
teur ». Les premiers temps, ces musiques m'agaçaient.
Venir à Patmos pour y danser le cha-cha-cha! Pourquoi
ces gentils animateurs n'organisent-ils pas des soirées
dansantes sur le Golgotha, des courses au trésor à
Bethléem, le jeu des mille francs au temple de Salomon?
Mais après tout, à quoi bon s'agacer pour si peu de
chose? Je me dis qu'au fond Patmos serait le lieu rêvé
pour un congrès de futurologie.

Je commence à me faire quelques amis : Thanassis, le
marchand de glace, qui pousse obstinément sur le port,
les jours d'arrivage (il parle des touristes), son chariot
garni de coquillages et de galets multicolores que ses
enfants (il en a trois) vont ramasser ou pêcher dans la
mer. Pour attirer la clientèle, il souffle dans un énorme
buccin. Les joues gonflées, la figure empourprée, avec sa
casquette graisseuse sur la tête, il me fait penser à un

moderne Eole. Il faudra que j'écrive aussi ce *mytho-gramme*. Eole, apprenti garagiste, préposé au gonfle-ment de pneumatiques.

Thomas, le muletier, est un homme effacé, timide, presque craintif. Il parle d'une voix tendre, étouffée et ses mains font sans cesse, paumes tournées vers le ciel, les gestes grecs de la fatalité. Bien sûr la vie est difficile mais personne ne l'a contraint de faire onze enfants à sa femme! L'autre jour, tandis qu'on buvait ensemble un ouzo sur le port, il a regardé avec tant d'envie ma chemise de toile bleue que séance tenante, je l'ai ôtée et la lui ai donnée. Je fus le premier surpris par mon geste qui me rappelait vaguement quelque chose ou quelqu'un. Mais oui : c'est saint Martin. A cette diffé-rence près que je lui ai donné ma chemise tout entière et non coupée en deux. A chaque voyage, je lui apporte quelque vêtement de France pour ses enfants : tricot, sweater, chemise. Et je m'amuse l'année suivante à les chercher sur le dos des petits Thomas qui se les repas-sent d'aînés en cadets. Cette idée me plaît. Aujourd'hui encore, il doit y avoir à Patmos quelque Thomas qui porte mes chemises.

L'autre jour, j'étais sur la plage, tout seul, au bout du port, après la fabrique de glace et le baptistère de Saint-Jean. Deux heures de l'après-midi, un ciel sans nuages et un soleil de plomb. Et de nouveau dans ma tête un vers d'Elytis :

Plus loin que la mémoire barques rouges de pêche
Elytres d'or du mois d'août dans la léthargie de midi...

Devant moi, trois petites filles jouent dans l'eau. Derrière moi, des odeurs de friture de la maison voisine. La mère appelle ses trois filles, de cette voix suraiguë qu'ont les femmes des îles : « Vasso, Antigone, Hélène! Venez manger tout de suite! » Deux des filles accourent aussitôt. La troisième reste à jouer dans l'eau. Au bout de cinq minutes, la mère ressort, excédée et se met à hurler : « Antigone! Vas-tu venir manger, oui ou non? Tu n'en fais toujours qu'à ta tête! »

1961.

La Chora de Patmos, la Ville Haute, possède les plus belles maisons de l'île. Euthymia, la femme du cafetier, m'en fera visiter deux dont l'une est d'ailleurs à vendre. Dans certaines, des coffres ouvragés, des cloisons peintes, des portraits anciens, des lustres en opaline, tout un monde de luxe désuet qui me rappelle les salons vieillots du mont Athos. Les façades, avec leur entrée à arcades, leurs fenêtres à pilastres, font penser aux riches maisons italiennes. Mais à l'intérieur, on retrouve cette architecture typique des maisons grecques, décrites par Tournefort au XVIIIᵉ siècle, lorsqu'il visita l'île et y compta huit cents maisons. Entre autres, cet *ambataros*, cette cloison de bois ciselé, ouvragée, décorée de fleurs et d'oiseaux, séparant de la pièce principale l'alcôve surélevée où se trouve le lit. De la fenêtre, on domine les terrasses blanches de la ville, les champs arides aux orangers et les îles d'Arki, de Lipsos, jusqu'à la côte turque.

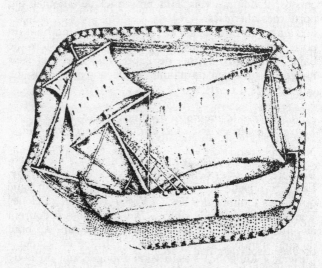

Ex-voto.

Dans le monastère de Saint-Jean, il y a une curieuse chapelle, dédiée à saint Basile, dont l'un des murs est entièrement couvert de graffiti représentant un raid des Francs sur le port de Patmos. On y voit des dizaines de bateaux en tous genres, des Francs en armure. Ces graffiti rappellent sans doute la razzia du Vénitien Morosini qui au XVIIe siècle ravagea l'île et détruisit tous les bateaux du port. On comprend mieux pourquoi la vie insulaire, en ces temps de pirates, de Turcs, de Gênois et de Vénitiens était tout entière concentrée dans la Ville Haute, seul endroit protégé des ennemis arrivés par la mer.

J'ai fait hier le tour presque complet de l'île, en prenant au port une barque qui me déposa à Kambos. De là, à travers les collines sèches, j'ai longé la côte orientale, passant au-dessus du petit ermitage d'Apollou et gagnant par le nord la plage d'Ormos Lambis – la Rade Brillante – où se trouvent les pierres multicolores que je vais ramasser chaque année. Les noms des reliefs racontent une histoire naturelle comme en quelque pays de légende : tour à tour je longe la Cheminée du Crabe, le Cap du Héron, le Nid de l'Oiseau, le Four du Grillon. Sur les hauteurs s'échelonnent de blanches chapelles, moins nombreuses ici que dans la partie sud de l'île, autour du monastère : la Vierge au Héron, saint Pantéléïmon, saint Georges, saint Dimitri. Chapelet d'ombres fraîches où il fait bon se reposer dans l'odeur de l'encens fané. Puis, à mesure que je descends la côte orientale, je traverse le Val des Moines, je longe le Cap Rouge, puis le Petit Myrte, enfin le Nid de l'Aigle. La verdure est un peu moins rare : on voit des tamaris, des figuiers (mais dont les fruits ne portent plus inscrit le mot Apocalypse), des orangers. Dans l'une des maisons blanches – simples bâtisses de jardins – je rencontrerai un étudiant français de l'Ecole de théologie russe de Paris qui vient ici chaque été vivre en ermite au-dessus de la baie de Groikou. Puis, le soir, épuisé de fatigue, de chaleur, de poussière, les oreilles assourdies par le chant des grillons, je retrouverai la fraîcheur de la scala et le buccin de Thanassis.

1962.

Chaque matin, dès cinq heures, je suis au travail au petit café situé à l'écart du port, près de l'église des saints Anargyres. Le cafetier n'arrive que vers six heures mais il connaît mes habitudes et laisse exprès dehors une table et une chaise sous un tamaris. Je traduis les *Fables* d'Esope pour un éditeur de Paris. Vie rêvée : de l'aube jusqu'à neuf heures, je vis avec les fables ésopiques, les animaux qui parlent et cette sagesse grecque conventionnelle qu'on retrouve tout au long des chemins vicinaux de l'Orient. A neuf heures le travail est fini et j'ai toute la journée pour dormir ou vagabonder. Le cafetier est un petit homme au crâne entièrement chauve, toujours souriant et empressé. A peine a-t-il ouvert son établissement, qu'il m'apporte un double *métrio* fumant et deux *phryganiès*, deux tranches de pain grillé. Après quoi, s'il n'a pas de client, il lui arrive de s'asseoir près de moi et de me regarder écrire : « *Grapheis, grapheis olo grapheis ma ti grapheis?* – Tu écris, tu écris, tu écris sans cesse, mais qu'est-ce que tu écris donc? » me demande-t-il. Je lui parle d'Esope, un ancêtre à lui qui écrivit des fables il y a très longtemps et je lui lis – en essayant de traduire le grec ancien en grec moderne – celle sur laquelle je travaille. Le sujet est de circonstance : la fable s'intitule *L'IVROGNE.*

Une femme avait pour mari un ivrogne. Pour le guérir de la boisson, elle imagina ce qui suit : un jour que son mari était comme ivre mort, elle le prit sur ses épaules, l'emmena jusqu'au cimetière, l'y déposa par terre et s'en alla. Quand l'homme revint à lui, il entendit frapper à la porte du cimetière. « Qui est là? » demanda-t-il. « Celle qui vient apporter à manger aux morts » répondit la femme. « Ne me parle pas de manger, fit l'homme, apporte-moi plutôt à boire. » Alors la femme s'écria en se martelant la poitrine : « Pauvre de moi! Ma ruse n'a servi à rien. Au lieu de te guérir de ton vice, elle n'a fait que le multiplier car te voici porté à boire même chez les morts! »

Le cafetier écouta cette histoire d'un air attentif, avec
le plus grand sérieux. Mais il ajouta une morale non
prévue par Esope : « C'est bien vrai! Il n'y a que des
femmes pour avoir des idées pareilles. Transporter son
mari au cimetière! Moi, heureusement, je suis célibataire. » dit-il, comme soulagé.

Juste en face de Patmos, il y a deux îles : « Arki,
Lipsos. Les pêcheurs y vont et viennent fréquemment,
par bounatsa, car la passe est impraticable pour leurs
barques quand souffle le meltem. Arki est la plus petite.
Une taverne, trois maisons et une gendarmerie. Même
ici, sur cet îlot perdu, on retrouve les deux pôles de toute
vie rurale : la taverne et la gendarmerie. Il est vrai que la
Turquie – ennemi héréditaire – est à moins d'une heure
par la mer. A Lipsos, j'aime grimper en haut de l'île, sur
la crête et me reposer dans la chapelle qu'on appelle ici
Panaghia tou Charou, la Vierge de Charos (du nom de
l'homme qui la construisit à la suite d'un vœu). On dit
dans l'île que chaque année, le 24 août, jour anniversaire
de la construction de la chapelle, toutes les fleurs
séchées déposées dans l'année se mettent à refleurir.
« Allez-y tant que vous voudrez, me dit une vieille au
visage ridé comme une peau de tortue, mais surtout ne
touchez pas aux fleurs. Il vous arriverait un grand
malheur. » Et elle me raconte une histoire survenue il y a
quelques années : une jeune fille de Patmos qui partait
s'expatrier en Amérique voulut en prendre un bouquet,
en souvenir. Et son bras se dessécha aussitôt.

Au bord de l'eau, à côté de la taverne d'Arki, des
poulpes sèchent sur un fil en plein soleil. Mouches et
guêpes bourdonnent tout autour. Les chats font la ronde
en dessous, dans l'espoir que le vent, tôt ou tard, finira
par en détacher un. Le poulpe, l'*octapode*, le huit pieds.
Mollusque enchanté, merveilleux, providence des mers
grecques. En France, il suscite encore des légendes
absurdes et grotesques. En Grèce, il est la nourriture
préférée des pêcheurs et des pauvres. Je me souviens, un
jour que je nageais à l'aube avec mon masque sous-
marin, d'avoir surpris un petit poulpe, un *octapodaki*,

allongé sur le sable, en train de dormir ou de rêver peut-être. Corps légèrement bleuté, turquoise claire comme une faïence rare. Je me suis immobilisé juste au-dessus de lui, émerveillé par ces couleurs et cette grâce. A un moment, il m'aperçut, vira en un instant à l'ocre sombre et rampa vers son trou. Mollusque aux mille métamorphoses, Protée des bleus rivages, tour à tour écharpe molle au cou des vagues, boule rouge et lovée, étoile grande ouverte, corolle frangée de tentacules opalescents, miracle des formes infinies! Quelle mirage que de surprendre cet arc-en-ciel vivant, au clair de lune! Bête si intelligente qu'elle vient s'enrouler autour de votre bras, se laisse caresser comme un chat. Sur la terre grecque il y a l'olivier, arbre béni. Dans la mer grecque, il y a l'*oktapodaki*, prince des métamorphoses. Et qui plus est, un prince comestible.

SERIFOS.

A l'ouest des Cyclades, entre Kythnos et Siphnos, une île sèche aux plages blanches.

1963.

Malgré sa sécheresse, Sérifos n'a plus aujourd'hui l'apparence austère, désolée que lui trouvèrent les navigateurs d'autrefois. Pendant des siècles, cette île passa pour un lieu redoutable, inhospitalier, sans eau et sans ressources. Les voyageurs qui l'abordèrent n'y virent que désolation et effroi. Etait-ce l'influence de la légende de Persée qui y aborda avec la tête tranchée de Méduse et changea en statues ses habitants? En 1663, un missionnaire de l'évêché catholique de Syra, Nicolas Marangos, écrit que « Sériphos est une île stérile et rocheuse qui ne possède qu'une seule forteresse à trois milles de la mer et huit cents habitants, tous grossiers, pauvres, vivant dans un état pitoyable, se nourrissant exclusivement de fromage et de viande de porc. Il y a aussi une quinzaine de prêtres illettrés incapables de comprendre correctement ce qu'ils sont censés enseigner. A huit milles de la mer, sur une hauteur, se trouve un monastère fortifié où vivent soixante moines. Dix d'entre eux seulement sont prêtres. Les uns cultivent la terre, les autres vont mendier à travers les îles... » Au début du XVIIIe siècle, la situation n'a pas sensiblement changé. Un jésuite, Xavier Isaac, qui relâche dans l'île en 1701, écrit que « Sériphos est une île sèche et pierreuse, toute en montagnes, située en face de Siphnos. Sa seule vue engendre la tristesse et un frisson d'horreur. Elle ne produit pas un seul épi de blé ni une grappe de vin. Il y a très peu d'arbres mais par contre pas mal de moutons. Ils broutent les herbes sèches et les buissons, ils n'ont pas l'air maigre et leur laine est belle. Il y pousse un très beau crocus et on y voit aussi beaucoup de perdrix rouges et grises... » Il est curieux de voir que le plus ancien témoignage occidental concernant Sérifos, la *Description des îles de l'Archipel grec* de Christophe Buondelmonti (publié en 1420) mentionne l'île non sous son nom actuel mais sous celui de Serphinos qu'il fait dériver de *serphi*, nom d'une plante qui guérit tous les maux de reins. « Quant aux habitants » écrit l'auteur « ils vivent jour et nuit dans les transes car ils redoutent sans cesse de tomber entre les mains de leurs ennemis. »

La plus curieuse des légendes de Sérifos est celle qui associe l'île aux grenouilles. La grenouille figurait sur les anciennes monnaies de l'île car Sérifos passait pour en abriter un nombre incalculable. Mais elles avaient une particularité, remarquée par tous les auteurs anciens : elles étaient muettes. Ces grenouilles ouvraient bien la bouche à l'occasion mais n'émettaient aucun coassement. Pourquoi? Parce que l'eau saumâtre de l'île les privait de leur voix, dit Théophraste. Mais il y a une autre explication, la seule plausible évidemment puisqu'elle provient des dieux. On dit que lorsque Persée aborda l'île après sa victoire sur Méduse, il était si harassé qu'il se jeta sur une plage pour y dormir. Les grenouilles firent un tel tapage qu'elles l'en empêchèrent. Alors Persée pria Zeus de faire quelque chose et Zeus rendit les batraciens muets. Depuis, il semble que les choses aient repris leur cours normal. Dès ma première nuit à Sérifos, j'ai pu constater que les grenouilles avaient parfaitement retrouvé leur voix.

J'habite une des dernières maisons de la scala, au pied des premières collines. Je l'ai louée à une femme assez jeune dont le mari travaille sur les cargos. Le couple a un fils unique et indiscipliné du nom de Panaghiotis. Panaghiotis a pour unique occupation de n'être jamais là quand sa mère le cherche. Aussi l'appelle-t-elle à longueur de journée, debout sur la terrasse, en direction du port. De ma vie je n'ai entendu de voix si stridente quand elle crie *Pana-GHIO-tis*, Pana-GHIO-tis à l'heure du déjeuner et du dîner. Par bon vent, on doit entendre sa voix jusqu'à Siphnos. Et comme toutes les autres mères en font autant, l'air de Sérifos est sans cesse traversé, aux heures de repas, par un concert de prénoms variés et une pluie de malédictions allant de la plus anodine à la plus apocalyptique. Si ma mémoire est bonne, cela va de : *paliopaido* – sale garnement – à *tha zis ti se périméni* – tu vas voir ce qui t'attend –, *éla amésos allios den se thélo pia* – viens immédiatement sinon je ne veux plus te voir –, *as' to diavolo* – va-t'en au diable –, *na se phaie i gî* – que la terre t'avale –, *adé moré mou aghié Nicola, na mou to phas* – mon bon saint Nicolas, engloutis-moi ce gosse. Mais la plus belle fut un inoubliable *bromopaliomalakocatraméno paidi*, – salopollissomasturbomaudit garnement, qui traversa l'air brûlant de midi, sur les terrasses de la scala. Aristophane lui-même n'aurait pu trouver mieux que cette mère en furie et une fois de plus je restai, moi, sans voix, comme les grenouilles, devant les inventions et la pérennité du grec.

Dans la pièce où j'habite, il y a un grand lit, une armoire, du papier peint très défraîchi et au-dessus du lit, une de ces gravures sirupeuses dont seuls les Grecs ont le secret. Elles représentent des femmes alanguies – Charites, Grâces ou hétaïres – se pâmant au clair de lune dans une gondole poussée par des Amours. Quel programme! Elles aussi manquent d'hommes, comme toutes les femmes des îles. Est-ce par un choix conscient ou inconscient que ma logeuse si souvent esseulée l'a mise au-dessus de son lit? En France, où les passions sont moins rentrées, j'aurais eu droit à quelque crépuscule sur la mer ou quelque sous-bois printanier. Ici, je soupçonne les artisans de ces gravures évocatrices de flatter les désirs inassouvis des femmes trop longtemps et trop seules au foyer. Mais je préfère encore le corps de ma logeuse – même dans la force de son âge – à la chair de sucre candi de ces nymphettes en guimauve.

La Chora est à moins d'une heure de la mer, sur un promontoire rocheux. Un car fait l'aller et retour à intervalles réguliers. Personnellement, je préfère y monter à pied et m'arrêter à mi-chemin à la petite chapelle de saint Athanase près de laquelle vit une vieille qui me donne à chaque fois des figues. Une vieille, des vieux, on ne voit guère que cela à Sérifos. Toute la jeunesse a émigré aux quatre coins du monde, à part Panaghiotis et les enfants qu'il faut appeler tous les jours. Des hommes? On en voit surtout dans les villages de l'intérieur, à Callitso, à Pyrgo ou à Panaghia, lieux torrides, désolés, où l'on devine ce que dut être autrefois la vie rurale de Sérifos. Les maisons sont construites au flanc de la montagne avec des toits en terrasses recouverts de cette terre rouge qui brille tout à l'entour. Elles n'ont qu'une pièce en terre battue où mange et dort toute la famille. Devant, une treille pour faire de l'ombre, quelques arbres rabougris, figuiers ou tamaris. Partout, des cultures en terrasses où il faut retenir la terre, emportée par les pluies violentes et le vent. Devant l'une des maisons, des femmes accroupies trient des fèves. Plus loin, dans l'unique café de Callitso, des hommes bavardent pendant la sieste. Trois pêcheurs, six cultivateurs pour cet horizon infini de la mer, cet horizon de terrasses sèches et rouges. A côté, juste au-dessus d'une barrière, un *micro*, un gosse passe la tête, une tête nue et rasée comme celle de tous les enfants grecs. Ses grands yeux noirs me fixent avec un mélange de crainte et de curiosité. Comme des yeux de chat. Crâne rasé des enfants grecs,

milliers de crânes entrevus à travers ce pays qui tous
devront penser, inventer, imaginer comment sortir de
l'inévitable misère qui les attend ici, entre les chaussures
à cirer, les livraisons au monastère tout proche, les soins
à donner aux mulets ou l'émigration dans tous les ports
ou les usines des pays riches. Entre la vie mesurée,
difficile de ce village – si nu, si sec qu'une simple fleur
dans une boîte de conserve a l'air d'un miracle vivant –
et cet avenir d'émigré, sait-il déjà ce qui l'attend ?
Comme la plupart des enfants grecs, il lui faudra sans
doute partir d'ici. Il ne saura lire que les lettres de
l'alphabet, les Evangiles et les quelques journaux écrits
en langue démotique. Il ne comprendra rien aux circu-
laires, aux bulletins, aux affiches, aux demandes de pas-
seport rédigées en langue pure et pour sa propre langue il lui faudra trouver un traducteur (1). Après quoi, il
partira là où un frère, un cousin, un beau-frère pourra
lui trouver du travail, de Chicago à Melbourne, de
Toronto à Francfort, de Miami à Marseille. Peut-être
pensera-t-il là-bas à son île désolée, au crépuscule sur les
terrasses rouges de Callitso, à la barbe du pope qui lui
chatouillait les oreilles chaque fois qu'il l'embrassait, aux
fleurs d'oranger qu'on jetait dans l'église les jours de
mariage, à la petite fleur mauve qui pousse sur la
terrasse du café dans une boîte de conserve américaine.
Il voudra revenir. Rapporter d'Australie un vrai pot de
fleurs, un costume flambant neuf. Je pense à tout cela en
regardant les yeux de cet enfant, cette boule rasée avec
ses flammes noires qui ne cessent de me dévisager. Je lui
demande : comment t'appelles-tu ? *Homiro* – Homère,
répond-il d'une voix vive.

En chaque île, il existe toujours quelqu'un – en
général l'instituteur, le médecin, l'avocat ou l'ingénieur

(1) Ceci n'est plus entièrement vrai aujourd'hui, la langue démotique
étant devenue langue officielle depuis 1976.

parti à Athènes ou à l'étranger – qui éprouve le besoin
d'écrire l'histoire de son pays. Dans l'unique café restaurant de la scala (tenu par un certain Yannis qui semble
posséder avec ses frères et ses beaux-frères toutes les
maisons du littoral, les barques de pêche et les *benzinès*,
les barques à moteur), je trouve un ouvrage sur Sérifos,
édité à compte d'auteur par un habitant du nom de
Phocion Galanos. Tout y est minutieusement et amou-
reusement relaté : la géographie, l'histoire, les légendes,
les coutumes, les ressources, les moindres faits dignes
d'attention qui marquèrent Sérifos depuis les temps les
plus anciens. Le livre s'achève par quelques biographies
de célébrités de l'île ou simplement de gens qui ont
contribué d'une façon ou d'une autre à son enrichissement ou à son amélioration. En lisant ces biographies –
les unes touchantes, les autres fades – je me dis qu'elles
constituent un véritable « anti-Plutarque », les vies non
parallèles des hommes non illustres. En 1962, l'île avait
1836 habitants. Lorsqu'on voit ses maigres ressources,
on se demande : comment faisait-elle pour les nourrir ?
Car dans ces îles et d'autres plus pauvres encore comme
Sikinos et Pholégandros, on a l'angoissant sentiment que
tout est mesuré à une ocque ou un kilo près, que le
moindre fruit est compté et que les épiceries, les *panto-
poleia* contiennent juste ce qu'il faut pour alimenter la
population, pour une semaine tout au plus. A Pholégandros, où je suis resté quelques jours et où il n'y avait ni
hôtel ni restaurant – tout juste un café –, la famille qui
m'hébergeait était si pauvre que le mari allait chaque
jour à la mer pêcher le poisson du soir. S'il n'en prenait
pas, on mangeait des nouilles ou des pois chiches. En me
promenant dans l'intérieur de l'île, je ressentais la moindre chose – un enclos, une chapelle, un petit champ de
maïs ou de seigle – comme une conquête précieuse, qui
prenait brusquement la fragilité et l'importance d'un
miracle. Comment a-t-on trouvé les graines ? Comment
a-t-on fait venir l'eau ? Comment a-t-on pu amasser,
retenir cette terre ?

Cela nous paraît étrange d'avoir pu autrefois construire
Nos maisons, nos cabanes et nos parcs à moutons.
Et nos mariages avec leurs couronnes fraîches et leurs
                                                    [bagues
Deviennent d'insolubles énigmes pour notre âme.
Comment nos enfants ont-il pu naître?
Comment alors ont-ils grandi?

J'ai souvent pensé à ces vers de Séféris car ils expriment exactement ce qu'est ce miracle grec – plus vrai, plus important peut-être que celui des siècles classiques : le miracle de cette vie qui continue quand même, qui poursuit dans les yeux noirs de cet enfant de Callitsos et dans la mémoire de ses lèvres une histoire immémoriale, maintenue, retenue grain par grain, goutte d'eau par goutte d'eau, bouchée de pain après bouchée de pain. Le miracle d'un pays où des enfants jouant avec un crabe disent encore : *charopalévi.*

XIV. JOURNAL DE BORD (2)

Je me dis parfois que certains livres sont comme des voiliers ouvrant dans la durée un sillage qui se referme vite. Pourtant, pendant le temps de leur écriture, ils vous ont porté dans la joie et aussi la sourde inquiétude des navigations hauturières. Personnellement, ma nature terrienne me range plutôt dans la catégorie des caboteurs. J'aime longer les côtes, les perdre de vue pour les retrouver un peu plus tard, voir surgir à l'horizon la masse sombre ou bleutée d'une île. Bref, je suis un homme des archipels plus que de la haute mer. Ainsi, tous les livres écrits jusqu'à ce jour sur la Grèce ou à propos d'elle ont-ils été pour moi comme des voyages entrecoupés d'escales, des sillages et des haltes alternés dans la mémoire grecque. Les grands amers qui m'ont toujours guidé dans ce périple mémorial sont avant tout Héraclite, Empédocle, Eschyle, Sophocle et, bien entendu, Hérodote qui est, avec Eschyle, l'auteur grec que je relis le plus souvent. Textes dont beaucoup portent d'ailleurs l'empreinte de la mer. Il y a de fortes tempêtes chez Eschyle, le poète des océans primordiaux, des grandes marées de l'histoire, il y a de grands paysages de mer plus calmes et plus ensoleillés chez Sophocle et, en bien des pages d'Hérodote, la réflexion d'un homme qui porte sur le monde un regard de marin.

Avec ces textes et ces auteurs, on ne quitte pas l'Egée qui se rappelle à nous au hasard d'une image, d'une phrase ou d'une référence. C'est un peu ce souvenir embué d'embruns que laisse en moi mon second livre, écrit après le *Mont Athos*. C'était une traduction et un choix commenté des voyages d'Hérodote d'Halicarnasse, le premier historien mais aussi le premier géographe et ethnologue de l'histoire. Paru en 1957 sous le titre *Découverte du monde antique*, il était accompagné des *Récits indiens* de Ctésias de Cnide, du *Périple d'Hannon* et du *Périple de Néarque en mer Erythrée*, ce qui permettait au lecteur d'effectuer une grande circumnavigation des continents antiques (1). Découverte du monde antique qui n'est pas seulement l'histoire épique des Grecs et des Perses mais aussi description de peuples étranges, inventaire des coutumes et des usages scythes, perses, babyloniens, égyptiens et libyens, portulan inscrivant sur les rivages inconnus du Proche-Orient les amers d'un nouveau monde. Mais ce que je découvris surtout en traduisant ce livre, ce fut le regard d'Hérodote, le premier regard du premier ethnologue. Il semble banal aujourd'hui de tenir les autres peuples de la terre pour des amis, des ennemis, des alliés ou des adversaires mais de toute façon des êtres humains semblables à ceux qui les observent. Au temps d'Hérodote, un tel regard n'allait pas forcément de soi. La notion d'*homme* était des plus flottantes et l'on doit justement à Hérodote la première des approches anthropologiques des autres peuples de la terre, la découverte de la ressemblance ou de l'identité des hommes malgré la dissemblance de leurs coutumes. Cette conscience nouvelle marque un moment crucial de l'histoire culturelle du monde, aussi crucial que l'apparition de la démocratie, que la naissance du regard théâtral, trois phénomènes qui sont précisément contemporains dans l'histoire de la pensée grecque. Contemporains et même inséparables, liés

(1) J'ai réédité ce livre récemment (1981) avec une nouvelle présentation et des commentaires remaniés aux éditions Seghers/Laffont sous le titre *En cheminant avec Hérodote*.

entre eux par des relations dont on entrevoit seulement aujourd'hui le caractère cohérent et structural (1). Face aux étrangetés du monde qu'il parcourt : les splendeurs de Babylone, les singularités de l'Egypte, la vie des nomades du désert, les usages sanguinaires des peuples de Scythie, Hérodote inventorie, constate, réfléchit mais ne juge que très rarement. Les cultures – semble-t-il dire en reprenant un aphorisme de Solon – sont à la nature de l'homme ce que le vent est à la mer, une force extérieure qui la meut et l'émeut en surface sans modifier ses profondeurs ni son essence. Les cultures ne modifient que la surface du vécu, soulèvent les vagues de l'histoire mais laissent intacte et identique l'essence anthropologique de l'homme. A travers ses guerres, ses travaux, les infinies variantes de ses coutumes, il est et il demeure *homo sapiens*. Aussi, bien que l'image physique du monde soit encore pour Hérodote imprécise et approximative, (et comment ne le serait-elle pas en un temps où l'on commençait juste à percevoir l'architecture rationnelle du cosmos ?) l'image anthropologique, ethnologique qu'il nous en donne apparaît à nos yeux étonnamment moderne, même si elle draine encore avec elle, inévitablement, un flot de mythes, de visions archaïques, de données religieuses situant l'homme davantage entre les monstres et les dieux qu'au cœur de sa spécificité hominienne. Cela m'a toujours amusé (ou plutôt agacé) de voir tant de doctes universitaires – surtout au siècle précédent – tancer et admonester Hérodote pour n'avoir pas compris, le malheureux, que la terre était ronde, que le Danube n'était pas une réplique du Nil, que les crues de ce dernier n'avaient que peu à voir avec le régime des vents étésiens. Ce qu'Hérodote a découvert ou pressenti sur une terre où il ne possédait aucune des données, aucun des instruments qui permirent plus tard de s'en faire une idée plus juste, ces universitaires

(1) Il faut pour cela lire et relire les remarquables travaux de Jean-Pierre Vernant, notamment la trilogie consacrée à *Mythe et pensée, Mythe et tragédie, Mythe et société en Grèce ancienne*, véritable corpus des données fondamentales et des structures du monde grec ancien.

l'ont-ils fait en leur propre temps ? Comme il est facile de juger après coup ce que des dizaines d'hommes – connus ou inconnus – ont peu à peu inventorié, étudié, engrangé sur toute la surface du monde ! C'est en pensant à cela qu'à la fin des commentaires sur l'œuvre d'Hérodote, j'avais écrit qu' « à une époque où tout, sur terre, restait à découvrir, la recherche du réel a joué le même rôle et exigé les mêmes qualités créatrices que nous appliquons aujourd'hui à la recherche de l'imaginaire. »

ALONISSOS.
Une des trois Sporades – les Iles Essaimées – avec Skopélos et Skiathos. Ile sereine et douce.

Alonissos. Il suffirait d'écrire *Allonissos* pour que ce nom veuille dire : l'Autre Ile. Mot troublant : l'île « réelle » ne serait-elle que le reflet, le double de l'île véritable, invisible à nos yeux, ou l'ultime vestige d'une île disparue ? C'est une île sereine et douce où la nuit descend très lentement, sans cette hâte, cette noirceur vorace qu'elle a dans les îles du sud. Les maisons, si blanches depuis l'aube, se ternissent lentement jusqu'à ce point de pénombre et de doute qu'on nomme en France *entre chien et loup* mais qu'il faudrait nommer ici *entre guêpe et abeille*. Je regarde la nuit, du haut d'une petite terrasse dominant le port et les premières maisons. Et j'écoute ces bruits, chaque soir *presque* les mêmes : un âne qui braie lugubrement (mais aujourd'hui l'autre ne lui répond pas, on a dû l'emmener vers l'intérieur charger les premiers fûts de résine à l'approche des vendanges et je l'imagine marchant sur le sentier de Votsi, tout à sa tâche en apparence mais dressant l'oreille à cet appel lointain); des femmes criant après leurs gosses qui n'en ont cure et s'égaient vers le port. Maintenant que la nuit est tout à fait tombée, qu'on ne distingue qu'à peine, à l'horizon, l'île des Deux Frères, deux îlots nus, abrupts, séparés par un étroit

chenal et s'élevant à la même hauteur (et si l'on se
sentait l'absurde envie de vouloir tout comprendre on
pourrait questionner la terre sur cet effondrement qui en
séparant ces rochers les a rendus à jamais fraternels)
maintenant donc j'attends le dernier bruit du crépuscule,
le tac-tac de l'ultime barque à moteur, celle qui rentre au
port toujours après les autres et ne va pas tarder à
dépasser le petit cap et venir se ranger le long du môle à
droite. C'est la barque de Barba Yannis. Et je sais
qu'avant d'en descendre et de venir s'asseoir à la taverne
juste à côté, il va tourner et retourner dans son esquif,
ranger les rames, la voile, l'ancre, les chiffons innombrables où il fourre ses plombs et son fil de nylon pour la
traîne, (ces mille objets d'usage et d'apparence indiscernables sans lesquels il n'y aurait pourtant pas de vraie
barque ni de vrai pêcheur), qu'il va les mettre en place,
les ajuster, les vérifier et les revérifier. Comme si chaque
soir, il lui fallait se prémunir contre l'imprévisible chaos
de la nuit.

Oui, c'est une île sereine et douce où même le cri des
mères hurlant après leurs gosses, où les *PanaGHIOtis*,
les *vré paliopaido, éla amesos, tha phas xylo, paliopédo*

Le vieil homme de la mer.

– sale gosse, arrive immédiatement, tu vas voir, sale gosse – troublent à peine la ronde des mouettes, la transparence de l'air, la flamme droite des lampes sur les terrasses où l'on prépare le repas du soir. Un grand feu illumine les façades, où bout la soupe de poisson, où la grande *pita* au fromage étale ses dentelles de pâte. Autour du feu, les Panaghiotis et les palia paidia, revenus de leur fugue nocturne attendent le délice qui cuit. C'est l'heure où, à leur tour, les chats se perdent dans la nuit.

Les chats ici ont de grêles silhouettes : ligne efflanquée, museau pointu, oreilles longues et fines. Est-ce vraiment la faim qui leur donne cet air gracile ? Je crois plutôt qu'ils sont d'une autre race, qu'ils viennent d'Egypte et de Syrie, oubliés par la dévotion des hommes maintenant qu'ils ont cessé d'être des dieux. Et ils promènent dans les ruelles blanches le noir fantôme de leur faim, la fragilité de leur corps né au pays des sables.

Sur le port, chaque arbre abrite une lampe, un café, une histoire. Le tamaris, le jujubier et le mûrier. Les tamaris en fait n'abritent rien : leur ombre est trop légère. Ils sont là pour montrer qu'un arbre peut pousser malgré tout aux franges extrêmes de la mer. Il y a dans leur silhouette quelque chose de chétif, d'amenuisé comme d'anciens rêves avortés. Mais il doit y avoir dans leur sève une force secrète pour défier ainsi les embruns salés de la mer, l'aridité du sable. Leurs feuilles ténues comme une gaze tamisent le soleil sans l'étouffer ni l'assombrir. Il faudrait dire *tamarisent* le soleil pour restituer l'ombre émiettée de ces feuillages à travers lesquels l'astre paraît soudain lointain, léger, étranger à sa propre lumière. On dirait qu'un être diaphane s'y débat sans cesse dans les filets d'un autre monde. Dans quelle *Vie* d'un saint ai-je lu qu'un jour un vieil ascète devenu filiforme à force de jeûner avait quitté son désert pour aller prêcher vers le pays des îles et qu'il s'était reposé longtemps, au pied d'un tamaris car « c'est l'arbre que Dieu a créé pour ombrager ses anges ? »

Le jujubier a plus de force et d'ombre mais plus

d'anonymat. Il lui arrive d'abriter des tables et des chaises sous ses branches. Les chats aiment se faire les griffes contre son tronc et les fillettes jouer avec les beaux fruits acajou dont elles enfilent les graines une à une pour faire des colliers. Ils donnent une ombre turbulente, inquiète, qui semble ne jamais savoir où est sa place. Sur ce port, il n'y en a qu'un, en face de la pâtisserie portant son nom : *AU JUJUBIER.* Un nom – *dzidzifia* – qui évoque le chant des cigales et le bruit que fait précisément le vent dans les feuilles de l'arbre : un bruissement lointain, un grand appel manqué.

Face au jujubier, au tamaris, le mûrier a un air paysan et pataud. Un tronc lourd, des feuilles larges et drues, une ombre dense, inébranlable. Arbre idéal pour un café. Il y a sur le port trois mûriers et donc trois cafés. Est-ce l'arbre qu'on élit ou le café lorsqu'on va le jour s'asseoir sous son ombre et la nuit, sous la lampe à acétylène qu'entoure la nuée des papillons nocturnes ? Les hommes restent là des heures, à tourner et retourner entre leurs doigts ce combologue, chapelet d'ambre dont on ne sait s'il est le signe de quelque aristocratie des loisirs ou celui d'une secrète détresse qui ne se lit jamais sur les visages mais qu'on devine à cette façon de dialoguer en silence avec ses propres doigts. Et pendant que les hommes restent ici à jouer avec leur main, il est facile d'imaginer leurs femmes, là-haut, allumant le feu de bois dans les maisons, pétrissant le pain, trayant la chèvre, puisant l'eau au puits, s'activant du matin au soir comme si depuis les origines du monde ou de la Grèce, elles n'avaient connu qu'un éternel labeur.

Le port est entouré de vignes, couvrant toutes les pentes environnantes. C'est de là qu'il tire son nom : Patatiri, le Pressoir. Le reste de l'île est couvert de forêts de pins qui fournissent une résine appréciée que l'on vient chercher de très loin. On y découvre aussi, le long de la côte sud, abrités contre le vent du nord et bien exposés au soleil, de petits hameaux de pêcheurs – Votsi, Stinévala – où l'on se gave de poissons.

La Ville Haute est à trois quarts d'heure de marche de la côte mais elle semble faire partie d'un monde où l'on a oublié la mer. Odeurs de cuir, de foin séché, bruit des clochettes de chèvres se promenant en liberté dans les ruelles, terrasses dominant des ravins où brûlent les premières herbes de l'automne. On pourrait vivre ici et y mourir sans jamais savoir ce qu'est une rame ou une ancre.

Cette île n'offre rien de ce que recherche partout l'homme-qui-voyage. Elle n'a pas d'antiquités, pas de routes longeant les côtes, pas d'électricité ni de lieux de plaisir. On s'y éclaire au pétrole ou à l'acétylène. On y marche le long de sentiers qu'empruntent seulement des ânes ou des mulets. On y consomme une cuisine locale où le vin fortement résiné, le yaourt au lait de chèvre, la

pita – le feuilleté – au fromage constituent l'essentiel des repas.

J'habite une petite chambre donnant sur une terrasse dominant la mer avec un beau mûrier à l'ombre duquel les femmes viennent s'asseoir aux heures calmes de la journée. Elles portent presque toutes de grandes nattes tressées selon la mode ancienne et des foulards savamment repliés sur la tête. De cette terrasse, on aperçoit les îlots alentour : les Deux Frères, Xéronisi, Skantzoura et, tout au fond, Youra. Ils sont très bas sur l'eau, sauf Youra, et ont tous, vus de loin, un même air de baleine écorchée, à la peau rocailleuse et aride.

Xéronisi – l'Ilot Sec – est broussailleux, austère et inhospitalier. Il ne possède aucune source et l'on y marche sur un sol rouge et jaune, un sol de schiste et de fer. D'anciennes mines, depuis longtemps abandonnées, s'ouvrent près de la mer, au-dessus d'une pente d'éboulis. Dans les galeries fraîches, des chèvres ont élu domicile, des chèvres qui vivent ici sans berger et qu'on vient visiter, les veilles de fêtes, pour y choisir la plus dodue.

Skantzoura est une île de marbre. Elle vous accueille d'emblée par un air avenant, une débauche de couleurs, un sentier menant à un ermitage. A côté de cet ermitage, une bâtisse à demi effondrée abrite un couple et trois enfants, vivant des ressources de l'île : chèvres, moutons, quelques cultures et poissons. Skantzoura est une île sereine et douce, elle aussi. Plus sereine encore qu'Alonissos puisqu'ici on n'y entend aucun cri d'enfant ni de mère énervée. De l'éminence dominant l'île, on découvre ses deux extrémités avec les zones vert sombre d'oliviers sauvages, les masses plus noires d'arbousiers et de térébinthes et, par endroits, quelques clairières plantées d'avoine et de maïs. Dans l'ermitage, vit un moine dans une pièce encombrée de gravures pieuses, d'images empoussiérées de saints, de vieux livres et de photographies. Il vient du mont Athos, de la Grande Lavra à qui cette île appartient et se sent ici plus heureux que

Robinson en son île déserte. Car lui, au contraire du couple qui trime jour et nuit pour se nourrir et le nourrir, n'a qu'à prier tout le jour et dormir toute la nuit. Est-ce là l'image qu'il se fait du paradis futur? Un lieu où des moines hébétés continueront d'être nourris par la foule des ilotes, leurs frères? Ici, le rapprochement de ces vies parallèles et si différentes est comme un vivant chapitre d'histoire de l'homme exploitant l'homme. Car le moine qu'on nourrit à prier vit à côté de ceux qui le nourrissent. Les produits passent directement de leurs mains dans sa bouche. Et je comprends fort bien pourquoi sa voix vibre tandis qu'au soir, en remuant la soupe de poisson (un poisson pêché par l'autre évidemment, son « nourrisseur »), il me dit qu'ici, c'est un vrai paradis...

Youra, la plus éloignée des trois îles, est elle aussi à sa façon, un paradis (1). Elle sert de refuge à des chèvres sauvages d'une espèce en voie d'extinction. Un gardien, seul habitant de l'île, veille sur elles et sur les éventuels braconniers. Autour de sa maison, on ne surprend que des dômes rocheux, des crêtes d'arbres et des parois abruptes. Les chèvres sont invisibles, accrochées et plaquées aux rochers, si sauvages que lui-même ne peut les repérer qu'à la jumelle. Quand on parcourt l'île en plein midi, dans l'odeur étouffée des buissons et des herbes, la chaleur fait trembler au loin, sur les parois de la montagne, les taches noires des broussailles comme autant de chèvres immobiles et fiévreuses.

Le soir, de retour dans l'île-mère, l'île sereine et douce, en se guidant à la nuit tombée sur les lumières des cafés (car cette île est si pauvre qu'il n'y a aucun feu ni aucune bouée lumineuse pour baliser l'entrée du port), en montant sur la terrasse blanche près de laquelle

(1) Il ne s'agit pas évidemment de Yaros, appelée parfois aussi Youra, et qui servit jusqu'à l'été de 1974 de lieu de déportation et de torture. Yaros se trouve beaucoup plus au sud que les Sporades entre Andros et Kéa.

je dors, on peut voir une étoile s'allumer très bas sur l'horizon, près du sommet de Skantzoura : la lampe à pétrole du moine heureux. Les autres, le couple aux trois enfants, ont-ils seulement un feu pour éclairer leur nuit ?

*
*

De nouveau, partout dans ma mémoire, les îles blanches resurgissent. Cos où un gendarme à la mine rougeaude, préposé à l'accueil des touristes, me récita par cœur le début de *Paul et Virginie* et me supplia, quand je le quittai, de lui envoyer *Les Harmonies de la nature* de Bernardin de Saint-Pierre (livre que j'eus d'ailleurs le plus grand mal à me procurer, cet auteur étant quelque peu démodé aujourd'hui et que je relus avec le plaisir ambigu de savoir qu'il finirait sur les rayons de quelque gendarmerie grecque provinciale). Ios où pendant toute une semaine je vécus avec deux pêcheurs du Pirée, de côte en côte. Amorgos où le boulanger de la Chora qui m'avait hébergé chez lui venait me réciter, après avoir enfourné son pain, des pages de l'*Alexiade* d'Anne Comnène (livre où la princesse Anne relate la vie de son père, le roi Alexis, et les fastes de la cour de Byzance) et me mena vers l'Acropole d'Arkésini, un lieu tout imprégné des traces d'une histoire engloutie comme Asiné, Lato ou Titanè.

Dans ces îles, les ports sont évidemment les lieux les plus vivants. Mais ils n'ont plus, quant aux bateaux, le faste et la richesse du siècle précédent. On ne voit plus guère que des caïques, certains peints de couleurs vives, décorés de dessins, avec un plat-bord ou une poupe ouvragé, des *trata* ou des *trékandéria*, petits bateaux à voile qu'utilisent les pêcheurs pour la pêche à la senne, ou des *benzinès*, des barques à moteur équipées parfois d'un lamparot.

Caïque : du turc *qaïq*. « Embarcation légère, étroite et pointue à l'avant et à l'arrière, en usage dans l'archipel et à Constantinople. » Cette définition du Grand Robert ne correspond plus exactement au caïque que l'on voit

en Grèce aujourd'hui. Car il est plutôt le contraire :
lourd (certains vont jusqu'à 400 tonneaux), ventru, sans
quille avec une poupe droite – et non pointue – ce sont
d'excellents bateaux de cabotage, équipés de Diesel à
deux temps dont l'odeur et le halètement sont inséparables de la vie insulaire. Au cours de mes navigations
égéennes, j'ai voyagé sur des caïques en tout genre mais
qui tous avaient le même relent de mazout, de goudron,
de poisson pourri, de saumure (ce suint de la mer qui
poisse tous les ponts, les plat-bords et les mâts). Je
m'installais en général vers le milieu du pont, au pied du
mât quand le bateau n'en avait qu'un, enveloppé du
cocon bleu de mon duvet. Mais ces caïques aux noms
souvent poétiques : *Panto Chara* – Joie de Tous –
Evangélistria – l'Annonciatrice – *Almyri Gorgona* –
Sirène Amère – ne sont rien à côté des bateaux d'autrefois. J'ai connu à Athènes sur ses vieux jours un homme
qui a écrit sur les bateaux et les caïques grecs des pages
magnifiques et inconnues. Il s'appelait Photis Kondoglou
et était surtout réputé à Athènes comme peintre et
spécialiste de l'art byzantin. Spécialiste n'est d'ailleurs
pas le mot qui convient. Kondoglou était un véritable
homme de Byzance égaré dans notre époque. Son œuvre
littéraire est un mélange de chroniques d'antan, sur ce
qu'il a lui-même appelé *la souffrante Grécité*, de souvenirs sur son enfance en Asie Mineure (il était d'Aïvali, en
face de Mytilène), de réflexions sur l'art et l'hagiographie de Byzance. Je l'ai connu deux ans avant sa mort,
en 1963, ayant eu alors le projet de traduire et de publier
en France ses souvenirs d'enfance parus en Grèce sous le
titre *Aïvali, ma patrie*. Dans ce livre sont décrits les
lieux, la vie quotidienne, les personnages marquants
d'Aïvali et de ses environs, le berger Alexis, le capétan
Ronkos, Barba-Charalambos le cafetier, Barba-Yannis le
pêcheur. Il parle aussi du vent, de la mer, des bateaux.
C'est à leur propos qu'il écrit :

Autrefois, chaque capitaine avait ses propres goûts
en matière de bateau. Tout comme il choisissait lui-
même la jeune fille qu'il épouserait, il choisissait avec

le même amour le bois, la forme, la silhouette et le gréement de son bateau. Il passait son temps à le peindre et à le repeindre, à dessiner des sirènes à la proue, des poissons autour des écubiers et à graver des vers sur l'étrave :

A l'avant du bateau, moi, je t'ai dessinée
Et quand gonflent les voiles, je te vois dépeignée.

Aujourd'hui, à part quelques tréchandéria et quelques navires de Chios, on ne trouve aucun bateau à voile digne de ce nom. Les voilures surtout ont changé. On a gardé les plus pratiques et les plus maniables. Et encore ne s'en sert-on que comme appoint, pour soulager le moteur ou même le remplacer en cas de panne.

Dans le port, au chantier de constructions navales, tout un monde s'agitait de menuisiers, charpentiers, goudronniers, calfateurs, que Kondoglou enfant venait regarder travailler aussitôt l'école terminée. Parfois, un marchand ambulant sommeillait à l'ombre d'une coque et Kyra Europi, – Madame Europe – faisait la classe à des marmots qui apprenaient à écrire en traçant des lettres sur le sable. En face, vers le large, dansaient les caïques mouillés là en attendant un chargement ou un déchargement et tournant sur leur ancre selon les vents. Les filles des pêcheurs se jetaient dans l'écume pour nager jusqu'à eux et y grimper ou s'accrocher à quelque trata immergée par son propriétaire pour noyer les punaises incrustées dans le bois. Et Kondoglou ajoute :

Tout cela est fini. Que sont devenues toutes ces silhouettes de bateaux, ces silhouettes innombrables et jamais identiques, ces bricks, ces goélettes, ces bombardes, ces tsernikia, ces sakolèves, ces lovéra, ces achtardamadès, ces lefkès, ces brantsoukès, ces péramatès, ces gankalidès venues de la mer Noire avec leurs proues aussi arquées que des cimeterres ?
Ceci pour les grands bateaux. Mais il y avait aussi les petits, l'athérina – l'éperlan – les felouques, les kouritès

– barques à fond plat – *les tréchandéria* – sorte de lougres – *les batéla, les tratès* – barques à sennes –, *les uns avec des allures de jeunes filles timides, d'autres comme des oies dodues avec des proues comme des groins de porc, d'autres plats et longs et filant sur l'eau comme des crocodiles, bref, tous ayant un air, une forme, une âme à eux, comme des êtres humains!*

Disparus aussi tous ceux qu'il appelle les pallikares de l'eau saumâtre : Klokas le pêcheur – qui avait des ouïes en place de poumon – le capétan Békos, Giorgaras, Paraskévas l'Arabe, mi-homme, mi-poisson. *Je le vois encore, appuyé sur son trident, à la proue de quelque tréchandéri, torse nu dans l'écume, sa braie serrée autour de son corps de terre cuite, avec sa grande barbe bouclée, comme Poséidon en personne! Pourquoi ne suis-je pas devenu marin au lieu de passer ma vie à écrire sur du papier?*

**
*

NIKOS KAZANTZAKIS.

« *Toutes ces divines visions des îles – lumière, couleur, forme, quiétude, équilibre, mesure et harmonie – sont pour l'époque où nous vivons des « luxuswaren », des ornements, des plumes chatoyantes, une sagesse de maître d'école. Si par le mot civilisation nous voulons dire « réponse fertile » c'est-à-dire réponse adaptée à l'époque, au pays et à la race – aux problèmes éternels – alors la réponse qu'ont donnée les anciens Grecs ne nous intéresse qu'en ceci : des trois éléments – époque, pays et race – seul le pays reste le même. Ainsi, comprendre la montagne, l'arbre, l'eau, les îles grecques, peut nous servir de réponse contemporaine. La Grèce donnera de nouveau une forme d'équilibre et d'harmonie aux puissances physiques et morales qui s'entredéchirent, mais, les éléments qui vont former maintenant le matériel de cet équilibre seront tout à fait différents. Là réside le danger et le prix de l'amour que l'on porte à la civilisation grecque. Il est difficile de distinguer quels éléments sont encore utiles et lesquels demeureront éternellement un spectacle divin mais inutile. »*

Lettre de 1924 écrite à un ami grec.

VASSILI VASSILIKOS.

Ecrit après le coup d'Etat des colonels d'avril 1967 et la réouverture du camp de détention de l'île de Léros :

« A l'idée que Yannis, Théodoros, Lakis, Vassili, Nicéphore sont encore à Léros, un frisson me glace le dos, un sentiment de culpabilité paralyse mes doigts, ces doigts qui tapent en ce moment sur ma machine. Deux ans ! C'est effrayant ! hurle en moi une voix que je retiens de toutes mes forces pour ne pas crier comme un fou, en réclamant le sang de la vengeance. »

Extrait d'un recueil non traduit :
Partis sans laisser d'adresse.

XV. PSARA 1966

Psara est un grand îlot situé à une dizaine de kilomètres à l'ouest de l'île de Chios ou, pour les amateurs de précision et de navigation, à 38°34'5'' de latitude nord et 23°15'54'' de longitude est. Il a neuf kilomètres dans sa plus grande longueur et cinq dans sa plus grande largeur. Toute l'île est faite de roches schisteuses, vertes et ocre, avec par endroits du marbre qui affleure. Elle n'a guère de verdure. Collines et vallons ne portent que des buissons épineux et du thym, quelques figuiers courbés et ployés par le vent. Seul, vers le centre de l'île, un vallon appelé Val des Poiriers, abrité du vent et bien exposé au soleil, contient des cultures maraîchères et des arbres fruitiers. Les plages elles-mêmes sont grises et ternes, faites de galets noirâtres que la mer roule inlassablement. Sur la côte ouest, l'œil ne distingue que le petit îlot d'Antipsara. Au-delà, il n'y a tout autour que la mer et le ciel.

Deux raisons me poussèrent vers cette île oubliée. Son isolement, d'abord. Jusqu'en 1966, aucune ligne régulière ne la desservait à l'exception d'un petit caïque assurant deux fois par semaine, quand la mer est bonne, le service entre Psara et Volissos, un port de la côte ouest de Chios. Cet isolement a de tout temps préservé l'île des envahisseurs et des invasions touristiques. Le seul nom de Psara évoquait donc pour moi ces îles quasi vierges, perdues ou oubliées, où l'on pouvait sûrement saisir encore la vie insulaire d'autrefois.

A cela s'ajoutait l'histoire particulière de Psara. Au moment de la guerre d'Indépendance, cette île fut le théâtre d'un combat héroïque entre les Turcs et les Psariotes. Disons, pour résumer, qu'une flotte turque de cent quatre-vingts vaisseaux avec un corps de débarquement de quatorze mille hommes occupa l'île en quelques heures et anéantit tous ses habitants. Sur les trente-cinq mille personnes qui l'occupaient alors : marins, habitants, combattants grecs, mercenaires albanais recrutés pour la circonstance, deux cents à peine survécurent au massacre. Quand les Turcs eurent « nettoyé » l'île – égorgeant femmes et enfants sur les plages, dans les grottes et les moindres recoins de Psara – ils se retirèrent en laissant un amoncellement de cadavres et un lieu entièrement désert. Pendant plus de trente ans, jusque vers 1850 semble-t-il, plus personne ne vint à Psara. Son nom seul subsista dans la mémoire grecque, comme celui d'un holocauste héroïque, d'un génocide sans précédent. Puis, peu à peu, des gens s'installèrent dans l'île. D'où venaient-ils, qui étaient-ils? Cette histoire récente de Psara semblait si peu connue en Grèce que quand j'interrogeai des amis athéniens, tous me dirent : mais il n'y a plus personne à Psara! Tel était, quand j'y débarquai à la fin de septembre 1966, le peu de chose qu'on pouvait savoir de ce lieu. Un nom, une brève et tragique histoire et, peut-être, une île commençant à revivre.

Bien sûr, il y avait aussi les quelques témoignages des voyageurs qui avaient relâché à Psara. Mais ces témoignages étaient rares et peu encourageants. Le plus ancien d'entre eux – journal de bord d'un amiral vénitien – signale qu'en 1553 l'île est entièrement déserte. En 1703, Dapper, ce marin hollandais déjà cité, écrit dans son journal de bord :

Au-dessous de l'îlot d'Antipisséra (Antipsara) *il y a une fort bonne rade du côté du midi qui est une grande baie où les vaisseaux peuvent venir se mettre à l'ancre sur un fond sablonneux de dix à douze brasses, à l'abri des vents d'orient, d'occident et du nord-ouest. Cette île*

*semble nourrir beaucoup d'ânes, très différents de ceux
qui se tiennent dans les campagnes d'Assyrie et qui ne
peuvent supporter l'air des pays étrangers car lorsqu'on
les transporte hors de leur air natal, ils viennent
immanquablement à mourir.*

Un siècle après, en 1800, Pouqueville relâche une
journée à Psara, y note la présence d'une quarantaine de
maisons, d'un port pouvant abriter une soixantaine de
vaisseaux et d'une petite chapelle au sommet d'une
montagne du nom de Saint-Elie. Il souligne aussi la
gentillesse et l'hospitalité des habitants.

Dans les mêmes années, un élève-consul français,
M. De Jassaud, fait un assez long séjour à Psara sur
mission du gouvernement français pour étudier l'état
militaire des îles du Levant et rédige un précieux docu-
ment – le plus important et le seul existant en français
sur Psara – non publié et conservé aux Archives du
ministère des Affaires étrangères. Il s'intitule *Mémoire
sur l'état physique et politique des îles d'Hydra, Spetsai, Poros et Ipséra (Psara) en l'année 1808.* Je ne
résume pas ici ce Mémoire car j'y ferai appel dans les
pages qui suivent.

Un peu plus tard, en 1862, un armateur originaire de
Psara, Constantin Nikodimos publie à Athènes en grec
un ouvrage intitulé *Mémoire sur l'île de Psara.* Il y écrit
notamment :

*Cette île n'a pas d'arbres. Ses montagnes ne possè-
dent que des buissons épineux et du thym. Les abeilles
y produisent toutefois un miel excellent. Il y a quelques
sources d'eau douce, malheureusement très éloignées
du village. Ce dernier ne dispose que de puits à l'eau
verte et saumâtre. Il n'y a dans l'île aucun fauve
quadrupède, du genre loup ou renard et il n'y a pas de
serpents. Les vieillards disent qu'en des temps anciens
des serpents furent introduits à Psara. Je ne saurais
dire si ces récits sont vrais. La seule chose certaine est
qu'on n'y voit aucun serpent.*

Enfin, comme toutes les îles grecques, Psara a eu son chantre-instituteur. Je n'ai connu son livre que bien plus tard, à mon retour en France. Il se nomme Dimitrios Spanos et publia à Athènes en 1962 un ouvrage intitulé *Ethnographie et souvenirs de Psara*.

Tout cela est fort peu si l'on songe à l'importante littérature existant sur toutes les îles grecques. Mais ce silence, cette rareté des textes me plaisaient. Ils me donnaient le sentiment d'accéder dans une île où tout restait à découvrir.

Psara. Octobre 1966.

J'habite dans la « maison du téléphone. » C'est une bâtisse neuve abritant, depuis quelques semaines seulement, les installations radio permettant enfin à l'île de communiquer avec le monde extérieur. Ces communications ont lieu une fois par jour, le matin entre huit heures et dix heures. A côté de la salle au téléphone, une autre pièce est affectée aux archives et au service de la commune. Le *proédros* de l'île, le président du conseil municipal, vient y travailler chaque matin. J'occupe la troisième pièce, la plus vaste, qui sert à la fois de dépôt et de salle de réunion. On m'y a installé un lit de camp, au pied d'une immense portrait de Kanaris, marin natif de l'île qui joua un rôle héroïque et important pendant les combats de l'Indépendance. Victor Hugo d'ailleurs lui a consacré un long poème dans ses *Chants du crépuscule*. Des drapeaux, des bancs, des tables d'école s'entassent dans un coin. Chaque matin, une vieille femme vient faire le ménage, changer l'eau de la cruche. A part elle, personne ne pénètre ici. Les enfants du voisinage, si curieux d'ordinaire, passent devant mes fenêtres en baissant la voix. Leurs mères ont dû les sermonner pour qu'ils laissent en paix l'étranger. C'est là un trait particulièrement frappant à Psara. Dans cette île où je suis le premier visiteur à séjourner durablement, nul ne fera preuve de cette curiosité harassante qu'ont beaucoup de Grecs à l'égard des touristes. Dans les ruelles, sur le port, j'échange avec chacun des saluts, quelques phrases, rien d'autre. Du moins, dans les premiers jours. L'hospitalité de Psara est réelle mais discrète, presque invisible. Une hospitalité telle que je l'aime et la pratique souvent moi-même.

En ce début d'octobre, le temps commence à devenir incertain. Le ciel se couvre fréquemment et de gros nuages masquent sans cesse le soleil. Temps gris mais lumineux. La mer réverbère cette lumière diffuse qui fatigue les yeux. Vers le nord, le sommet dénudé du Saint-Elie occupe toute l'embrasure de la fenêtre. Les bruits sont rares. Les cris aussi. Une sorte d'atmosphère ouatée enveloppe Psara, à l'image de ce gris intense qui baigne chaque chose et leur confère des ombres douces. Ce temps automnal n'est pas seul en cause. Même au cœur de l'été, Psara vit d'une existence plus feutrée que celle des autres îles. On y perçoit, d'une façon encore indéfinissable pour moi, une pauvreté, une résignation plus sensibles qu'ailleurs. Seul le port, avec ses trois cafés, s'anime à certaines heures, tôt le matin et vers le coucher du soleil. Mais le rythme de la vie paraît ici étrangement ralenti. A peine y surprend-on ces rumeurs multiples, ces allées et venues de bateaux qui animent les plus minuscules ports des Cyclades. Il est vrai qu'ici aucun bateau ne vient. C'est bien, comme je l'imaginais, un univers replié, oublié, où le monde extérieur paraît terriblement lointain.

Sur le port, il y a trois cafés, un « moderne » et deux de style ancien. Je prends tous mes repas dans le premier, le seul qui possède un réchaud à gaz pour faire la cuisine. Il appartient au propriétaire du caïque blanc, l'*Aghios Dimitrios*, qui deux fois par semaine fait la liaison avec Volissos, quand la mer le permet. On vient de repeindre à neuf le café et seules demeurent, sur les murs d'un blanc immaculé, trois vieilles gravures avec des épisodes de l'histoire de Samson et de Dalila. Bien que moderne et relativement cossu, il a moins de clients et moins de vie que les deux autres. C'est davantage un lieu de passage, animé lors du départ et du retour du caïque, qu'un endroit où l'on reste des heures à regarder la mer, à fumer et à bavarder. Fumer, regarder la mer, bavarder, on ne fait guère que cela dans les deux autres, le plus petit surtout, celui de Panaghiotis Constantaras. C'est là que j'ai élu domicile, en dehors de mes promenades et de la sieste. Je l'ai aimé d'emblée pour sa petite terrasse ombragée d'un mûrier et cette allure vétuste et sympathique qui ne trompe jamais : c'est celui-là, celui-là seul, le café des pêcheurs.

Le troisième est plus vaste, plus décoré. Il est le rendez-vous des notables de l'île, le proédros, le pope, l'instituteur, le médecin. Ses murs sont couverts de reproductions : une vieille peinture de paquebot Lusitania, une gravure où l'on voit le roi Constantin Ier et Eleuthéros Vénizélos se serrer la main et une photo représentant le père du cafetier, posant dans une attitude empruntée, moustaches effilées vers le haut comme c'était la mode après la Première Guerre mondiale, fixant l'objectif d'un regard implacable et farouche. Presque tous les cafés grecs – avant qu'ils ne se mettent à la mode du néon – avaient ce genre de gravures sur leurs murs. Elles étaient imprimées le plus souvent à l'étranger, en Allemagne et en Suisse, les plus vieilles en Russie à Saint-Pétersbourg ou Odessa, et avaient pour sujet des épisodes de la guerre d'Indépendance et des portraits des héros favoris, surtout marins : Kanaris, Miaoulis, Karaïskakis... Cette imagerie parle toujours ici au cœur des gens de l'île. Il est vrai que cette période n'est pas si lointaine. Elle date d'il y a cent trente ans et son souvenir – j'entends son souvenir vivant, transmis par les récits des familles – n'est pas encore devenu une suite d'images d'Epinal. D'ailleurs en cette partie de l'Egée si proche des côtes turques, on dirait que règne encore la crainte de l'ennemi héréditaire. Parler en France de Prussiens, de Uhlans, c'est évoquer aujourd'hui des fantômes. Parler à Psara d'aghas, de janissaires, de pachas, c'est toucher à une histoire encore récente. Psara n'a été rattachée à la Grèce qu'en 1912. J'en ai d'ailleurs eu très vite un exemple probant.

Au cours de la première visite à ce troisième café, j'avais remarqué un vieillard à la mine avenante, d'allure aisée, aux vêtements soignés, assis à la table du pope. C'était un riche cultivateur de l'île, père de nombreux enfants pour la plupart expatriés. Je fis sa connaissance quelques jours plus tard, au cours d'une promenade vers le Xérokavo – le Cap Sec – dans le nord de l'île. Ce jour-là, le temps était beau. Pour éviter de suivre le chemin trop sinueux, j'avais décidé de couper par les flancs du mont Saint-Elie. Mais je finis par m'égarer et me dirigeai, pour demander ma route, vers une petite bâtisse assez proche. C'était une maisonnette aux murs de torchis contenant quelques instruments de jardinage. Au pied de la colline, à côté d'un puits, il y avait des cultures maraîchères dans lesquelles un homme travaillait. Il vint à ma rencontre. C'était Yannis S... le vieillard en question. Il me fit asseoir dehors sur un banc, entra dans la maisonnette et en revint avec une pastèque et une bouteille de ouzo. Et l'on se mit à bavarder. Devant sa cabane, traînait un vieux joug en bois, je le photographiai et cela eut l'air de surprendre le vieillard. Il sourit mais ne dit mot. Depuis que j'étais à Psara, je m'étais pris d'amour immodéré pour tous les vieux objets qui traînaient çà et là, et même pour des objets d'usage courant mais qui prenaient parfois ici une beauté insolite : une coloquinte évasée, servant de réservoir à graines pour les oiseaux, accrochée à un mur de pierres sèches, des rangées de tomates séchées suspendues aux poutres d'une maison, une vieille ancre rouillée à moitié engloutie dans le sable... C'était moins l'objet lui-même qui m'attirait alors que la façon dont il existait par rapport à l'espace à l'entour. Je ne cherchais nullement la photo rare ou pittoresque mais plutôt, derrière le désordre apparent des objets, ce que celui-ci révélait de la vie quotidienne. (Ainsi, je me suis plusieurs fois amusé à photographier les mille indications que peut donner un filet de pêcheur selon l'endroit où il se trouve, la façon dont il est posé, soigneusement replié sur le rebord d'une fenêtre ou étendu sur le rivage ou roulé partiellement sur le môle, signe qu'on va bientôt le remailler). Donc, tout en coupant des tranches de pastèque et en me versant du ouzo, Yannis S... me parla de sa famille, une des rares à avoir habité l'île avant le grand désastre de 1824. Et il me raconta l'étrange histoire survenue à son arrière-grand-père. Cet homme avait été obligé, tout enfant, vers l'âge de cinq ans, de quitter sa famille pour devenir domestique dans la maison d'un Turc. C'était chose courante à l'époque, exigée de l'occupant turc au même titre que l'impôt. Le gosse partit donc en Asie Mineure et sa famille n'en eut jamais de nouvelles. Elle le fit rechercher en vain par des marins grecs jusqu'au jour où deux personnes de Psara le découvrirent dans la maison du pacha à Izmir. Des Psariotes partirent alors de l'île, s'introduisirent clandestinement dans la maison turque, enlevèrent l'enfant – qui avait maintenant douze ans – et le ramenèrent à Psara. Le gosse – habillé évidemment en turc – avait tellement changé que sa mère au début ne le reconnut pas et dit aux gens : « Vous vous êtes trompé, ce n'est pas lui ! » Mais, tout petit, l'enfant s'était brûlé à la jambe et on l'identifia grâce à cette cicatrice. Aussitôt, la mère se précipita sur lui en s'écriant : *Agori mou! Agori mou!* Mon enfant! Mon enfant! » Et l'enfant demanda en turc : « Que dit-elle ? » Yannis S... me répéta ce dialogue comme une chose pour lui incroyable : un fils grec demandant *que dit-elle* à sa propre mère qui lui crie *mon enfant!* Il y avait là, dans cette seule anecdote, tout le destin grec face à l'oppression turque.

En revenant le soir vers le village, je repensai à cette histoire, transmise oralement par la famille depuis l'époque de ce rapt, c'est-à-dire le début du XIXᵉ siècle. Mais en plus de cette mémoire familiale, un détail me frappait qui conférait à cette anecdote comme un air de légende. Cette cicatrice à la jambe permettant à la mère d'identifier son fils, c'est un détail que l'on retrouve dans les mythes les plus anciens, dans l'Odyssée où Ulysse de retour à Ithaque est reconnu ainsi par sa nourrice, dans *Les Choéphores* où Oreste se fait reconnaître d'Electre après vingt ans d'absence en lui montrant la cicatrice d'une blessure de sanglier. Ce seul détail pouvait faire suspecter la réalité de l'histoire. Pour moi, au contraire, il la rendait d'autant plus vraie et donnait même aux mythes un intérêt nouveau. Eux aussi, par ce genre de détail, montrent qu'ils reposent très souvent sur une part de vérité. Comme Ulysse, comme Oreste, cet enfant avait pu être reconnu par ce *signe particulier* qui seul autrefois pouvait authentifier un être aux yeux d'un autre, et qui figure d'ailleurs toujours, trois mille ans plus tard, sur nos cartes d'identité, suivi le plus souvent de la mention : *néant.* Cela veut dire qu'au temps des Grecs anciens nul n'aurait pu reconnaître un parent après vingt ans d'absence. Simple histoire, racontée par un jour de soleil dans ce Val des Poiriers à Psara et qui brusquement me donna le fantastique sentiment de vivre au cœur d'un monde où survivaient encore les mœurs antiques.

Quand on regarde l'unique village de Psara du haut du promontoire qui domine la baie, l'ensemble apparaît minuscule. Il compte quatre cents foyers environ et quinze cents habitants, étalés entre les deux églises de la Transfiguration et de Saint-Nicolas. Deux petites places, trois cafés et le bâtiment communal sont les seuls endroits animés du village, à certaines heures de la journée. Les ruelles sont en terre battue. Les maisons – construites sur le modèle cycladique à cour et à terrasse – ne comportent qu'un rez-de-chaussée, à quelques rares exceptions près. Elles n'ont ni la blancheur ni l'éclat des maisons des Cyclades. Une sur deux seulement est chaulée. Peu d'entre elles sont peintes et, dans ce cas, avec des couleurs ternes : vert pâle, ocre ou gris. Beaucoup sont d'ailleurs inhabitées. Elles appartiennent à des Psariotes travaillant sur le continent, à Athènes et même à l'étranger. Ces derniers y viennent rarement, une fois tous les dix ans. Ces dernières années, des gens de Chios ont commencé de faire construire des maisons à Psara. Ce ne sont pas à proprement parler des résidences secondaires mais des maisons occupées par une partie de la famille qui y vit à demeure (souvent au milieu des gravats ou dans une pièce ou deux en attendant de pouvoir continuer les travaux) si bien que ces bâtisses donnent au village l'allure d'un chantier dont on ne sait s'il est de construction ou de démolition.

A cela s'ajoute l'extrême pauvreté du village. Peu de décorations dans les cours, peu de fleurs aux fenêtres. Très peu d'animaux domestiques également. Quant à l'absence de verdure, elle est ici presque angoissante. Les quelques jujubiers, tamaris, orangers qu'on y voit sont l'objet de soins continuels, comme un miracle quotidiennement renouvelé.

Il est toujours banal de se demander, lorsqu'on voit l'aridité, le dénuement même de ces îles, comment vivent leurs habitants. En fait, cette question n'a guère de sens sous cette forme. L'histoire des îles grecques montre que c'est justement leur isolement et leur aridité qui les firent choisir pour y vivre. Car ces inconvénients peuvent devenir des avantages à certaines périodes de l'histoire. L'isolement et l'aridité de Psara contraignirent ses habitants à y vivre difficilement mais les ont par là même protégé des convoitises et des envahisseurs. Il ne faut pas qu'une île soit trop riche, sinon elle sera toujours envahie et pillée, ni trop pauvre car il faut pouvoir y manger. Entre les deux se situe cette frontière vitale, fluctuante, qui a tracé pendant des siècles la fortune et l'infortune des îles grecques. En ce qui concerne Psara, l'île fut relativement protégée des corsaires et des étrangers (beaucoup plus que Patmos, Chios ou même que Sérifos) et en dehors des Turcs, qui d'ailleurs n'y restèrent jamais, ne connut que peu d'envahisseurs. L'allégeance de l'île à la domination étrangère se traduisait par le paiement annuel d'un tribut et l'envoi d'un certain nombre de garçons pour servir sur la flotte ottomane. Histoire qu'on retrouve presque identique en des îles plus riches que Psara mais qui eurent finalement, en raison de leur aridité, une vocation maritime exceptionnelle comme Hydra et Spetsai. La seule question qui resta pour moi sans réponse est celle de l'implantation des premiers habitants. La baie, ouverte au midi, est entièrement protégée des vents du nord, de l'est et de l'ouest et constitue un excellent abri pendant tout le printemps et l'été. Mais l'hiver et souvent l'automne, le vent du sud la frappe de plein fouet et rend le mouillage hasardeux. Quant à l'eau, elle est presque inexistante. Il n'y a à Psara que des puits à l'eau saumurée et des citernes pour la pluie. Deux sources – mais l'une d'elles intermittente – existent dans la partie nord de l'île, loin du village. Cela explique certainement ce destin « d'île nue » comme l'appelle déjà Homère, simple repère sur les routes maritimes du Levant. En fait, l'île dut être habitée sporadiquement par des pirates ou des garnisons militaires et cela dès l'antiquité car, en m'amusant à fouiller le promontoire appelé Palaiokastro, au-dessus de la baie, j'ai retrouvé des traces d'habitations et de nombreux tessons anciens.

Les actuels habitants de Psara, à l'exception de deux familles, n'ont aucun lien avec ceux qui occupaient l'île avant la catastrophe de 1824. Ils proviennent des îles avoisinantes : Chios et Mytilène principalement et d'Asie Mineure, depuis 1922. Je parle bien entendu des habitants sédentaires car les autres – l'instituteur, le médecin, les gendarmes – ne sont là qu'à titre transitoire. Aucun des habitants, si l'on excepte Yannis S..., n'a de connaissance détaillée sur l'histoire de l'île. Les circonstances précises de la catastrophe de 1824 sont elles-mêmes mal connues de la plupart, même sur des points précis comme le lieu de débarquement des troupes turques. Seul l'instituteur – dans l'île depuis douze ans – avait lu un ouvrage sur la question. Mais quand je partis pour le Xérokavo et lui demandai mon chemin, il m'avoua n'avoir jamais eu la curiosité d'y aller.

Ce qui apparaît certain, c'est que l'ancien village – celui qu'a vu De Jassaud en 1808 et qu'il décrit avec précision – était bâti plus loin de la mer que le village actuel. Mais il n'existe aucune trace des anciennes habitations, à l'exception d'une maison réduite à ses murs et d'une autre, un peu plus loin, maisons de notables à en juger par les vestiges de la façade et les pilastres des fenêtres, qu'on appelle d'ailleurs ici les *archontika*, les maisons seigneuriales de Yannis et d'Argyris. La plupart des anciennes maisons de Psara devaient être construites sur ce modèle, avec des toits en pente, sans terrasses. Ces dernières, de style cycladique avec cour intérieure, ne sont venues qu'ensuite, postérieurement à 1850. L'ensemble, même au plus beau temps de Psara, devait donner une impression de tristesse et d'austérité car toutes ces maisons étaient en pierres de l'île, ce schiste gris ou ocre. En ce lieu sans cesse battu par le vent (on voit encore les ruines de cinq moulins sur la crête, au lieu-dit Kaminaki) ces maisons droites offraient une prise beaucoup plus grande que les maisons à terrasse où le vent glisse. On comprend que les arbres aient du mal à pousser ici : entre l'eau salée du sol et les vents incessants, ils ne trouvent qu'une terre ingrate, juste faite pour les buissons ras.

Le plus curieux de l'histoire de Psara demeure pourtant ce peuplement singulièrement rapide qu'elle connut dans le courant du XVIIe siècle. Comme elle était déserte au siècle précédent, les premiers insulaires, venus d'Épire, dit-on, durent s'y établir vers l'époque où les rapports entre Grecs et Turcs s'enveniment sérieusement, donnant lieu à des exactions et des atrocités qui incitent les Grecs à chercher refuge en des lieux comme Psara. La « ville » dont parle Dapper devait se réduire à une dizaine de maisons. Lorsque Pouqueville vient à Psara, en 1800, il en trouve une quarantaine. Mais ce fait est en contradiction totale avec le témoignage de De Jassaud qui signale, lui, une communauté beaucoup plus importante : *2 500 foyers environ, vingt églises, une centaine de boutiques, plusieurs cafés et des jardins d'orangers*. Il indique même des chiffres ahurissants, eu égard aux dimensions de l'île et du port, de la flotte construite ici : 40 navires de 250 tonneaux, 40 de 200 tonneaux et 20 de 150 tonneaux. C'est là une question qui m'a toujours intrigué, à Psara comme à Hydra ou à Spetsai : où mettait-on tous ces navires ? Il faut croire qu'ils ne mouillaient jamais ensemble dans la baie et que la plus grande partie de la flotte naviguait des années durant dans toute la Méditerranée, où elle pratiquait le cabotage pour son propre compte ou sous pavillon gréco-ottoman.

Le *Mémoire* de De Jassaud permet aussi bien d'imaginer ce que devait être la vie quotidienne de cette minuscule communauté où tout le monde se connaissait. Vivant à l'écart du monde, elle créa elle-même ses propres lois en s'inspirant des coutumes antiques et on peut dire que pendant près d'un siècle Psara vécut selon le schéma d'une démocratie patriarcale ou plus exactement d'une gérontocratie. En effet, les insulaires élisaient pour les gouverner un collège d'anciens, appelés les *Démogérontès*, choisis parmi les plus riches, les plus instruits et les plus compétents. Ces anciens réglaient toutes les affaires publiques, établissaient le tribut en marins que l'île devait fournir aux Turcs, répartissaient les revenus du trafic maritime, instituaient le droit maritime lui-même. Ils surveillaient l'instruction des enfants – car il existait une école à Psara – réduite d'ailleurs à peu de chose car tous les enfants sans exception devaient prendre la mer dès l'âge de six ans et apprendre le métier de marin. Chose remarquable et pratiquement unique, ces enfants dès qu'ils étaient suffisamment amarinés, touchaient exactement le même salaire que les adultes car, dit De Jassaud *les Psariotes avaient pour principe que la vie d'un enfant est aussi précieuse à l'Etat que celle d'un homme fait et l'un et l'autre courant en mer les mêmes dangers ont donc droit à des salaires égaux*. On voit se dégager de tous ces faits un état d'esprit bien particulier, celui d'une étrange et heureuse démocratie de marins ayant établi pour elle-même des lois égalitaires ! Il semble en tout cas, au témoignage de l'élève-consul, que le vie à Psara était heureuse, douce, sans drames ni tragédies. Les Turcs ne venaient jamais dans l'île et tandis que les hommes naviguaient au loin, femmes et vieillards menaient une vie paisible et retirée.

Ce retrait du monde, ces lois auto-édictées par une communauté n'ayant d'autre modèle que son propre désir d'harmonie devaient néanmoins entraîner un certain nombre de conséquences, notamment quant aux

mariages. C'est là un des points les plus intéressants
signalés par De Jassaud. Car les mariages s'y pratiquaient exclusivement entre insulaires, aucun étranger
ne pouvant épouser une femme de Psara. D'ailleurs,
aucune d'entre elles ne quittait jamais l'île. Mais comme
à certaines périodes la « pénurie » de femmes se faisait
sentir, certains mariages étaient réglés très tôt, parfois
dès la naissance. Un marin de Psara, un des rares à avoir
survécu au massacre, raconta en 1825 à un voyageur
italien : ... *chez nous, les jeunes femmes de notre île ne
voulaient jamais sortir pour se marier. Les autres Grecs
établis parmi nous ne pouvaient y trouver d'épouses
qu'après un séjour de plusieurs années. Nos mariages
étaient arrêtés dès le berceau et nos jeunes filles s'ac-
coutumaient depuis leur enfance à aimer celui avec qui
elles devaient passer leurs jours. Malheur au jeune
homme qui eût manqué à sa promesse.* Cet usage existe
encore – moins exclusivement et moins impérieusement
bien sûr – en certaines îles grecques. A Amorgos, en
1958, quand j'y séjournai, la plupart des jeunes gens se
mariaient encore uniquement dans l'île et parfois même,
exclusivement dans leur propre village. A la Chora, le
boulanger me fit connaître trois couples dont le mariage
avait été décidé dès l'enfance. De même dans l'île de
Cos, au village de Képhalos, où l'instituteur et l'institu-
trice avaient été mariés dès l'âge de trois ans. Le plus
curieux de cette histoire (que l'instituteur m'avait racontée un soir sur la plage située juste au pied du village où
il s'était édifié une cabane de planches et de roseaux
pour y passer l'été) est que cette décision avait infléchi
par la suite leur choix d'une profession commune. Vu de
l'extérieur, un tel système a quelque chose d'arbitraire et
de contraignant. Vécu de l'intérieur – j'entends par là tel
qu'il ressort du témoignage des intéressés – il apparaît au
contraire comme l'image la plus parfaite, la plus accomplie qu'on puisse se faire d'un mariage. A aucun
moment, ce couple n'avait éprouvé le sentiment d'une
contrainte. Cela provenait d'ailleurs moins de la force
coutumière (car ils étaient les seuls habitants du village a
avoir été ainsi mariés dès leur enfance) que du sentiment

d'obéir à une ligne claire et précise où se mêlaient amour, mariage et profession. Bien entendu, de tels types d'unions sont beaucoup plus rares aujourd'hui, où les sollicitations du monde extérieur deviennent plus nombreuses. C'est toujours l'homme qui part et qui voyage, comme travailleur émigré, comme marin, et se trouve soumis à des tentations multiples à l'étranger. Mais je crois que la clé de ces retours au pays natal, de cet attachement viscéral à un village ou à une femme réside aujourd'hui encore dans ce sentiment, si fort chez la plupart des Grecs insulaires, d'appartenir leur vie durant à la communauté où ils sont nés. Aujourd'hui encore beaucoup de marins grecs reviennent se marier dans leur île ou leur village natal, souvent vers la quarantaine, après plusieurs années passées à naviguer ou à travailler aux Etats-Unis, en Europe ou en Australie. De tels mariages, quand on les voit de l'extérieur, ont l'air de se faire plus ou moins spontanément, à l'occasion d'un retour inopiné, comme si l'homme découvrait alors la femme de son choix. En fait, beaucoup de ces unions sont préparées de longue date, non par la famille ou les parents, mais par les intéressés eux-mêmes. Souvent, ils sont conclus tacitement, sans engagement formel, sans connivence des familles, par le jeu d'une inclination avouée ou non avouée mais ressentie comme telle par les intéressés. On a peine à croire aujourd'hui que ce genre d'union puisse s'effectuer après des années d'absence et d'attente, sur la simple injonction d'un regard, d'une idylle superficielle mais j'en ai eu souvent la preuve au cours de mes séjours en Grèce.

Vers le nord de Psara, autour du Xérokavo, la côte se découpe en calanques et en plages d'accès difficile. Quelques champs se dessinent ici et là dans les coins abrités du vent, quelques figuiers, quelques oliviers colorant la montagne de taches vertes et fraîches. Un hameau – groupe de trois maisons de pierres sèches – une bergerie et un petit monastère occupé par quatre moines, sont les seules habitations de l'île en dehors du village principal. Bien qu'à une demi-heure à peine de la mer, ce hameau n'a aucun pêcheur. Les deux familles qui y vivent s'occupent exclusivement des cultures du monastère et de l'élevage des chèvres. Personne ne songe à pêcher et les maisons tournent même le dos à la mer. Elles n'ont qu'une seule pièce avec une réserve à ciel ouvert contenant les outils. Les fenêtres y sont minuscules et sans vitres. On les obture avec une planche. La cuisine se fait en plein air, sous une treille. Souches et buissons s'entassent sous un auvent. L'eau provient de la source voisine. Le long d'un mur, une coloquinte bat dans le vent. Autour de la source poussent des pastèques, des tomates et des courges. Les chèvres paissent çà et là. Je ne les vois pas mais j'entends leurs clochettes. Dehors, dans la cuisine en plein air, une femme lave un grand tamis. Elle ne semble pas étonnée de me voir. Elle doit savoir déjà qu'un étranger, un « professeur », visite Psara depuis plusieurs jours. Dans son unique pièce, la propreté est étonnante. Les murs sont passés à la chaux. Le fond de la pièce est surélevé d'une estrade avec le lit. Elle permet d'isoler l'endroit où l'on dort de l'endroit où l'on mange et aussi d'avoir une réserve à linge sous le plancher. Sur le vaisselier s'alignent des bocaux et des bouteilles : raki, confitures, huile pour la veilleuse qui brille jour et nuit dans un coin, boîte en fer pour le café et pour le sucre. Au plafond, sèchent des tomates. Le soleil couchant jette dans la pièce une lumière chaude où les tomates brillent comme ces grappes de raisin géantes décrites par les Prophètes, qui rassasieront les élus dans la Jérusalem céleste. Des pastèques enserrées dans des filets pendent au plafond comme de minuscules montgolfières arrêtées dans leur ascension. Je regarde émerveillé ces rouges, ces verts, ces ocre tendres saisis par le soleil. Toute la pièce sent l'encens, l'huile, la tomate et le linge fraîchement repassé. Elle n'a qu'une seule fenêtre donnant sur le nord, une lucarne plutôt. Les hommes sont aux champs, occupés au ramassage des tomates. Ce sont de petites tomates, grosses comme des abricots, à la chair ferme et qui se prêtent le mieux à la dessication. A Psara, beaucoup en mettent à sécher au soleil, le long des façades ou étalées dans un coin de la cour. Mais ici, m'explique la femme, « on ne peut pas les laisser au soleil car on s'absente souvent toute la journée et les oiseaux les mangeraient ».

Dehors, le vent du nord souffle toujours. La mer moutonne, une mer vide, sans bateaux, sans aucune terre en vue. Je descends jusqu'à la plage où eut lieu le débarquement des Turcs. Elle est faite de gros galets. A l'une des extrémités bée une grotte où la mer s'engouffre avec un bruit assourdissant. La falaise est glissante et la descente difficile. Cette solitude a quelque chose de sinistre avec ces schistes sombres, ce plateau dénudé, ce vent infernal, cette mer qui charrie des monceaux d'algues noires. J'essaie d'imaginer les Turcs débarquant par milliers, gravissant les pentes de l'entour. Initiative qui surprit les Psariotes à rebours car ils n'avaient pas fortifié le flanc nord du village. La résistance de l'île dura fort peu. La flotte était absente au moment de l'invasion et, une fois battus en mer, les Grecs ne pouvaient espérer résister sur la terre. L'ultime point de défense fut le fortin édifié sur le promontoire de Palaiokastro, où se réfugièrent les derniers résistants et où tous – soldats, femmes et enfants – se firent sauter dès que les Turcs y pénétrèrent. Il y eut un témoin français de ce massacre, le capitaine de frégate de Villeneuve qui commandait la corvette *Isis*. L'*Isis* croisait depuis la veille au large de Psara dans l'espoir de sauver les survivants et de Villeneuve nota, à propos de l'ultime assaut turc :

Après une lutte aussi longue que sanglante, à six heures et demie, toutes les troupes turques ont gravi le morne en poussant de grands cris. Arrivés de tous côtés aux murs de la batterie, la mêlée est devenue affreuse : à l'instant où les Turcs entraient dans le fort et atteignaient le pavillon grec, il sautait avec une horrible explosion. Les valeureux Grecs, défenseurs de leur liberté, s'ensevelissaient glorieusement sous les ruines d'un rocher qui semblait braver à lui seul tout l'effort de la puissance ottomane et détruisaient avec eux un grand nombre de leurs ennemis. D'autres les ont aussitôt remplacés et ont fusillé pendant une demi-heure

*tous les malheureux échappés de l'explosion. On les
voyait courir éperdus çà et là sur les rochers et tomber
bientôt sous les coups de leurs vainqueurs. Dès que le
pavillon turc s'est montré sur les débris fumants de la
batterie, toute l'armée ottomane a célébré le succès par
une décharge de son artillerie sans même se donner la
peine d'enlever les boulets dont quelques-uns sont tom-
bés le long de l'Isis.* Le plus horrible de cette expédition
fut qu'il n'y eut pour ainsi dire aucun prisonnier à part
quelques femmes et enfants amenés sur les bateaux turcs
et dont la plupart se jetèrent à l'eau durant la traversée.
Les survivants recueillis par l'*Isis* furent au nombre de
156 sur les 35 000 défenseurs présents dans l'île au
moment de l'assaut.

Chaque matin, je me lève avec le soleil et descends
vers le port au café de Panaghiotis, le café au mûrier,
qu'il a baptisé *I Alieia* – La pêche, en employant le terme
antique et non le mot moderne : *psaréma*. Cette précio-
sité s'accorde tout à fait au personnage. Panaghiotis
aurait voulu faire des études, mais il dut travailler très
jeune. Il s'est instruit comme il a pu, lisant les livres qui
lui tombaient au hasard sous la main. Il a pour le grec
ancien, qu'il ne connaît pas, un respect quasi religieux,
respect qu'il transférera sur ma personne quand il saura
que moi, français, étranger, j'ai étudié cette langue.
C'est pourquoi il a donné à son café ce nom pompeux
I Alieia qui paraît déplacé en cette île perdue. Il parle
d'une façon plutôt cérémonieuse, qui pourrait paraître
affecté mais qui est son ton naturel. Il choisit ses mots,
emploie maintes circonlocutions dont j'eus le plus grand
mal au début à saisir le sens exact. Ainsi, voulant
connaître mon métier, il me demanda : « Puis-je me
permettre de vous demander à quelle occupation vous
consacrez votre temps ? » Un peu plus tard, tandis que je
lisais un journal vieux de plusieurs jours, il me dit :
« Puis-je me permettre, si cela ne vous importune pas, de
vous demander de quel œil vous voyez la situation

politique actuelle de la Grèce, situation qui n'est pas sans nous causer de graves soucis? » Ce langage me surprit tant que je ne sus moi-même que dire pour lui demander où étaient les toilettes, à supposer qu'il y en ait. Allais-je parler comme tout le monde, demander : *pou einai to méros?* – où est « l'endroit »? ou bien : *echété apochoritiria?* – avez-vous des toilettes? Finalement, je me lançai dans l'aventure. Il répéta alors ma question, demandant : « Chercheriez-vous le lieu des besoins corporels? » et d'un geste large, solennel, de la main, il me désigna l'île. C'était là, partout, dans tout Psara, le « lieu des besoins corporels »!

Chaque matin, Panaghiotis me sert mon café avec dans le regard une angoisse constante : ai-je bien dormi? S'occupe-t-on bien de ma chambre? L'île n'est-elle pas trop démunie pour moi? Ce café est-il bon, assez sucré? Cette biscotte est-elle assez fraîche? La viande d'hier était-elle bonne? Le vent ne m'incommode-t-il pas trop? Il n'y a plus de raisons que ces questions finissent. Je m'attends presque – au cas où je dirais : non, je n'aime pas ça et ça –, à ce qu'il me réponde : eh bien, nous allons faire cesser le vent ou changer l'île de place. Comme cela n'est pas en son pouvoir – à moins qu'il ne soit Eole exerçant ici sous un autre nom – le mieux est de répondre oui à ses questions. Il s'approche de mon oreille et, baissant la voix, me demande d'un air plus angoissé encore : « Stavros met-il assez d'huile dans vos tomates? » Comme tout cela part évidemment des meilleurs sentiments, je lui dis que je vis ici au cœur d'un véritable paradis. « Un paradis! » s'exclame-t-il, incrédule. « Un paradis, cette île misérable? »

A partir de dix heures, le café s'emplit peu à peu. Mais finalement, il y a peu de monde à Psara. Dans le port, cinq ou six barques pour la pêche, équipées pour le lamparo, la pêche à la senne exigeant un caïque à treuil. Le poisson est consommé sur place puisque aucune communication régulière n'existe avec Le Pirée. A certains moments, selon les vents et les saisons, des pêcheurs viennent des îles avoisinantes, Chios, Mytilène et même du Dodécanèse. Parmi ceux qui fréquentent le

café de Panaghiotis, il y a Spiros Yannaras, avec qui je
me suis lié d'amitié. C'est un pêcheur à la retraite – car il
est en partie infirme – avec un crâne entièrement
chauve, des lèvres charnues et un nez camus, évoquant
le visage de Socrate. Ses deux fils sont restés à Psara, ils
pêchent toute l'année, ici ou plus loin et assurent son
entretien. Nous aimons rester sous le mûrier à regarder
la mer, buvant lentement un ouzo qui nous tient une
heure. Il me raconte tout ce qui lui vient à l'esprit, sa
vie, son travail, les petites histoires de Psara. Comme le
pope passait devant nous, un pope énorme, ventripotent,
à la voix de stentor, Spiros se pencha vers moi et me dit
à voix basse : « Tu vois ce pope qui vient de passer ? A lui
seul, il bouffe la moitié des productions de l'île ! C'est un
mégas phagaras, le plus grand des goinfres. » C'est lui
aussi qui m'apprit que les pêcheurs ici donnent aux
meltems des surnoms différents, d'après les fruits ou les
légumes poussant au moment où ils soufflent : le meltem
des coloquintes, le meltem des melons, le meltem des
raisins ou le meltem des aubergines. Il me raconte aussi
une curieuse histoire qui se passa dans l'île au temps de
Napoléon III. Un jour, des marins de Psara qui char-
geaient à Marseille des marchandises virent venir un
officier-médecin français qui leur demanda de le prendre
à leur bord. Il était pourchassé par la police impériale et
voulait quitter la France. Ils l'emmenèrent donc à Psara
où il resta de nombreuses années. Les Français le firent
rechercher un peu partout et apprirent qu'il s'était
réfugié ici. Une corvette française se présenta un beau
jour dans le port mais tous les habitants décidèrent de
cacher le Français qu'ils avaient pris en sympathie. Et
pour cela, ils ne trouvèrent rien de mieux que de
l'habiller en pêcheur et de lui dire de s'installer au beau
milieu du port. Ainsi nul ne fit attention à lui et la
corvette repartit sans l'avoir découvert. Quand par la
suite il décida de quitter l'île, il laissa ici en souvenir son
épée d'officier. Cette histoire confirme un trait noté par
les voyageurs de passage à Psara, au temps des Turcs : à
savoir l'extraordinaire hospitalité des Psariotes qui
accueillaient chez eux sans distinction tous les réfugiés

politiques. Ce qui n'était pas le cas de toutes les îles grecques. *Les Psariotes*, écrit De Jassaud, *ont poussé l'hospitalité au point d'accueillir, pendant la guerre de la France avec la Porte, ceux de nos compatriotes venus se réfugier chez eux tandis que les habitants des autres îles s'empressaient de livrer les fugitifs aux émissaires du Divan.*

*
**

Je suis réveillé par des cris aigus, des plaintes lancinantes, de véritables hurlements qui semblent venir de la mer. Tout un groupe de femmes est agglutiné autour d'une porte d'où viennent les cris. Panaghiotis m'apprend que le maçon de l'île, venu boire tout à l'heure un café ici même, est mort en rentrant chez lui. On a couru chercher le médecin. Mais le médecin de Psara ne se rend pas comme ça, au pied levé, chez un malade ou un mourant. Il lui faut s'habiller, mettre sa chemise, sa cravate, cirer ses chaussures avant de gagner, d'un pas mesuré, la maison où on le réclame. Les cris redoubleront dès qu'il aura constaté le décès. Cris d'abord sauvages, déchirants, qui prendront peu à peu un rythme, une cadence, une sorte de respiration de la douleur. Les voisines se mêlent aux cris de la famille. En passant dans la rue, je verrai des formes accroupies sur le sol, ployées sur le seuil des maisons, des formes qui gémissent sourdement. Ce ne sont plus là les marques d'une douleur personnelle mais un rituel de la mort qui s'ébauche et qui, pendant toute la matinée, explosera dans la gorge des femmes. Ce rituel est comme celui qui autrefois (et aujourd'hui encore en certains lieux de Grèce) présidait aux mariages : un ensemble de gestes, de chants, de danses, de cérémonies, de jeux, de simulacres qui régente, ordonne, canalise la joie ou la douleur. Rien ne m'a plus frappé que de voir un jour, dans un village, le spectacle d'un mariage traditionnel. Une jeune paysanne de dix-huit ans, mariée de force par sa famille, épousait un sexagénaire. Tout le monde dansait et chantait, imperturbablement, sans aucun entrain d'ailleurs et ces rythmes endiablés – exécutés par des danseurs et des danseuses impassibles – avaient quelque chose de cauchemardesque. On se rendait parfaitement compte que ce rituel n'exprimait pas, ne traduisait pas la joie d'une union consentie, mais servait au contraire à en masquer le vide et le caractère arbitraire. Il apportait un simulacre de joie, un leurre d'amour, une liesse postiche greffée sur le corps réel du mariage, savoir un échange ou une acquisition de biens dont la femme était la monnaie d'échange. Le rituel est là pour pallier justement ce qui manque à tout mariage traditionnel : l'effusion, la joie et l'amour.

Dans le rituel funèbre, ces cris, ces chants forcenés, ces improvisations cadencées auxquelles se livrent les femmes en balançant leur corps, ce tumulte effréné ne seraient-ils pas là eux aussi pour faire oublier un instant ce qu'est la mort : un silence éternel ? La façon dont les pleureuses s'adressaient autrefois au mort en ces *moirologues*, ces chants funèbres célèbres en Grèce (qu'on pratique aujourd'hui encore en Crète et en Epire) le parant de toutes les qualités, l'auréolant de toutes les vertus, héros d'un combat à l'issue malheureuse entre la nuit et la lumière, impliquait qu'il n'était pas encore un mort absorbé par l'Hadès, mais un être à mi-chemin de ces deux mondes, l'habitant d'une antichambre de la nuit d'où lui parviennent encore les cris de ceux qui l'aiment. Ces cris, ces chants de destinée : une façon d'estomper, pour quelques heures encore, le silence, le néant de la mort.

Ta jeunesse, ta force, ta beauté, ton courage
C'est le sol noir à présent qui en fera partage

Des couteaux et des pistolets dans ma ceinture
                                        [glisserai
Pour affronter l'odieux Charos, l'affronter et le tuer.

Le brasier de mon cœur, quelle eau l'apaisera
Puisque larmes est devenue l'eau, larmes pour me
                                        [noyer?

O vous mains besogneuses, travailleuses, brodeuses,
Comment allez-vous faire pour rester à jamais
                                        [croisées?

Je crierai de toute ma force pour que m'entende le
                                        [Couchant
Pour que m'entende dans la nuit, m'entende mon
                                        [enfant. (1)

_____

(1) Moirologues de Psara recueillis par Dimitri Spanos.

XVI. – LE VILLAGE ARMORIÉ

« Je vous écris d'un village inconnu, féerique, où les couleurs se mêlent en un arc-en-ciel de maisons, où les façades sont historiées de cercles, de losanges, de flèches et d'orbes, je vous écris du cœur d'un grand blason, de rues où les maisons sont comme un jeu de cartes pour géants, reflétant les songes abstraits d'un maçon inconnu, je vous écris d'un pays rose et ocre entouré de collines sèches où déjà j'ai oublié la mer. Oui, à mon réveil dès l'aube (dans le ciel, de grands nuages roses venaient du nord, buée ultime de la nuit), en écoutant le bêlement des chèvres, l'apprêt des mulets partant vers les champs, le grincement d'une charrette sur les pavés et, dans la pièce sous ma chambre, le bref crépitement d'un fagot qui s'embrase, j'ai ressenti, brusquement, que j'étais repris par la terre, que j'avais bien quitté Psara et la mer infinie, que le goudron, les embruns, l'odeur des filets au soleil appartenaient à un monde estompé, aussi étranger à ces senteurs de terre mouillée, de pin, d'eucalyptus que le bruit haletant d'un moteur de caïque peut l'être au pas obstiné et patient des mulets. Un autre monde depuis hier m'absorbe dans la lenteur des choses et les bruits de la terre. Je vous raconterai comment j'ai trouvé ce village, l'enchantement du premier regard quand l'autobus de Chios me déposa devant les premières maisons, au pied d'un

garage servant de terminus où un homme réparait un pneu. Je n'avais devant moi que la tristesse d'un village de plaine avec ses murs en gros ciment ou en parpaings, nourri de peu, excroissance de pierres qui portent en elles les couleurs ternes de la terre, et je demandai au garagiste : « C'est vraiment là, Pirghi ? » – « Non, c'est plus loin, dit-il. Prenez là-bas la ruelle entre les deux maisons, vous arriverez sur la place. » J'ai pris la ruelle et au détour de la petite rue, j'ai découvert la place historiée, les maisons blasonnées, le beau village armorié. Un village comme on en voit sur les peintures d'autrefois où les femmes accroupies sur les seuils, les hommes assis sous les acacias et jouant au tavli, les enfants courant ici et là se figèrent comme les figurants d'une scène surgie de quelle faille du temps ? J'étais là, respirant ces odeurs d'eucalyptus, de lentisquier, de fleurs de citronnier, en regardant une très vieille femme, la tête ceinte d'une étrange coiffure, me dévisager avec un sourire arrêté sur les lèvres. Et déjà chacun me regardait passer, me souriait, me saluait comme un habitant familier et quand je demandai au cafetier où trouver une chambre, il me répondit, en une réplique de théâtre : « Kyra Euphrosyni vous logera. » Et Kyra Euphrosyni me logea. »

Je suis de nouveau au bord de la mer, sur une plage de la côte, à une heure de marche de Pirghi. Au-dessus de la plage, il y a une chapelle au milieu d'un bois de pins et les ruines d'un temple d'Athéna parmi les oliviers. Je ne m'attendais pas, si près de ce village intemporel, à retrouver l'histoire. Plus loin, sur le petit môle, Mimis bat consciencieusement un poulpe qu'il vient de pêcher. Hier, je suis venu avec lui de Psara, dans le caïque de Mitsos, un pêcheur de Chios. Cinq heures de mer par un temps agréable, une bonne brise du nord-ouest, une dame-jeanne de vin résiné et des poulpes qu'on faisait griller sur les tubulures du Diésel. Avant-hier, j'étais chez Panaghiotis quand, vers le soir, Mimis entra, les cheveux plaqués par le vent, suivi de trois pêcheurs d'éponge qui arrivaient de Kalymnos. Dès qu'il ouvrit la porte, et qu'il me regarda, je sus qu'on deviendrait amis. Toute la nuit, nous avons bu, chanté, dansé. Sur le plancher Mimis, ivre de mer et de ouzo, imite la danse trémoussante des femmes d'Asie Mineure, au rythme du *tsiftétéli*. A côté de moi, Spiros Yannaras, à moitié endormi, sursaute à quelque cri ou quelque éclat de rire et son visage grimaçant de philosophe cynique s'éclaire d'un sourire édenté (oui, c'est Diogène, non Socrate, qui somnole et qui boit ce soir avec moi). De l'autre côté, un des pêcheurs d'éponge, très vieux, avec un pull-over en grosse laine blanche, damé par les planches du bateau, tanné par les embruns, qu'il ne quitte ni jour ni nuit, la tête coiffée d'un bonnet de cuir en forme de chapska, une barbe blanche et bouclée lui mangeant les joues. De ce masque, engendré par des amours levantines perpé-trées sur les sables ou les hangars à barque, creusé, bosselé, taillé comme par un scalpel d'algue et d'acier, sort de temps à autre une voix caverneuse, issue d'une grotte marine, une voix de buccin enrhumé disant : « *Hopa! Hopa!* » à chaque bond du danseur qui trébu-che et tangue dans la pièce. Son nom résonne comme un grand coquillage marin : Andréas Boukouliaras. Nom comme un bruit de vagues dans les orbites creuses d'un cétacé fossile, sur les galets éraflés d'une autre ère. Et le troisième pêcheur plus jeune, visage acéré, mangé par une barbe couleur d'encre de Chine, yeux noirs étince-lants, vrai visage byzantin dont les pupilles doivent traverser le temps, déjà ivre, presque incapable d'articu-ler un mot. Il me regarde fixement, hébété. Me voit-il? Toute la fatigue, toute l'errance d'une vie passée à dormir au hasard des plages et des cafés marquent déjà ce visage encore adolescent. D'où viennent-ils, tous ces visages, Diogène, le Buccin, Byzance? Quels gènes les ont façonnés, du ponant au levant de l'Egée, de Trébi-zonde à Chios, de Cavalla à Antakya pour en faire ces êtres bosselés, craquelés, ces masques lumineux et rava-

gés où os et chairs se combattent comme les frontières
changeantes de la Grèce, où la mer et la terre se
découpent en calanques de bouches, en promontoires de
nez, en falaises de fronts, où les barbes bouclées sont
bouquets d'algues incrustés dans la chair? Andréas ne
sent pas l'homme. Il sent l'odeur d'un être entre deux
mondes, cuir et laine rincés dans les saumures des
siècles. C'est lui le Vieux de la mer, Protée l'insaisissable,
tour à tour vague et dauphin et nautile, calmar, alcyon,
écume, le Vieux qui prend toutes les formes, toutes les
senteurs, toutes les couleurs de l'océan. Il est venu ce
soir, dans ce café, au crépuscule, traînant son cuir usé
sur le rivage comme un lamantin harassé. Il s'est hissé
jusqu'à ce lieu de chaleur et de cris et pour un temps il
est homme de terre, retrouvant là le parfum d'un ouzo,
le goût d'un vieux tabac extirpé d'une tabatière séculaire
(qui la lui a donnée, de quel port et de quelle rencontre
vient-elle?) et de temps en temps ses yeux verts, ses yeux
glauques de Vieux de la mer me regardent et il hoche la
tête en murmurant : « *Iakové! Iakové! Stini ia sou!*
Jacques! Jacques! A la tienne! »

Mimis a un visage jeune, des yeux clairs, des cheveux
fous et pas de barbe. Il boit d'une façon effroyable et nos
conversations s'arrêtent parfois brusquement : je vois
alors Mimis fixer l'horizon d'un air absent, plongé dans
un monde dont nul ne saurait le tirer. En fait, il boit
depuis le jour (c'est du moins sa version) où sa femme le
quitta en laissant sur la table une lettre qu'il connaît par
cœur et qu'il se met à réciter régulièrement à un certain
stade de l'ivresse. Je me dis que la vérité est peut-être
l'inverse : sa femme a dû le quitter parce que déjà il
buvait trop mais c'est là un point d'histoire que je ne
saurais éclaircir. L'essentiel, c'est qu'avec Mimis le ouzo
ne chôme pas – car il ne boit que ça – au point que je me
demande comment il fait pour payer toutes ses tournées
qu'il offre si généreusement à tout le monde. Mystère
qui est celui de tous les grands buveurs du monde, qu'ils

soient ou non pêcheurs grecs. Mais un soir, à Emporio,
le petit port au sud de Pirghi, Mimis m'expliqua comment il s'y prenait pour boire sans argent. Le principe en
était très simple. Mimis est un très bon pêcheur qui
rapporte souvent de grosses prises. Lorsqu'il repère dans
la mer un beau poulpe ou un gros mérou, il traite son
affaire avec le cafetier. « J'ai vu un mérou de dix kilos
aujourd'hui. Je t'en donne un kilo demain et ce soir tu
me paies à boire. » L'autre accepte (du moins au début)
et Mimis bois d'avance son poisson. Evidemment, il
reste ensuite à le pêcher, le truc ne marche pas toujours
car le mauvais temps ou l'humeur voyageuse des poissons fait qu'il revient bredouille.

— Bon, lui dis-je. Mais aujourd'hui, dis-moi la vérité. Il
y en a beaucoup autour d'ici, à Psara et à Chios, des
mérous qui se promènent en mer et que tu as bus
d'avance?

— Pas mal, pas mal, fait-il sans préciser.

— Aujourd'hui, c'est moi qui régale. Inutile d'aller
pêcher un mérou.

— D'accord mais il y a les ouzos d'hier et d'avant-hier,
ceux-là il faut les payer.

— Mais alors, comment fais-tu l'hiver, quand tu ne
peux pas pêcher? Tu ne bois tout de même pas d'avance
en plein hiver les mérous du printemps?

— C'est-à-dire que c'est le cafetier qui ne veut pas. Moi
ça m'est bien égal. Tu sais, je boirais volontiers d'avance
la pêche d'une année... La mer, elle a toujours du
poisson. Quand je pense à tous ces ouzos qui y
nagent...

Les peintures et les décorations si caractéristiques de
ce village, on les nomme ici des *xysta*, des grattages.
Quand les pierres d'une façade sont montées, on les
revêt d'un premier enduit à prise rapide et en couleur –
en général vert, jaune, ocre ou gris – qu'on laisse sécher
et sur lequel on passe un deuxième enduit, à prise lente.
Et avant que cet enduit ne sèche, on le gratte ici et là

pour laisser apparaître l'enduit coloré du dessous. Cette curieuse technique aurait été introduite par un maçon de Constantinople à la fin du siècle dernier. Aujourd'hui, chacun fait ses *xysta* lui-même, selon son propre goût. L'effet d'ensemble est saisissant. Evidemment, cette technique ne permet pas des formes compliquées (car il faut gratter relativement vite selon un dessin préétabli) mais elle permet toutes les variations possibles de formes géométriques, carrés, triangles, losanges, cercles, demi-cercles, croissants qui donnent à chaque façade un style particulier. Certains se livrent même à des fantaisies audacieuses et décorent tel mur ou tel dessous de balcon de grandes rosaces, de roses des vents coloriées. Ainsi, les maisons de Pirghi ressemblent-elles à une succession de blasons, d'armoiries qu'on ne se lasse pas de regarder.

Depuis toujours, l'île de Chios fut célèbre pour ses lentisques, arbres de la famille du pistachier, dont on incise les branches et l'écorce pour en obtenir la résine. Cette résine est très odorante et porte en Grèce le nom de *masticha*. On s'en sert pour divers usages mais avant tout pour parfumer le ouzo et le raki.

Depuis le commencement de mai jusqu'à la fin de juin, écrit un auteur ancien, *on tient avec beaucoup de soin la terre fort nette en-dessous de ces arbres. Car pendant deux mois, des petites incisions qu'on a faites tout exprès dans les branches et à son écorce, il coule une certaine gomme blanche, friable, odorante et claire que les anciens médecins grecs et latins ont appelée du mastich ou mastic...*

Un autre auteur précise :

Les femmes du sérail en tiennent continuellement à la bouche, qu'elles mâchent afin d'emporter la crasse et les impuretés qui s'attachent d'ordinaire sur les gencives ou s'amassent dans la bouche et de tenir leurs dents nettes et blanches à quoi elles assurent que cette gomme-résine est particulièrement bonne.

J'eus la chance d'arriver à Pirghi à l'époque où, la récolte une fois achevée et la gomme lavée et séchée, on la porte à la distillerie. Tout le village embaume le lentisque et les femmes me donnaient à tout moment des grains de cette résine ivoire qui laisse dans la bouche un goût fort, persistant, que seul le café parvient à enlever.

Aux couleurs variées mais un peu ternes des xysta, les gens de Pirghi ajoutent dès les premiers jours de l'automne : les groupes rouges des petites tomates que l'on fait sécher en guirlandes au soleil, les taches vert brillant des poivrons, l'écorce jaune des melons d'eau, la panse glauque des pastèques, les reflets mordorés des chapelets d'oignon. Village de couleurs et d'odeurs. Village armorié, embaumé, paradis des yeux et des sens, Pirghi en cette aube d'automne.

Le samedi soir, les femmes s'assoient sur les trottoirs ou sur le seuil de leurs maisons et les hommes envahissent les trois cafés de la place. C'est un concert de murmures, de conversations et de cris. Dans les cafés – celui de Michaelis que j'ai élu d'emblée pour ses xysta et son balcon – il n'y a pas à s'inquiéter pour les prix. Sur la grande ardoise exposée à l'entrée, je lis :

ouzo	1 drachme
raki	1 drachme
masticha	1 drachme
café	1 drachme
limonade	1 drachme
orangeade	1 drachme
eau gazeuse	1 drachme
vanille	1 drachme
citronnade	1 drachme

En ce village où tout paraît possible, il n'est plus qu'une seule chose à faire : mettre une drachme sur la table et attendre.

Le garçon de café de chez Michaelis doit avoir huit ou neuf ans tout au plus. Comme tous les *pitsirika*, il est rasé, rusé, infatigable, insaisissable. Le samedi soir, l'afflux des clients le met à rude épreuve. Les commandes pleuvent de tous côtés et comme le propriétaire est un géant placide que rien n'émeut jamais, il ne se presse pas ce jour-là plus que les autres jours. Les commandes tardent à venir et les clients maugréent. Le *pitsiriko*, pour faire face à la mauvaise humeur montante, l'enraye par une série graduée de réponses péremptoires. Au premier signe d'impatience, il crie : *Amésos!* Tout de suite! Au second signe, il réplique : *Eftassa!* Je suis déjà là! Au sens évident pour tous de : je suis déjà arrivé tellement je vais aller vite! Quand pour la troisième fois, le client commence à s'énerver, il lui sort un admirable : *Ton ipiès!* Tu l'as déjà bu! au sens tout aussi évident de : je vais aller tellement vite que c'est *comme si tu l'avais déjà bu!* Après quoi, il ne reste plus qu'à attendre devant la table vide. Je n'ai jamais entendu en Grèce un « au-delà » de ce *ton ipiès!* qui, au sens propre et figuré du terme, est bien ce qu'on appelle un aoriste *futur*.

Chaque soir, je me retrouve sur la place au café avec l'instituteur, le pope, un professeur de Chios qui est ici pour quelques jours avec sa femme et le ou les paysans qui se joignent à nous. Nous parlons surtout de religion. Le professeur est un être prétentieux, docte et borné, ne jurant que par Byzance, les Paléologues, la grécité et l'orthodoxie. Pour lui, il n'y a qu'un seul livre valable, c'est la Bible qui est le plus vieux livre du monde. J'ai beau lui parler des Védas, des mythes sumériens, des centaines de textes orientaux écrits des siècles avant la Bible, il les ignore et ne veut rien savoir. Un paysan qui, depuis une heure, écoutait notre discussion sans dire mot, se tourne soudain vers moi et me demande : « Crois-tu aux Dix commandements de Moïse? – Non » lui dis-je. Alors, il se signe, effaré, et me dit, les yeux exorbités : « Mais alors, tu voles et tu tues! »

Odeurs. Couleurs. Mais à Pirghi, il y a aussi de la musique et des chansons. Tout le monde chante ici ou presque et connaît les chants traditionnels et ceux que, depuis 1922, ont importés les réfugiés d'Asie Mineure. Pendant trois jours, je ferai une débauche d'enregistrements au magnétophone : chants de mariage, de fiançailles, chants de Carême, de Pâques, chants de travail et aussi ces *amanédès*, ces litanies d'Asie Mineure qu'ici tout le monde connaît. Au début, chacun se montra réticent. C'était la première fois qu'un étranger s'intéressait à tout cela et demandait d'interpréter ainsi – pour le plaisir – de chants de circonstance (1). Mais tout se sait très vite dans un village et j'eus une idée simple qui s'avéra très efficace pour que chacun se mette à chanter. Il y avait un épicier qui s'était proposé de m'interpréter divers airs du pays. Tout le monde me dit qu'il était très mauvais chanteur. Qu'importe ! Je passai deux heures dans sa boutique à l'écouter, au milieu des barils d'olives et d'anchois, des macaronis, des tonnelets d'ouzo et de masticha. Puis je repassai l'enregistrement assez fort pour qu'on l'entende du dehors. Les voisins affluèrent, les gosses s'agglutinèrent, les femmes s'esclaffèrent mais le but était obtenu. Car en sortant de l'épicerie, un homme m'aborda discrètement et me dit : « Viens chez moi demain matin. Je te chanterai des vrais chants. Tu ne vas pas retourner chez toi avec ces chants-là. » La fierté, l'émulation avaient joué en ma faveur : en faisant entendre ostensiblement le plus mauvais chanteur (selon les critères du village), j'étais sûr que les bons se manifesteraient.

Le lendemain, l'homme qui m'avait abordé, Costas Zervoudis, chanta pour moi toute la matinée. Dans la pièce à côté, sa femme, paysanne voilée de noir, pieds nus, alluma un feu de bois pour faire cuire des rognons.

---

(1) J'ai appris par la suite que je n'étais pas le premier. L'helléniste Hubert Pernot réalisa ici des enregistrements en 1928.

Sur la table, il y avait une bouteille de masticha. Il
interpréta des chants traditionnels, étrangement modulés
selon le mode d'Asie Mineure, dont il me transcrivit
ensuite les paroles car beaucoup étaient particulières à
ce village : *magiatiko*, chant du mois de mai (il y a à
Pirghi un chant traditionnel pour chaque mois de l'année), *apocriatika*, chants de Carême (il y en a pour les
quatre semaines du Carême) *lambriatika*, chants de
Pâques, *stiniatika*, chants du lentisquier, *théristiatika*,
chants de moisson... En sortant de chez Zervoudis (bien
que celui-ci ait usé de mille ruses pour m'introduire chez
lui sans qu'on me voie), un homme m'attendait. Il me
dit : « Il ne chante pas trop mal mais si tu veux entendre
d'autres chants, moi j'en connais que lui ne connaît
pas. » J'allai chez lui. Deuxième bouteille de masticha.
Deuxième femme en noir, s'affairant en silence pour
préparer quelques mézédès. Il me chanta en effet d'autres chants, de mariage et de fiançailles et, légèrement
éméché, se mit à improviser des amanédès selon le mode
de Pirghi, de ces airs qu'on appelle ici *stin patinada* – à
la veillée. Sa voix atteignit des aigus impressionnants
mais je fus frappé par l'aisance et la beauté de ses
inventions :

> *Dans la nuit chante le chanteur*
> *Et son chant fait croître les fleurs*
> *Rassemble les jeunes filles.*
> *Autour de lui l'aube paraît*
> *Et le chant se fane à l'aurore...*

Ainsi ai-je parcouru Pirghi, de chanteur en chanteur,
de masticha en masticha, de femme noire en femme
noire allumant un feu de branches sèches pour le repas.
Costas Zervoudis, Constantin Théokaras, Dimitri Déva-
zoglou et vous, petites filles de Pirghi à l'œil vif et à la
voix claire qui m'avez chanté des comptines, récité des
légendes, posé des devinettes, Euthymie, Koulitsa, Ekatérini, Marianna, vous avez été mes derniers amis grecs.
De Pirghi, je suis rentré à Athènes puis en France et

depuis, je ne suis plus retourné en Grèce. Et j'aime que ma dernière mémoire de ce pays soit ainsi parfumée de masticha, éblouie de xysta, émerveillée d'amanédès, historiée des chants, des odeurs, des couleurs du beau village armorié.

L'AUTRE GRÈCE

« *Soumets-toi à la langue du peuple et,
si tu es assez fort, conquiers-la!* »

SOLOMOS.

XVII. RENCONTRE AVEC UN LIVRE

Les villes grecques, je les connais peu. Quelques heures à Patras, quelques jours à Salonique, quelques mois à Athènes. Salonique est liée pour moi à mes séjours au mont Athos. Je m'y arrêtais à chaque retour de la Sainte Montagne, chez les frères Lazaristes. Le père hôtelier était originaire de la région de Toulouse et je me souviens que le soir, en sirotant quelque vin cuit de son pays, il entamait de longues litanies sur l'absence quasi totale en Grèce de saucissons dignes de ce nom. « Quand je pense aux saucissons de mon pays, me disait-il, l'œil brillant et les joues roses d'émotion, je me dis que les Grecs ne savent pas se nourrir. Pourtant, rien n'est plus facile que de faire des saucissons. Et puis, c'est la viande du pauvre! » Après les conversations quasi mystiques du mont Athos sur le Jugement dernier, les anges, les démons, la couleur des cheveux du Christ, je me disais que ces frères Lazaristes avaient de bien triviaux soucis. Etait-ce là l'impondérable frontière séparant orthodoxes et catholiques? D'un côté, le bruit des trompettes angéliques sonnant la Parousie du Christ, de l'autre, le thrène des saucissons du Périgord et du Quercy!

Je dois à Penzikhis les meilleures heures passées à Salonique. Penzikhis était, par hasard ou par nécessité, pharmacien et par essence et vocation, poète. Poète, écrivain, chroniqueur, peintre, homme aux talents multiples et qui sut me faire découvrir les arcanes de l'art byzantin. Car cet homme singulier alliait en lui, sans la moindre contradiction et de la façon la plus existentielle, un goût prononcé pour le surréalisme et une passion vivante pour la tradition byzantine. Mais à l'inverse de Kontoglou qui, lui, n'était que byzantin, Penzikhis était un homme de tous les temps ou tout au moins de deux ères bien précises où les poètes mystiques de Byzance conversaient avec André Breton. Il faut sans doute venir en Grèce, à Salonique, pour rencontrer cette alliance, cet alliage rarissime : un byzantin surréaliste. Les livres qu'il avait publiés lors de ces rencontres (je ne l'ai pas revu depuis mon dernier voyage à Athos, il y a vingt ans mais j'ai continué de lire les livres qu'il écrivit ensuite) conciliaient dans leur message et dans leur écriture ces deux mondes flamboyants : le brasier libertaire des images, la rigueur ignée des icônes. Cela était aussi sensible dans ses peintures, gouaches et aquarelles. Les villages d'Epire et de Thrace, les monastères, les portraits qu'il peignait participaient à la fois d'un réalisme pointilleux et d'un onirisme éclatant. Il redonnait à cet art ancien, qu'on croit figé, austère, janséniste, un déploiement, une efflorescence qui faisaient miroiter chaque œuvre. Certaines de ces aquarelles évoquaient même pour moi la vision que pourrait avoir d'une icône byzantine une libellule ou un insecte nanti d'yeux à facettes. Ainsi, le temps s'effaçait-il en ces peintures où Pansélinos (1) et Marx Ernst faisaient un étrange et merveilleux ménage.

Avec lui, je me suis promené des heures dans les ruelles du vieux Salonique, dont il connaissait chaque maison et chaque histoire. Et quand le soir, nous rentrions fourbus de ces errances, nous allions nous détendre dans le salon des poètes du cru qui était curieusement un salon de coiffure. Car le coiffeur était lui-même poète et je me souviens de la première visite que je lui

---

(1) Manuel Pansélinos. Peintre byzantin du XIVᵉ siècle, notamment des fresques ornant l'église du Protaton à Karyès, la capitale du mont Athos. A noter que son nom signifie en grec : éclat de la pleine lune.

fis : l'homme, ciseaux en mains, s'affairait autour d'un paysan rougeaud tout en discutant des mérites comparés de Palamas et de Sikélianos avec les visiteurs poètes, assis sur les chaises de sa boutique. Se faire coiffer chez lui, c'était avant tout recevoir une leçon de littérature. On en repartait avec moins de cheveux et plus de poésie en tête.

A notre première rencontre, en 1952, Penzikhis venait de publier un petit livre intitulé *Leçons de choses*, avec une couverture imitant celle des cahiers d'écoliers et un dessin « gravé en signe d'amitié par Yannis Svoronos ». C'était, sous la forme apparemment didactique de ces leçons de choses pratiquées dans les écoles primaires, un inventaire poétique, minutieux, souvent cocasse de l'espace et du temps quotidien d'un homme. Inventaire et rêve éveillé à la fois où les objets, les visages, les anecdotes, les attitudes, les fragments de conversation, les notes personnelles, les jeux de la mémoire, tout le fleuve incessant d'une ville, d'une époque coulaient en petits paragraphes séparés, comme autant de discrets messages, de signes furtifs adressés au lecteur.

Un jour que nous regardions l'église des Douze-Apôtres, Penzikhis y entra. Il alluma un cierge et pria. Puis, comme s'il se parlait à lui-même, prolongeant à voix haute sa prière silencieuse, il dit : « Tout cela, ces icônes, ces fresques, ce tourbillon d'images, c'est une folie contrôlée, les stigmates du heurt entre le moine-peintre et le monde invisible. S'il y a tant de rigueur dans la composition, un impérieux chemin dans le choix des couleurs, des attributs, dans la répartition des thèmes sur les murs, c'est parce qu'il faut contrôler, maintenir, juguler la dévorante dévotion, le langage de feu transmis par les puissances supérieures. Sinon, il n'y aurait pas art, mais chaos. » Cette rigueur – qu'on croit figée – ces règles – qu'on croit arbitraires – étaient pour Penzikhis comme l'écran protecteur que revêt le soudeur pour subir la flamme aveuglante, un moule de patience et de durée permettant de transcrire l'irradiation divine, le feu et le message des formes et des signes.

*
**

Pour qui sait en déceler les strates et les ordonnances, l'art byzantin peut livrer bien d'autres messages parmi les plus insoupçonnés. J'en donnerai ici un exemple frappant, en citant la lettre d'un ami grec (dont je tairai le nom eu égard à sa modestie pour ne pas trahir ici le secret d'une correspondance poursuivie pendant ces vingt ans) qu'il m'adressa quelques années plus tard. Il y joignit la reproduction d'une icône du mont Sinaï, datant du XIIe siècle et représentant une *Déisis*, une Intercession de la Vierge.

La carte jointe n'est pas là pour t'apporter mes vœux. Reçois-les sans support. Mais pour ceci : puisque tu

*parcours les usines en compagnie de Jean Vilar et avec
Antigone (1), observe bien cette icône dans le cadre de
ce parcours et de ses intentions. Dis-toi aussi, pour t'en
purger et l'expurger que d'après les experts, la peinture
et plus encore icône et fresque byzantines sont recherche et expression de l'éternel par l'immobile. Or considère un peu l'image de gauche, son inscription scénique. Vois comme ce chœur – car c'est bien de cela qu'il
s'agit – est organisé à partir d'une vierge – d'une
Antigone – immobile mais tout à son mouvement
intérieur et à celui qu'elle met en branle parmi le
public, vois, dis-je, comme tout est organisé pour créer
et dire le mouvement. Vois la savante, la très savante
même, plastique des gestes, des attitudes (et n'oublie
pas que nous sommes au XIIᵉ siècle parmi des « primi-
tifs »), la captation et représentation de l'espace naturel
et intérieur par l'extraordinaire distribution des ports
de tête et des regards. Nous sommes chez des moines en
un temps de vie intense, en un lieu de parole vénérée et
dans une très riche culture de la vision par l'art de
peindre. A environ quinze siècles de Sophocle, à qui
personne ne pense, mais parmi des gens qui vivent de la
vie la plus profonde avec, alentour, les espaces infinis
du néant et qui pensent aux mêmes choses que lui,
c'est-à-dire à l'annonce comme au creuset des plus
effroyables craintes, à dire et à se tenir à cette certitude
intérieure ou, ce qui revient au même, à dire cette
ascension vers le ciel, à s'y engager. Pour ce dire,
remarque-le, le peintre ne se prive pas de moyens
mécaniques et ne répugne pas à l'emploi de la machi-
nerie (le médaillon céleste, les anges-voyageurs si à
l'aise dans les hauts sites) car il faut d'abord informer
tout le monde avant de songer à provoquer l'adhésion
profonde, la conviction ardente. Cette adhésion profonde, cette ardeur dans le débat, cette conviction*

---

(1) A cette époque (1961) entre deux voyages en Grèce, je collaborais
très souvent aux activités culturelles du Théâtre National Populaire par
des rencontres et des présentations de spectacles dans les comités
d'entreprise de la banlieue parisienne.

*torturée, combattue, affirmée et affermie, cette grande
affaire du peintre comme du metteur en scène, le
peintre-moine comme le poète tragique en confie au
chœur l'illustration. Tout le monde n'est pas seulement
informé mais converti. Il ne s'agit donc pas de prêcher
mais d'illustrer cette conviction, de dire avec force sa
joie, sa plénitude. Et il me paraît remarquable – et
susceptible d'enseignement – que la même scène vue
par un peintre-moine du XIIᵉ siècle puisse pour nous
évoquer le ressort d'une distribution et d'un mouvement scénique nous permettant d'éclairer ces aspects de
l'antique drame. Car il me paraît qu'on ne croyait pas
moins ni autrement ni à autre chose du temps de
Sophocle et au XIIᵉ siècle, au Sinaï.*

Voilà une phrase que seul un Grec des plus avertis
comme cet ami, un homme porteur de tous les courants
vivants et souterrains d'une culture peut penser, exprimer en connaissance de cause, avec ce grand bonheur
de plume. Ces phrases ne sauraient être des phrases
d'hellénistes. Les hellénistes – comme leur nom l'indique
– ne s'intéressent qu'aux Hellènes morts il y a trois mille
ans, pas aux Grecs. Ceux qui connaissent bien Héraclite
ou Sophocle connaissent mal en général – ou même
ignorent totalement – les poètes mystiques byzantins. Et
ceux qui connaissent bien les poètes mystiques byzantins, connaissent mal ou pas du tout les rébétika, le
Karaghioze, les poètes contemporains. De même, à tous
les connaisseurs et amants de la Grèce moderne, il
manque souvent le lest, l'aimant nécessaires du grec
ancien. Car, si l'on ne saisit pas le fil qui relie Eschyle à
Séféris, Homère à Elytis, et Pindare à Ritsos (et qui
intègre, sans heurt ni traumatisme culturel, les chants
médiévaux de Digénis, l'*Erotocritos* de la Crète du
XVIIᵉ siècle, les *Mémoires* du général Makryannis et *La
femme de Zante* de Solomos sans parler des kleftika ou
des *rizitika* de Crète, ces chants dits piémontais parce
qu'ils sont nés dans les villages situés aux pieds, aux
« racines » des Monts Blancs) que saisit-on vraiment de
la Grèce ? On étudie une culture arrêtée en son évolu-

tion, découpée en tranches historiques, une Grèce *in vitro*, qui révèle ainsi des phénomènes et des structures évidentes (puisqu'on peut opérer sur elles comme en laboratoire) mais dont on oublie qu'après tout certaines d'entre elles vivent toujours, *là où l'on n'aurait pas idée de les chercher.*

Cette alliance invisible, ce pacte continué entre le plus lointain passé et le verbe contemporain de la Grèce, je les ai trouvés, entre autres, dans un livre dont je veux raconter l'histoire. Car ce livre, je l'ai découvert, aimé, traduit, fait publier en France. C'est *Le troisième anneau* de Costas Taktsis (1), titre qui traduit mal d'ailleurs le *Trito stéphani* de l'original grec, c'est-à-dire la troisième couronne de mariage, ce livre étant, succinctement, l'histoire d'une femme grecque mariée trois fois.

A travers le *Quatuor* de Lawrence Durrell, on découvre une ville : Alexandrie. A travers *Le troisième anneau*, on découvre de la même façon, avec la même présence vivante, deux villes : Salonique et Athènes. Deux villes où se situe l'histoire de deux femmes, Nina la narratrice et son amie Ekavi (Hécube). Quand j'eus fini de traduire ce livre et que je vins m'installer quelque temps à Athènes chez l'auteur pour mettre au point ensemble la traduction, j'eus l'impression de voir cette ville avec d'autres yeux, d'y surprendre chaque jour les silhouettes des personnages si présents de ce roman – si présents parce que si conformes aux êtres qu'on y voit chaque jour : Dimitri le drogué, Polyxène la renfermée, Hélène la mégère (pour s'en tenir au point de vue de sa mère), Antoni, le paysan bourru et généreux, l'éternelle Ekavi, née il y a trois mille ans et toujours vivante aujourd'hui. Pour qui saurait lire ce livre avec les clés discrètes qu'y a mises l'auteur, on y retrouverait en filigrane l'histoire de Médée, la magicienne qui tue ses enfants. Ekavi ne tue pas les siens au sens propre du

---

(1) Gallimard. Du monde entier. 1967. Une nouvelle édition vient de paraître chez le même éditeur dans la collection de poche Folio avec une préface que j'ai rédigée récemment (1981).

terme, mais sa passion incestueuse et dévorante pour
son fils Dimitri, son égoïsme monstrueux à l'égard de ses
filles (mais dont l'envers est une générosité tout aussi
monstrueuse) firent de ses enfants les victimes de son
amour incontrôlable. Mère Méditerranée, peut-être
comme on l'a dit aussi des femmes italiennes mais plus
que cela encore : un instinct maternel qui déborde la vie
elle-même, un besoin des autres, une intensité dans les
rapports quotidiens qui mue très vite en drame, en
tragédie, en mélodrame le moindre des faits quotidiens.
On est là à la source vivante des mythes invisibles, dans
le creuset de la Tragédie en personne et il est fascinant
de la voir sourdre au cours des pages, à travers la vie
anonyme d'une famille anonyme de Grecs anonymes.
Tout se passe comme si, à l'opposé de cet anonymat du
décor et des situations, les êtres qui s'y meuvent (et
surtout Ekavi) étaient à l'étroit dans leur corps et leur
âme, comme si ce monde de violences prosaïques,
d'invectives quotidiennes, d'anecdotes portées sans cesse
au pire degré d'incandescence faisait sourdre et l'hybris
antique et le philotimo moderne, les deux sources de la
tragédie grecque d'antan et d'aujourd'hui.

En traduisant ce livre – ce qui ne fut pas une mince
affaire, l'auteur jouant avec toutes les gammes de la
langue, la démotique, la savante, la langue du « milieu »,
celle des Juifs de Salonique – je poursuivis avec lui une
correspondance à l'image de l'œuvre, linguistique, pas-
sionnée, comique, mélodramatique, qui m'initia à la vie
quotidienne du « milieu » athénien et de la petite
bourgeoisie citadine. Cette vie, je l'avais bien perçue à
travers mes propres séjours à Athènes, où j'ai le plus
souvent habité dans les quartiers périphériques, là où la
vie est collective, où les voisines discutent d'une cour à
l'autre et d'un étage à l'autre (et où un jour, j'entendis à
l'épicerie une bonne dire à son amie en parlant de son
patron, un homme infirme qui passait son temps dans
son fauteuil à regarder par la fenêtre en face de chez
moi, lui dire, toute en émoi : ce matin, monsieur est
mort *tout à fait !*) Mais c'est avec ce livre et à travers ce
livre que j'eus le sentiment d'aller au fond des choses, de

percevoir ce qui se dit, non en criant de terrasse en terrasse, mais derrière les murs et les portes. Je fis aussi, avec cette œuvre plus qu'avec toutes les autres, l'expérience de ce qu'est vraiment une traduction. A côté de ce grec pétillant, libertaire – mais aussi très savamment écrit et composé – riche en dictons, proverbes, images, références, le français m'apparaissait lourd, empesé, peu maniable et effroyablement logique. *Quelle regrettable habitude vous avez, vous autre Français*, m'écrivait l'auteur, *de parler d'une façon et d'écrire d'une autre! Mais j'ai remarqué que vous employez de plus en plus d'argot. C'est très bien. Les passés simples, j'imagine, on ne peut pas les éviter, hein? Ah, que faire avec eux? Mais au moins vous les employez avec une maîtrise comparable à celle de Gide. Le chapitre du procès est très bien fait. Très bien. J'ai éclaté de rire en lisant le langage de Dimitri.* Bien sûr. Là où le grec montre ou image, le français rend compte ou explique. Il existe toujours des équivalences (c'est affaire d'intuition) mais elles laissent en cours de route ou la moitié du sens ou la moitié de l'image. La traduction filtre, tamise les sens et les connotations. Et d'une phrase chatoyante, d'un jeu de mots vivant et ondoyant il ne reste plus sur la page qu'une phrase aussi flasque qu'une méduse échouée sur une plage.

Exemple : Nina la narratrice est hébergée, après la mort de son deuxième mari, chez sa tante Katigo. Katigo est une femme austère, bourgeoise, conventionnelle qui fait sentir chaque jour le poids de son hospitalité. Hospitalité qui n'en est pas une pour Nina car autrefois elle lui rendit de grands services et elle ne fait, à ses yeux, que lui rendre son dû. Et parlant de son séjour chez tante Katigo, Nina dit donc à une amie : *Philoxénia kai kolokynthia mé to rigani!* Hospitalité, mais avec des courgettes à l'origan! En cuisine grecque, on ne met jamais d'origan dans les courgettes car cette épice leur donne mauvais goût (je l'appris, justement, en traduisant ce passage). Autrement dit : hospitalité qui n'en est pas une, puisqu'elle me la doit. Mais aussi : hospitalité qui fait cohabiter deux êtres qui ne s'accordent pas, comme l'origan et les courgettes. On peut traduire cette expression de toutes les façons qu'on voudra, trouver une équivalence exacte sur le plan sémantique. Mais pas une équivalence qui donnera aux narines du lecteur le parfum douteux des courgettes rissolant avec l'origan (1) !

Cet exemple s'est reproduit des dizaines de fois, peut-être plus encore, dans le cours de ce livre. Car il présente un cas réussi très rare de langage littéraire oral. Conjonction qui en français n'engendre que des hybrides artificiels, des jeux mandarinaux. En grec, au contraire, c'est toute la vie d'un milieu, d'une classe sociale qui transparaît ainsi, sans affectation ni recherche. Pour résoudre certains de ces problèmes, l'auteur m'écrivait : *Je ne sais pas comment on dit ça en français. Mais trouvez quelque chose. Demandez à un flic, à une putain, à un drogué, à un pédé, à un souteneur. Ils vous diront.* Traduire ce livre, ce n'était pas transcrire sagement avec un dictionnaire une langue dans une autre, c'était changer ma vie, me mettre à errer en plein cœur de Paris comme Dimitri ou Dinos, deux des drogués du livre, dans le « milieu » d'Omonia ou de Salonique.

Quand tout fut achevé et que je fus prêt à partir pour Athènes revoir le texte avec l'auteur, celui-ci m'écrivit : *Ça va. Vous êtes champion. Surtout, la deuxième et la troisième parties qui sont mieux traduites que la première. Somme toute, vous avez saisi le style à merveille. Mais il faut corriger ici et là. Surtout, ne vous fâchez pas. Je vous aiderai. J'apprécie les difficultés colossales d'un tel travail. Kazantzaki est beaucoup plus facile à traduire. On peut le découper. Mon texte à moi est si calculé – chaque mot, chaque virgule même – que non seulement il est plus difficile de le traduire mais ce serait un grand dommage de le couper. Faites*

(1) Petite note personnelle. Lorsqu'il lut ce chapitre qui lui est pratiquement consacré, l'auteur Costas Taktsis m'écrivit peu après : *J'ai été content de te lire. Autant te l'avouer maintenant : tu es le seul Français que je ne trouve pas insupportable !*

du français moderne. Ce n'est pas un roman de mœurs.
Mais conservez cette couleur voulue de ma part, si
évocatrice du cher passé !

Lorsqu'il parut en France, ce livre ne rencontra aucun
écho. A part un très bon et très juste article dans *Les*
Lettres Françaises, aucun compte rendu ne saisit ce qu'il
était réellement : non un roman de mœurs comme
l'écrivait l'auteur, mais, à travers la peinture d'un milieu
haut en couleur (pour nous, Français) mais étranger à
tout folklore, le livre de la tragédie invisible et actuelle de
la Grèce, un creuset de mythes surgissant des actes les
moins mythiques d'apparence, la fatalité assise chaque
jour à la table d'une famille de Grecs moyens. La
rencontre de ces deux extrêmes dans un cadre quotidien
où se nouent des passions d'hybris débridée y fait surgir
– comme le choc de nuages orageux – l'étincelle qui
provoque foudre et fatalité. C'est le livre des plus secrètes transmutations où les vieux mythes réapparaissent,
où resurgissent en filigrane la vieille mémoire de la
Grèce et la crainte des forces invisibles. Par ce livre,
Taktsis a décapé salutairement les faux mythes et les
faux folklores où la plupart des étrangers – hellénistes ou
non – veulent enfermer la Grèce et il met à nu, à leur
place, le visage rajeuni des Tragiques. Ses héros ne sont
plus des ombres noires au flanc des vases ni des bustes
de plâtre blanc, mais ces silhouettes que chacun peut
voir ou deviner dans la lumière des cours ou l'ombre des
maisons : celles d'une Grèce où, comme je le découvris à
mon premier voyage, les Grecs existent toujours, tels
qu'en eux-mêmes l'éternité les change.

XVIII. LES CHANTS
ET LES FIGURES DE L'OMBRE

Si me fallait définir d'un mot ce qui, au cours de ces années grecques, fut pour moi le plus révélateur (ce que j'emporterais de grec avec moi dans une île déserte), je dirais : les *rébétika*. J'ai mentionné plusieurs fois ce mot sans devoir l'expliquer en détail. Mais je ne peux parler à froid de ces chants si caractéristiques de la Grèce moderne et qui sont, actuellement encore, un des exemples les plus évidents d'une culture populaire vivante. Je ne veux ici ni en résumer l'histoire (d'ailleurs en partie inconnue) ni en faire l'apologie béate car il s'agit avant tout de chants et de danses et aucune phrase ne saurait remplacer leur audition ou leur vision. Ces airs sont liés à toutes mes années grecques et ils accompagnent toujours dans ma mémoire chacun de mes séjours en Grèce. 1950, c'est pour moi l'année de la Crète et d'Athos mais aussi celle d'*Ase me, ase me na se lismoniso* – Laisse-moi, laisse-moi t'oublier – de Tsitsanis. 1952, c'est l'année d'Athos, de Salonique, de Mykonos mais aussi celle de *Gennithika ia na pono* – Je suis née pour souffrir – du même Tsitsanis. 1953, l'année de *Eimai békris kai batiraki* – Je suis buveur, je suis fauché – de Mitsakis, je crois.

Parler des rébétika, c'est-à-dire des chants des rébétès – mot qu'il faudrait déjà pouvoir traduire mais qui se dérobe comme celui de pallikare, de lévendia, de philotimo, de kaïmos, de méraki et tant d'autres, disons qu'il

signifie en grec un homme des bas-fonds, du « milieu »
ou simplement du sous-prolétariat des villes, un misé-
reux ou un paumé, un homme du bas-monde (en
précisant qu'il s'agit là de la vision bourgeoise du mot, le
rébétiko réhabilitant justement le mot pour faire de ce
bas-monde, le vrai monde, – celui où l'on connaît la vie,
la souffrance, les réalités par rapport au monde conven-
tionnel et frelaté de la bourgeoisie et de l'intelligentsia)
bref, parler des *zébékika*, les danses qui accompagnent
ces chants, des bouzoukia, des baglamadès, instruments
qui leur sont associés et de tout l'univers impliqué par
ces chants et cette poésie populaire (la taverne, le vin, la
misère, la nuit, la mort, la prison, les ports, le haschisch,
le narguilé, le dékè, la mastoura) serait raconter pratiquement un demi-siècle d'histoire grecque. Je tiens ces
chants pour aussi beaux, aussi profonds, aussi émou-
vants que les plus beaux des blues, avec qui d'ailleurs ils
présentent bien des affinités (la seule différence fondamentale étant qu'en ses débuts le blues est d'origine
rurale alors que le rébétiko a toujours été d'origine
urbaine). Les principaux compositeurs populaires grecs
de rébétika, Tsitsanis, Bambakaris, Dascalakis, Mitsakis,
Papaioannou, Mathésis, Batis sont pour moi l'équivalent
des plus grands compositeurs de blues, d'un Armstrong,
d'un Fats Waller, d'un Sydney Bechet. On connaît bien
l'histoire du blues. Mais l'histoire du rébétiko est encore
à écrire et je suis sûr qu'un jour elle le sera – par des
étrangers ou des Grecs – car il s'agit là d'une création
populaire à valeur universelle (1). Malheureusement,
l'évolution du rébétiko s'est faite beaucoup plus vite que
celle du blues en raison notamment de l'influence du
tourisme qui en quelques années modifia à la fois les
lieux, l'inspiration et l'orchestration de ces airs, si bien
que sa période la plus authentique, celle où il sourd de
lui-même de la bouche et des doigts des compositeurs

---

(1) Depuis que j'ai écrit ces lignes, cette histoire vient enfin d'être
écrite par un ami grec, Ilias Pétropoulos, sous le titre *Ta rébétika
tragoudia*, ouvrage non traduit en français qui contient non seulement
l'histoire du rébétiko mais le texte de plus de 1 200 d'entre eux ! On peut
le trouver en Grèce aux éditions Kédros.

populaires se réduit à moins d'un demi-siècle. Les premiers rébétika définitifs si l'on peut dire – improvisés selon des rythmes, une atmosphère, une interprétation qui ensuite ne varieront guère – datent des environs de 1920. Avant, il y a des airs précurseurs comme les *karsilamadès* de Smyrne, les *hasapika* de Constantinople, du Pont, de Brousse et d'Aïvali, les *amanédès* dits *politikès* c'est-à-dire des villes dont le rébétiko conservera certains aspects (entre autre les nombreux *aman, aman* qui le parsèment encore jusqu'à nos jours) mais le rébétiko grec n'a guère plus aujourd'hui d'un demi-siècle d'existence (1). Existence restée longtemps obscure, confinée aux « bas-fonds » du Pirée, de Salonique, de Galaxidi, de Cavalla, avant d'être découverte par l'intelligentsia et une certaine partie – la partie snob – de la bourgeoisie athénienne. J'en parle ici avec précision car j'ai été justement témoin de cette découverte, dans l'après-guerre. Il me faut donc, une fois de plus, provisoirement, parler de moi.

En 1950, je me suis rendu d'Athènes à Salonique en auto-stop, pour visiter le mont Athos, comme je l'ai raconté dans la première partie de cet ouvrage. A la sortie de Larissa, après un court séjour aux Météores, je fus pris en stop par un camionneur qui se rendait à Salonique. Dans l'après-midi, vers une ou deux heures, on s'arrêta pour déjeuner dans une taverne au bord de la route, à proximité d'un village ou d'une petite ville dont j'ai oublié le nom. Nous y avons mangé, tranquillement, attendant que la chaleur s'apaise pour reprendre la route. A côté de nous, des maçons et des platriers mangeaient à une table. L'un d'eux se leva à un moment et mit un disque 78 tours sur le vieux phono du café. C'était un disque éraillé, qu'on avait mis cent et cent fois

(1) Cette affirmation n'est plus tout à fait exacte car on a retrouvé ces dernières années des enregistrements de rébétika effectués aux Etats-Unis dès 1905 parmi les communautés grecques émigrées.

et d'où jaillit une voix nasillarde et traînante qui, au début, m'agaça plutôt. L'un des hommes, pourtant, se mit à danser. Seul. Danse presque immobile, où je ne discernais aucun pas régulier, avec des oscillations lentes du torse, quelques tournoiements, des figures simples qu'il semblait improviser. Le camionneur se pencha vers moi et avec ce geste habituel qui exprime en Grèce le plaisir et le sentiment du beau – la main dressée et les doigts ramenés vers le haut – il me dit : zébékiko! Le nom me parut turc et je n'y fis guère attention. Un peu plus tard, un des ouvriers, voyant que j'étais étranger, me prit la main et me fit danser. Je suivis tant bien que mal ce qu'il faisait. Nous avons dansé ainsi un certain temps jusqu'à ce que tout le monde s'aperçoive brusquement que l'heure était avancée. Tel fut mon premier – et incertain – contact avec les rébétika. Cet air traînant, nasillard et plaintif, c'était justement cet *Ase me, ase me na se lismoniso* – Laisse-moi, laisse-moi t'oublier – qui était à la mode cette année-là. Par la suite (pour résumer ce qui devint ensuite plus qu'une liaison durable, une vraie passion charnelle pour la musique, la danse, tout ce que connaît et éprouve le corps dans le zébékiko) j'ai dansé à travers la Grèce chaque fois que l'occasion s'en présenta, dans les îles, les ports, les cafés du Pirée ou de Pérama, à Ménidi au pied du mont Parnès, à Salonique près des Halles. Dans ces années-là, ces lieux, ces tavernes miteuses n'étaient pas encore fréquentés par les intellectuels snobs d'Athènes. On y voyait des pêcheurs, des dockers, des ouvriers travaillant aux chantiers maritimes, des camionneurs, des rébétès et des *mangas*, comme on les nomme aussi, selon un mot difficile à traduire. Et ainsi peu à peu, ces airs, ces danses s'instillèrent en moi. J'appris à danser comme dansent les Grecs, pour moi-même, pour le plaisir d'exprimer par mon corps, librement, ce que m'inspirait la musique selon son rythme et ses paroles (j'ai toujours eu d'ailleurs une préférence pour les rébétika *varia*, lourds, lents, qui sont presque comme des chants funèbres et rituels).

Là encore, c'est le manque d'argent qui me fit connaître les rébétika, en m'obligeant pendant des années à vivre avec des camionneurs, des pêcheurs, à fréquenter toujours les cafés et les tavernes populaires – où l'on déjeunait ou dînait pour 5 drachmes avec un *arni kokkinisto* – un sauté d'agneau; pour 3 drachmes d'un *mousakas* – sorte de hachis parmentier; d'un *pastitsio* – fait de macaronis et de viande hachée pressés en couches compactes; d'aubergines farcies – *mélizanès gémistes;* et pour 2 drachmes, de *maridès* – de fritures du golfe Saronique ou de la baie de Pérama. C'est ce même manque d'argent qui me fit connaître les hôtels douteux du Pirée – où, pour 15 drachmes, on trouvait une chambre avec un nombre raisonnable de blattes – et ces hôtels-dortoirs derrière la place Omonia où pour cinq drachmes on avait un lit, non une chambre, dans une pièce à huit ou dix places. Je suis entré dans le monde du rébétiko par la petite porte, la porte étroite de la pauvreté, une pauvreté qui me fit découvrir la Grèce avec le sentiment d'une indicible liberté. Et c'est finalement avec tous ces êtres anonymes, oubliés aujourd'hui (bien qu'ici et là en fouillant de vieux papiers ou des cahiers de l'époque, je retrouve, écrits d'un crayon maladroit, des noms de convives d'un soir à qui je promis une carte postale de Paris ou une visite l'année suivante, camionneur m'ayant pris en stop, pêcheur m'ayant emmené pêcher avec lui dans sa barque ou simplement buveur dans un café nocturne et solitaire avec qui on choque en silence *ekatostaria* sur *ekatostaria* de résiné.) J'ai connu là des heures à la fois difficiles et en même temps inoubliables, autour de ces petites tables en bois où traînent des miettes de mézé, des emballages de cigarettes Papastratos ou Sertika Lamias (celles que je fumais à l'époque), des mesures de vin, et la musique rauque d'un phono enroué au pavillon crasseux et au disque éraillé.

Pour moi, c'est d'abord cela, le rébétiko : une atmosphère autant qu'un chant, des visages silencieux et marqués autant que des danses ou des cris, des odeurs mêlées de vin résiné, d'ouzo, de sciure fraîche sous les tables, de mégots refroidis. Plus tard, avec l'abâtardisse-

ment dû au tourisme, ces tavernes se muèrent en
vitrines à néon, à langoustes réfrigérées, à consomma-
tions ruineuses et à verres et assiettes qu'on casse en
criant : hopa! d'un air las, pour faire croire qu'on
s'amuse. Le rébétiko n'est pas mort mais une certaine
époque – et une certaine vérité – sont mortes néanmoins. La preuve en est qu'à part le bouzouki, plus
aucun instrument d'origine n'est utilisé aujourd'hui, ni
sazi, ni baglama, ni tamboura, ni outi, tous remplacés
par la guitare et l'accordéon, quand ce n'est pas par le
violon et le piano.

Dans leur histoire présumée – telle qu'elle commence
à apparaître et telle qu'on peut encore en retrouver des
traces en Grèce – le rébétiko et le zébékiko sont nés à la
fin du siècle dernier dans les quartiers grecs et pauvres
des villes d'Asie Mineure. Car cette musique et cette
danse sont avant tout des phénomènes urbains. C'est
dire qu'ils n'ont aucun rapport avec la musique tradi-
tionnelle et folklorique qui est toujours rurale (1). Airs et
paroles sont l'œuvre d'artistes autodidactes et donc
composés par un individu précis, connu de tous. Son
nom peut ou non devenir célèbre par la suite, dépasser
les frontières d'un café, d'un quartier, d'une ville, il n'en
demeure pas moins qu'il s'agit toujours de créations
individuelles, non d'œuvres collectives et anonymes.
Quand je dis que ces compositeurs – même les plus
célèbres – sont des autodidactes, je veux dire par là
qu'ils jouent de leur instrument préféré, bouzouki ou
baglama, depuis l'enfance très souvent et qu'ils jouent à
l'oreille sans connaître vraiment la musique. Tsitsanis
peut orchestrer ou transcrire lui-même ce que ses doigts
improvisent mais Bambakaris, l'un des plus anciens et
des plus grands, n'a jamais eu besoin de lire une note sur

(1) Aucun rapport strictement historique tout au moins car il est
souvent arrivé que tel ou tel compositeur s'inspire d'un motif musical
traditionnel, ne fût-ce que pour le parodier.

une portée (c'est du moins ce qu'il affirme dans son *Autobiographie*). Il est probable qu'après la vogue de curiosité que connut le rébétiko et la fréquentation de musiciens « savants » et célèbres comme Hadzidakis et Théodorakis qui s'inspirèrent souvent de ces airs, certains compositeurs se sont mis à noter ce qu'ils jouaient auparavant d'instinct. Bambakaris connaissait la musique d'une façon instinctive et de lui-même il n'aurait jamais eu l'idée de noter ses improvisations. Tels les conteurs des siècles précédents, il était capable de jouer n'importe quel morceau de mémoire. Heureusement, l'apparition des premiers enregistrements de rébétika vers 1925 permit de conserver nombre de ces merveilles que leurs propres auteurs auraient pu oublier. Car tous étaient prolixes, infatigables. Il semble impossible de compter exactement le nombre de leurs compositions qui dépassent pour chacun plusieurs centaines.

Donc, le rébétiko est né dans les quartiers grecs des villes d'Asie Mineure, Smyrne-Izmir surtout, Aivali, Brousse-Bursa, Constantinople-Stamboul, Aydin et d'autres encore. Les instruments utilisés étaient surtout le bouzouki et le baglama mais aussi quelques autres aujourd'hui disparus – comme l'outi ou le sazi – qu'on jouait encore en Grèce dans les années 1930. Du point de vue de leur forme extérieure, tous ces instruments ressemblaient plus ou moins à une mandoline mais leur registre était différent et le bouzouki lui-même comporte plusieurs registres puisque l'instrument, selon son origine, possède de quatre à douze cordes (le plus usité ayant six cordes). D'ailleurs, le prix d'un bouzouki varie de 450 drachmes à 20 000 drachmes. C'est dire qu'au fond, il n'y a pas un bouzouki mais des bouzoukia. De plus, selon la façon dont on l'accorde, il y a plusieurs types de jeu – je ne sais traduire en français le terme grec – qu'énumère Bambakaris dans son *Autobiographie* et qui vont de l'*anoikto* – de « l'ouvert » – au *karantouzéni, au syriano* qui est un rébétiko vari, lourd, à l'*arapien*, à l'arabe, et au *youroukiko*, autre forme de rébétiko vari. Parler des rébétika impliquerait l'usage d'un véritable glossaire qui est hors de question ici.

Quant à la danse elle-même – qui bien entendu n'est pas liée au chant d'une façon impérative car on peut tout simplement écouter ces airs sans les danser –, il semble d'après son nom de zébékiko qu'elle remonte elle aussi à l'Asie Mineure et aux *zébékidès*. C'étaient des Grecs qui constituaient une sorte de milice autonome et armée, échappant pratiquement au contrôle des Turcs qui finirent par l'utiliser à l'occasion faute de pouvoir la supprimer – et qui se montait à près de quarante mille hommes vers le milieu du siècle précédent. Ils étaient un peu, en pleine terre turque, l'équivalent des kleftes et des armatoles de la guerre d'Indépendance, à cette différence près qu'ils ne combattaient pas particulièrement les Turcs mais agissaient pour leur propre compte. Toute une mythologie s'est créée autour de ces hommes insoumis, guerriers, dont les bandes écumaient les régions de Smyrne, de Brousse, d'Aydin. Ils constituaient un monde marginal et attirant, pour les Grecs surtout, qui avait ses coutumes, ses lois, sa langue (un grec dialectal) ses chansons et ses danses. Leur costume était particulièrement pittoresque et impressionnant. Ils portaient sur la tête un bonnet vertical entouré d'un turban de soie savamment enroulé dont les franges retombaient sur les joues (et je m'avise en regardant une gravure ancienne que ce bonnet a tout, précisément, du bonnet phrygien, la Phrygie étant le nom ancien de la région où vivaient les zébékidès); sur le torse, un gilet brodé; aux jambes un salvar (pantalon bouffant s'arrêtant au-dessus du genou); aux mollets, des bandes étroitement enroulées; aux pieds, des pantoufles souples gainées de cuir. Comme armes : un pistolet, un cimeterre, un poignard. Ces armes ne les quittaient jamais quand ils dansaient et même quand ils dormaient. Si l'on ajoute qu'ils vivaient évidemment exclusivement entre eux, se nourrissaient de viande fumée et de lait de chamelle, qu'ils fumaient haschisch sur haschisch et qu'ils n'aimaient guère être contrariés, on peut déjà se faire une idée de leurs danses. C'était, comme le rapporte un voyageur occidental du siècle dernier, des danses de nature guerrière, lentes et lourdes, comme cette danse *pyrrhique* que pratiquaient les Grecs du Pont-Euxin, une région voisine. Cette lourdeur et cette lenteur des danses, jointes à leur caractère menaçant expliquent en partie certains aspects du zébékiko d'aujourd'hui : sa lenteur, son tournoiement, cet oscillement mesuré du torse, jambes immobiles, qui est peut-être aussi l'image dansée de la *mastoura*, de l'ivresse du haschisch.

Mais l'essentiel des rébétika, c'est leur musique – impossible à décrire par les mots – et la poésie des paroles. Après la catastrophe d'Asie Mineure (où un million de Grecs quittèrent la Turquie pour s'installer en Grèce, dans les îles avoisinantes, la Thrace puis la banlieue de Salonique et d'Athènes), ces danses et ces chants furent apportés par les réfugiés. Ils purent s'y développer, y évoluer dans un cadre presque identique (influences turques mises à part), la langue étant pratiquement la même. De cette période héroïque du rébétiko, entre les années 1920 et 1940, il reste des paroles, des disques, et toute la nostalgie de ceux qui l'ont connue. Car ce que dit, ce que joue, ce que chante le compositeur autodidacte (ou la chanteuse qu'il choisit pour le faire), c'est la plainte extrême des bas-fonds, la litanie de la misère, le lyrisme d'un sous-prolétariat qui trouve dans le chant, la danse, le vin et le haschisch les seules évasions possibles. Il en émane un thrène continu qui a socialement, historiquement, un contenu bien précis au point qu'on pourrait presque écrire une histoire du sous-prolétariat urbain en étudiant ces chants. La pauvreté, l'exil, la prison, l'amour toujours déçu ou impossible, l'errance dans les rues nocturnes, le refuge dans la taverne mal éclairée, le haschisch, le narguilé, la mort, voilà quelques-uns des thèmes courants de ces rébétika.

La nuit n'a pas de lune, la nuit est toute noire
Pourtant, il ne dort pas, il ne dort pas, le pallikare.

Que guette-t-il ainsi, de la nuit au matin
A travers la fenêtre éclairant sa cellule ?

Une porte s'ouvre, se ferme, se ferme à double tour
Qu'a-t-il fait, ce garçon, pour aller en prison?

Une porte s'ouvre, se ferme avec un lourd soupir
Si seulement tu me disais ce qui ronge ton cœur (1)!

Des deux grandes évasions du rébétès, du mangas, le vin et le haschisch, la première est évidemment la plus simple. Le vin, l'ivresse, les tavernes, la saoulerie, imprègnent tous ces chants. Mais c'est un vin triste, noir et lourd, le vin qu'on boit pour oublier, non celui qui vous fait chanter. Tsitsanis, l'un des maîtres du rébétiko, l'a magnifiquement exprimé dans un air de 1950 :

Quand tu bois, tu t'assieds et tu ne parles pas
Quel remords, quel chagrin t'empêchent de parler?

Je voudrais te parler, savoir ce que tu as
Pourquoi grincent et soupirent les battants de ton
                                          [cœur.

Sans doute tu as aimé, toi aussi et puis on t'a trahi.
Viens avec nous, assieds-toi là et chantons tous
                                          [ensemble.

Ou cet autre, d'un compositeur moins connu, Stratos Payoumtsi en 1947 :

Dans les tavernes, seul, je passe toutes mes nuits
Et dans les rues je marche, je marche toutes les
                                          [nuits.

Dans le vin je veux oublier du malheur le poison
Pleurer comme un enfant sur mon ancien amour.

(1) Précisons que ces chants sont toujours en vers rimés. La traduction ne peut toujours rendre ces rimes. Il s'agit ici d'un rébétiko sur un prisonnier composé par Kaldaras en 1947. Il s'agit sans doute d'un détenu politique, durant la guerre civile. Exemple assez rare du rébétiko à thème politique.

C'est pourquoi, seul, je marche jusqu'à l'aube du
                                              [jour
Car j'ai perdu ma vie pour un ancien amour.

L'autre évasion, la plus liée en fait à l'histoire du rébétiko, est celle du haschisch. Le haschisch a été fumé par tous les habitués des tavernes et des *tékè*, ces cafés-fumeries où l'on pouvait utiliser les narguilés. Il m'est arrivé à deux reprises, alors, de fumer mais sans arriver pour autant à ce stade si fréquent dans les rébétika, à cette torpeur ou cette ivresse du haschisch que les rébétika appellent la *mastoura*. La plupart des chants comportent tout un vocabulaire pour les objets utilisés, les lieux, l'état intérieur du fumeur, qui est évidemment intraduisible. De plus, à partir de 1944, la censure officielle a interdit toute allusion au haschisch dans les rébétika si bien que des expressions courantes – comme chanvre par exemple – ont été remplacées par d'autres mots et d'autres plantes. Je donnerai ici l'exemple d'un thème très célèbre – qu'on pourrait appeler : le testament du fumeur – composé en 1935 par Robertakis et qui fut pratiquement repris avec des variantes par tous les compositeurs ultérieurs.

Quand je mourrai, mettez-moi tout seul dans un coin
Avec mon bouzouki, ma seule consolation.

Je ne veux voir personne, je ne veux aucun cierge
Ni que celle que j'aime vienne pleurer sur moi.

Mais plantez-moi deux chanvres pour qu'ils donnent de
                                              [l'ombre
Et qu'ils me rafraîchissent quand le vent soufflera.

Mais plantez-moi deux chanvres pour qu'ils donnent
                                              [leur chanvre
Que mes amis puissent venir et connaître la
                                              [mastoura.

Un des lieux les plus magiques que j'aie pu connaître en Grèce est, près d'Athènes, à Amaroussi, la maison et l'atelier de Sotiris Spatharis et de son fils, les deux montreurs d'ombres, les deux *karaghiozopaichtès*, les deux joueurs de karaghioze. Je vins les voir avec un ami grec qui voulait des photos de leurs marionnettes et ils sortirent au soleil toutes leurs créations. Toutes non, car il y en avait des dizaines et des dizaines. Mais, bien vite, la cour s'emplit de silhouettes bariolées et les deux hommes dressèrent l'écran de toile pour me permettre de prendre des photos et en profitèrent pour jouer à l'intention des enfants du quartier. A l'instar des rébétika qui est la plus belle et la plus significative expression de la musique populaire, le karaghioze est une des plus belles et plus significatives expressions de la plastique et du théâtre populaire en Grèce. Son histoire rejoint d'ailleurs curieusement celle des rébétika : incompris et même méprisé avant la guerre par la bourgeoisie (parce que populaire et soi-disant vulgaire et obscène) le théâtre d'ombres karaghioze a peu à peu trouvé un vrai public – j'entends un public d'adultes différent du public traditionnel des enfants – et même ses dévots et ses fanatiques. Il a aujourd'hui ses connaisseurs, voire ses historiens qui s'intéressent enfin à ce théâtre si singulier et si riche d'enseignements. La raison m'en paraît d'ailleurs simple : à l'inverse des rébétika, que les amis grecs de ma génération ne découvrirent qu'après la guerre, au même âge que moi, ces mêmes amis ont tous, pour la plupart, connu le karaghioze étant enfants. Il est autre chose pour eux qu'un genre, une expression tardivement révélés : la joie, la féerie, le rêve de leur enfance. Autrefois, il était joué par des montreurs ambulants allant de ville en ville et certains d'entre eux, parmi les maîtres de ce genre : Mollas, Charidimos, notamment, eurent même un temps des théâtres fixes à Athènes ou dans sa banlieue. Et quand moi-même je découvris si tard le karaghioze, je n'eus qu'un regret : ne pas avoir été enfant en Grèce, ne pas avoir ri, pleuré, rêvé avec ces ombres merveilleuses.

*
**

Techniquement, la facture de ces marionnettes est simple. Ce sont des silhouettes découpées dans du carton fort, ajouré pour que les vides puissent être coloriés de papiers transparents et articulées en deux, trois points du corps, en général les bras, le torse et les jambes. On fixe deux ou trois baguettes en ces points pour manœuvrer le personnage. Autrefois, ces silhouettes étaient découpées dans du cuir de chameau qu'on trempait ensuite dans de l'huile pour le rendre translucide et qu'on coloriait alors dans la masse. Ces marionnettes étaient évidemment beaucoup plus belles que les figurines en carton, surtout par leurs couleurs. Spatharis en possède d'ailleurs un grand nombre, réalisées selon cette méthode. Le reste – c'est-à-dire l'essentiel – c'est le jeu manuel des montreurs et l'histoire qu'ils racontent. J'ai assisté ce jour-là au spectacle des deux côtés de l'écran blanc et il est stupéfiant de voir la dextérité des acteurs et les possibilités conjuguées de réalisme et d'onirisme que permettent ces figurines. Plaquées contre la toile – le *berdé* – elles sont nettes et précises. Légèrement écartées, elles deviennent floues à volonté et simulent la marche, la course, l'éloignement dans l'infini. A quoi s'ajoutent évidemment les dons vocaux des montreurs, changeant sans cesse de voix selon les personnages, imitant les sifflements du Serpent Maudit, les bruits d'une bataille, le chant des femmes du Sérail, le galop des chevaux... L'écran est de petite dimension, quatre mètres de long pour les plus grands sur soixante-quinze centimètres de haut environ. Les plus grandes figures ne dépassent pas soixante centimètres et Karaghioze, le principal personnage, mesure vingt-cinq centimètres. Malgré le grand nombre de personnages qui peuplent ces tableaux, les montreurs ne sont que deux ou trois au maximum. Quant aux décors, ils sont eux aussi fabriqués en carton découpé et certains d'entre eux – comme

Théâtre d'ombres : le Sérail.

le Grand Sérail – sont d'une finesse et d'une complexité inouïes. Ils représentent tous les lieux possibles et imaginables où se déroule l'action : palais, cabane, monastère, île, forêt vierge...

Mais l'essentiel reste l'histoire elle-même et les personnages traditionnels qui la vivent. Et d'abord, Karaghioze. Son nom est d'origine turque et signifie : Yeux noirs, c'est-à-dire le Malin, le Rusé. Pour le restituer dans la vérité, je citerai la description qu'en fit lui-même Antonis Mollas, un des plus grands, des plus célèbres montreurs de karaghioze :

Karaghioze

Karaghioze. Le type même de l'homme du peuple. Le premier personnage du théâtre des ombres. A la fois facétieux, frondeur, généreux, patriote, bon citoyen. Il a la repartie vive, le verbe prompt, et il est toujours épris de quelque chose ou de quelqu'un alors qu'il est d'une laideur peu croyable. Il est tour à tour riche, pauvre, tantôt il fait l'idiot, tantôt le pallikare. Sa ruse et son intelligence le poussent parfois à faire des folies, d'autres fois il est naïf, fourbe, ou bien il se met à protéger les faibles. On le trouve partout : au sérail, à l'agora, dans les repaires des défenseurs de la Patrie, sur les routes, dans les monastères. Il devient pacha, sultan, amiral, général, pallikare, capétan, avocat, médecin, domestique, cuisinier, diplomate. Toujours le premier à donner des coups, le premier à en recevoir. Toujours le premier dans des aventures amoureuses. Le premier en prison, le premier à s'en évader. Le premier à donner, le premier à mendier, le premier à se faire aimer, le premier à se faire haïr. Il est avec tous les partis, tous les maires, tous les députés, tous les ministres. Tantôt avec le pouvoir, tantôt dans l'opposition. Bien qu'il fasse tous les métiers sans exception, il n'est jamais rassasié, toujours affamé. Un jour qu'on veut le faire sultan, il demande d'abord : « Ça mange bien les sultans? » C'est le type même du Grec.

Hadziavatis

Morphonios

Sior Dionysios

Autour de lui gravitent une foule de personnages, les uns issus de la tradition turque, les autres entièrement créés par la tradition grecque. D'abord *Kollitiris*, le Crampon, fils de Karaghioze. Portrait craché de son père mais en moins rusé, en moins adroit. *Barba Yorgos :* vrai type du paysan rouméliote, montagnard toujours vêtu de fustanelle, de tsarouques, d'un gilet brodé à manches longues. Il parle avec un accent effroyable. Il a l'obsession du mariage et passe son temps à chercher une femme. Karaghioze en profite pour le duper sans cesse. *Hadziavatis* est d'origine turque. Toujours vêtu d'un gros bonnet à gland, d'un salvar et de bottes. Il est fourbe et rusé mais comme il est aussi peureux et même lâche, il est la bête noire et le souffre-douleur de Karaghioze. *Sior Dionysios :* originaire de Zante, la patrie des chanteurs de charme, il est coiffé d'un immense haut-de-forme, porte jaquette et pantalon rayé. C'est le type du dandy prétentieux. Il parle un langage affecté et incompréhensible. La plupart du temps, il se fait rouer de coups par Karaghioze. *Morphonios :* le Lettré. Personnage grotesque de pseudo-intellectuel, nanti d'une tête énorme sur un corps minuscule. Il est bête et vaniteux. Victime de choix pour Karaghioze.

Il est facile de voir qu'à travers ces deux derniers personnages – avec leurs tics, leurs prétentions et leurs bêtises – s'expriment par le théâtre d'ombres la revanche des autodidactes sur les pseudo-lettrés, toute une charge qui est en même temps celle du pauvre rusé contre le riche idiot, de l'analphabète débrouillard contre le lettré empoté, et au fond du peuple grec contre la classe des puristes. Tout le karaghioze est fait de ces charges constantes contre l'affectation des citadins et des lettrés, de la revanche des démunis contre les « hommes savants » des villes.

Bien entendu, l'origine turque de ce théâtre a maintenu dans toutes ses versions grecques des personnages orientaux qui, eux aussi, sont victimes des ruses de Karaghioze : Beys, Pachas, Sultans sont roulés à tour de rôle par cet Ulysse populaire et là aussi ce théâtre est une revanche rétroactive du peuple grec contre son ancien oppresseur. Mais tout cela se fait dans un tel climat de fantaisie – confinant parfois au plus merveilleux des non-sens ou de l'absurdité – que ces charges et ces revanches apparaissent davantage comme la victoire de l'intelligence sur la bêtise, de la poésie sur le prosaïsme que comme des actes à caractère politique.

Ce qui fait pourtant l'originalité et la richesse du karaghioze, c'est avant tout l'apport de ses différents créateurs depuis son introduction en Grèce. Le karaghioze grec reprend à son compte toute l'histoire de la Grèce, de l'Antiquité à nos jours, mêlant en un joyeux et délirant anachronisme Alexandre le Grand et le sultan de Constantinople, le Serpent Maudit et Sirèna la fille du sultan, les héros de l'Indépendance et de l'histoire moderne. Karaghioze, en tant que personnage, promène tout au long de l'histoire grecque – parmi les héros populaires et les monstres de la légende – sa silhouette de nabot rusé au grand nez et au bras droit démesuré (il a « le bras long » de ceux qui viennent à bout de tout et de chacun) et, comme le dit Mollas, on le trouve partout : aux côtés d'Alexandre le Grand dans sa lutte contre le Serpent « infidèle et maudit », aux côtés de Karaïskakis ou de Katsandonis, aux côtés d'Ali Pacha ou du Vali de Crète. C'est là, en ces épisodes qui sont pure création des montreurs d'ombres grecs, que l'on saisit le mieux cette imagerie populaire – fondatrice de la culture grecque d'aujourd'hui et qui se retrouve identique dans les *Mémoires* du général Makryannis, les peintures de Zografos illustrant les combats de l'Indépendance ou celles de Théophilos, un des plus grands peintres naïfs de la Grèce, qui peignait et se promenait dans son village du Pélion habillé en Alexandre le Grand. Je dis ici : imagerie mais au sens fort de *maintien par la force, le sens, la beauté iconique* des plus anciennes et plus vivantes

Théâtre d'ombres : Alexandre le Grand

traditions de la Grèce. Ces images sont le contraire de ce que sont chez nous les images d'Epinal, ensemble de contes, de morales, de graphismes qui évoquent le monde des papiers peints plus que celui d'une tradition vivante. Les dessins et les détails des personnages du karaghioze sont porteurs d'histoires et de messages compris par tous, pour peu qu'on les examine de près. Alexandre le Grand, par exemple, résume presque à lui seul, l'histoire vestimentaire de la Grèce : il porte sur la tête un casque antique à crinière (comme en portait aussi Kolokotronis pour montrer qu'il incarnait les guerriers grecs antiques), il est vêtu d'une cuirasse byzantine sous laquelle dépasse et flotte une fustanelle, ses cuisses sont protégées par des jambières décorées aux genoux de figures de sirènes et ses pieds sont chaussés de spartiates! Et tout cela, bien sûr, est l'œuvre *spontanée* des montreurs d'ombres (avec d'ailleurs des différences de détail chez chacun d'eux qui fait reconnaître aussitôt l'Alexandre de Spatharis de celui de Mollas ou de Charidimos), non le produit d'une thèse de troisième cycle sur les signifiants du vêtement militaire en Grèce.

L'exemple d'Alexandre le Grand est d'ailleurs très révélateur du génie populaire des *karaghiozopaichtès* car, dans le théâtre d'ombres, le Grand Alexandre va délivrer Sirèna, la fille du Sultan, retenue prisonnière dans une grotte par le Serpent Maudit *to Kataréméno Phidi*. Avec l'aide de Karaghioze, il vient à bout du monstre après maintes péripéties et va demander Sirèna en mariage à son père. Le Sultan lui demande alors : « A qui ai-je l'honneur de parler? – Au Grand Alexandre, venu délivrer la Patrie du Monstre infidèle et maudit. – Si vous voulez ma fille, lui répond le Sultan, il faut vous faire mahométan. » Alexandre le Grand mahométan! C'est un problème qui n'a évidemment rien d'historique. Il refuse et Karaghioze propose alors de baptiser Sirèna, de la « christianiser ». Mais son père, à son tour, décide de lui couper la tête si elle accepte. Et le héros vainqueur et légendaire s'en retourne, seul et désespéré, sans épouser Sirèna qui s'étiole dans son sérail.

La vogue populaire et l'attrait du théâtre d'ombres

étaient tels autrefois que la fille d'un des montreurs (qui avait alors un théâtre au Pirée) raconte l'anecdote suivante : la plupart des bateaux partaient souvent avec un retard d'une heure ou deux sur leur horaire. On s'aperçut alors que le capitaine, fervent karaghioziste, assistait au spectacle et voulait le suivre jusqu'au bout. La Compagnie décida alors, au lieu de changer ses horaires de départ, de faire venir le théâtre à son bord. Et l'on dit qu'à l'avant, au bout du pont, les voyageurs pouvaient regarder les aventures d'Alexandre le Grand et de Sirèna la sultane, dernier avatar de la Sirène légendaire qui arrêtait, dit-on, les bateaux grecs en pleine mer et demandait à l'équipage : « Que fait Alexandre le Grand ? » Il fallait répondre aussitôt : « Il vit et régnera encore ! » sinon le bateau était englouti dans les flots. Cette Sirène, qu'Ulysse rencontrait déjà dans ses errances antiques, on la retrouve tout au long de l'histoire populaire de la Grèce, et tout au long de ce théâtre d'ombres, près de l'Ulysse moderne, Karaghioze aux yeux noirs.

XIX. – L'ÉCRITURE DE LA GRÉCITÉ

De sa maison au pied de l'Hymette, où si souvent j'ai habité, l'Ami dont je tairai le nom m'écrivait en 1964 :

C'est la troisième lettre que j'écris depuis ce matin. J'ai donc épuisé mon répertoire d'excuses. Pourquoi écrire, pourquoi ne pas écrire ? J'en suis là, étant très las, mais de belle fatigue, loin des épreuves, de ma table – de toute table – et piétinant des masse de bois, de lattes, de copeaux, aussi énervé que le chirurgien le plus calme donnant très sèchement des ordres de combat. Car cette maison, si heureusement dite par toi sous-marine, ressemble de plus en plus à un vaisseau pirate échoué entre l'aventure et l'éternel.

C'est là en ce vaisseau pirate, ancré entre l'Hymette et la plaine athénienne, que j'ai vécu le plus longtemps. J'aimais cette maison, mi-commencée, prête à tous les possibles, environnée de pins et de figuiers, où chaque soir je dormais dans un coin différent comme pour éprouver les points cardinaux du sommeil. Quelquefois je montais à pied sur l'Hymette pour y retrouver le silence et les collines mauves de la Grèce, les cyclamens, les grandes scilles et, sur l'autre versant, les troupeaux de moutons. L'Attique est une étrange contrée, curieusement négligée parce que proche d'Athènes et pourtant l'intérieur du pays est riche de solitude, de pierres blanches, de monastères, de villages oubliés, de sanctuaires désertés, peu visités alors, comme Vraona, Rhamnonte, Amphiaraion, chacun livré à la mémoire des déesses et des héros morts : Artémis, la Némésis, Amphiaraos. Souvent, la nuit, après avoir parlé des heures avec les amis au Byzantion et à l'Héllénikon, les deux cafés de Kolonaki, je rentrais à pied chez l'Ami, deux heures de marche, en me guidant sur Orion.

Toutes les années qui s'échelonnent entre 1957 et 1963 furent celles de mes amitiés grecques. Parlant la langue, traduisant et faisant publier en France les œuvres que j'aimais ou qui m'intéressaient, je vivais d'une existence où plaisir et travail étaient devenus synonymes. En général, je choisissais pour traduire ou écrire des cafés des bas quartiers d'Athènes, loin du centre, vers le Théséion ou Monastiraki. J'y travaillais dans la rumeur bruyante du marché, les cris des rues, les conversations du café et cela instillait en moi une Grèce quotidienne, fraternelle. Des amies venaient parfois m'y retrouver – seulement le soir – et nous partions nous promener vers l'Aréopage ou le monument de Philopappos, creuset des amoureux. Là aussi, comme pour les rébétika, chaque année est liée pour moi à un café précis, une rue, des rumeurs singulières, le visage d'un garçon déposant sur ma table le double métrio sans lequel je ne pouvais écrire. Mais déjà venaient en moi des habitudes qu'il me fallait chasser. Je ne suis jamais devenu véritablement citadin mais je sentais qu'à chaque séjour, au rythme régulier et saisonnier de mes voyages, l'automne athénien m'absorbait un peu plus.

Au cours de ces années, j'ai rencontré beaucoup d'écrivains, de poètes dont, pour certains, je traduisis les œuvres. Et peu à peu je m'initiai à la langue, à l'expression littéraire de la Grèce, à cette langue témoin (donc martyr, témoin se disant *martys* en grec) de la réalité, de l'identité grecques. Mais écrire lorsqu'on est grec pose un problème inconnu en France. Car dans quelle langue s'exprimer ? Des deux langues qui ont cours, la savante

et la démotique, seule cette dernière est aujourd'hui
utilisée par les poètes et par les écrivains. Mais comme
l'autre est encore en usage dans les affaires de l'Etat,
l'administration, la justice, l'université, les journaux, on
peut dire qu'il y a toujours deux langues en Grèce et que
choisir l'une signifie aussi refuser l'autre (1). Deux langues et même plus, en fait, comme me l'expliqua Vassili
Vassilikos au cours d'un entretien que j'eus avec lui en
1973 à la radio :

*Quelqu'un a dit que l'histoire de la littérature néo-
hellénique, c'est l'histoire de la langue grecque elle-
même. C'est très juste. Dans notre histoire littéraire, on
ne peut pas séparer le contenu de la langue dans
laquelle on l'exprime. Souvent même, ce contenu se
définit par la langue qu'on emploie. On dit toujours
qu'il y a deux langues en Grèce. Je serai plus audacieux
et je dirai qu'il y en a cinq : le grec antique (qu'on
enseigne toujours à l'école de façon intensive); le grec
des Evangiles ou si l'on veut le grec byzantin; le grec
pur qui s'est développé à l'étranger chez les lettrés grecs
ayant fui l'occupation turque et qu'on imposa à la
Grèce comme langue officielle après l'Indépendance; le
grec démotique qui est notre langue à tous, de l'homme
du peuple aux plus grands de nos poètes actuels et
enfin la langue des journaux qui est un amalgame de
toutes ces langues. Ainsi, en Grèce, la langue c'est
comme une main. Lorsqu'on veut s'exprimer comme
écrivain ou comme poète, il faut choisir parmi les cinq
doigts celui auquel on passera la bague de fiançailles.
Bien entendu, personne n'écrit plus aujourd'hui en
grec ancien ou en grec byzantin mais ces langues ne
sont pas vraiment mortes, le grec moderne les continue
et parfois même les contient toujours. Georges Séféris,
dans son discours à Stockholm pour son prix Nobel, a*

(1) Heureusement, cette phrase n'est plus vraie aujourd'hui. Depuis
le retour en Grèce de la démocratie, en 1974, les efforts des partisans de
la langue démotique ont enfin abouti. Elle est, depuis 1976, la seule
langue officielle de la Grèce.

cité un bon exemple. Homère disait : phaos iliou *pour dire : la lumière du soleil. Les Grecs d'aujourd'hui disent :* phos tou iliou; *n'est-ce pas toujours la même langue ?*

Et plus tard, quand je traduisais son livre *Les Photographies*, Vassilikos me dit :

Au fond, cette langue pure, katharévousa, qu'on nous imposa après l'Indépendance, créée par des hommes qui vivaient hors de Grèce et ignoraient entièrement la langue du peuple, c'est une fois de plus la preuve de cette obsession de l'Antiquité, de cette manie de vouloir faire revivre la Grèce antique qui nous a fait tant de mal et qui nous fait encore aujourd'hui tant de mal. La Grèce antique, elle est dans la langue du peuple, pas dans celle des lettrés, quand un paysan dit : phos tou iliou. *Cette langue pure, artificielle, c'est un sarcophage qui pèse sur toute notre culture et qui ferait des mots des ossements, non des choses vivantes si on avait commis l'erreur de l'employer.*

Points de repère pour la lutte de la langue démotique et de la langue savante en Grèce.

1901. Pallis publie pour la première fois le *Nouveau Testament* en langue démotique. Il s'ensuit de très violentes polémiques.

1903. Sotiriadis traduit l'*Orestie* d'Eschyle en langue démotique et fait représenter la pièce. Des spectateurs interrompent la représentation qui s'achève en émeute. Les combats de rue dureront deux jours et feront quatre morts.

1911. Nouvelles manifestations contre la langue savante. Le frère de l'éditeur et critique d'art Christian Zervos est tué au cours de ces bagarres.

1967. Après les victoires momentanées de la langue démotique, les colonels, après leur prise du pouvoir, rétablissent la langue pure comme langue obligatoire et officielle de l'Etat grec. (On peut d'ailleurs, quant à

l'usage et aux conséquences oratoires de cette langue,
lire les inénarrables discours de Papadopoulos.) (1)

*Je crois qu'aujourd'hui nous avons acquis la ferme
conviction que le seul moyen existant à notre disposition pour exprimer notre pensée et nos sentiments avec
couleur, avec poids, avec clarté, avec ombres, est cette
langue que nous écrivons tous et qui n'est ni la langue
pure ni tout à fait la démotique ni le néo-grec mais la
langue grecque contemporaine.*

Séféris. *Essais*. 1937.

Là où nous n'avons que deux ou trois termes pour
désigner le lever du jour; aube, aurore, point du jour, le
grec moderne peut l'exprimer par seize mots différents.
Bien sûr, les Grecs n'utilisent pas tous ces seize mots
(dont certains appartiennent davantage à la langue écrite
ou littéraire qu'à la langue parlée) mais ces mots existent
et sont immédiatement compris de tous lorsqu'on les
entend. Cet exemple, on pourrait l'appliquer à bien
d'autres domaines. A partir de *skotos*, mot qui signifie
ténèbre, obscurité, le grec a formé plus d'une vingtaine
de dérivés dont certains sont presque synonymes mais
dont la plupart expriment des états, des étapes différentes du sombre, de l'obscur, du ténébreux. Là encore, il
faut en français se limiter à quelques termes, puisque
notre langue ne possède ni les structures radicales ni
l'aisance du grec quant aux dérivations. De ténèbre, le
français forme ténébreux, un point c'est tout. Même un
dérivé comme ténébrosité dont le sens serait clair, si l'on
peut dire, n'existe pas. Pour traduire les différents mots
grecs qui en dérivent, il faudrait donc imaginer une foule
de néologismes ou de dérivés fantaisistes, comme *téné-
brance, ténébrure, ténébrosité, ténébrité, ténébracité,*

(1) Ajoutons donc à cette chronologie : 1976, victoire de la langue
démotique.

ténébrette, ténébrille. De même pour l'aube ou pour l'aurore. A partir du verbe charazo, signifiant poindre, le grec a *charagui, charavgui, charama, charaméri,* sans parler des composés comme *glykocharama* et *rodocharama* qu'on ne peut traduire en français – si l'on veut le faire en un seul mot – qu'en inventant *douçaurore* et *rosaurore,*

Mais en fait, ce sont là des questions secondaires. Toutes les langues posent, quant à leur lexique, des questions de ce genre et si certains mots grecs « chantent » d'une façon impossible à rendre en français comme *dzidzikas* – la cigale – qui est le cri même de l'insecte, *dzidzifiès* – les jujubiers – qui est vent, brise dans les branches de l'arbre, *koukouvagia* – la chouette – cri nocturne, écho chuinté, voix huante de l'ombre, ce qui fait la spécificité de la littérature grecque d'aujourd'hui est son contenu, son effort incessant pour se sentir, se concevoir, se dire grecque, entre les tentations rivales de l'Orient et de l'Occident.

SUR LES ASPALATHES (1)

Il faisait beau à Sounion
ce jour de l'Annonciation
De nouveau le printemps.
De rares feuilles vertes
autour des pierres couleur de rouille,
la terre rouge et les genêts épineux,
leurs grandes aiguilles et leurs fleurs jaunes.
Au loin les colonnes du Temple
cordes d'une harpe, elles résonnent encore...
Tranquillité.
Qu'est-ce donc qui m'a rappelé cet Ardiée de la
légende?
Un mot dans Platon, je crois,
Egaré dans les creusets de l'esprit :
le nom du buisson jaune n'a pas changé depuis ces
temps-là.
Ce soir j'ai retrouvé :
« Mains et pieds,
ils l'enchaînèrent, nous dit-il, le jetèrent à terre
et l'écorchèrent. Ils le tirèrent de côté
le long du chemin et le cardant sur les genêts épineux
le précipitèrent dans le Tartare : une loque. »

(1) Les aspalathes sont des genêts épineux. Ce poème, écrit sous le régime fasciste des colonels, est une claire allusion au sort que le poète espère pour les nouveaux tyrans de la Grèce. Il a été inspiré par un passage de Platon, *La République* 616a. *Traduit par le poète.*

« Ἐπὶ Ἀσφοδελῶν... »
(ΠΟΛΙΤΕΙΑ, 616)

Ἦταν ὡραῖο τὸ βουνὸ τὴ μέρα ἐκείνη τοῦ Εὐαγγελισμοῦ
μαζὶ μὲ τὴν ἄνοιξη.
Λιγοστὰ ὡραῖα φύλλα γύρω στὶς σταυρωμένες πέτρες
τὸ κόκκινο χῶμα κι' οἱ ἀσφόδελοι
δείχνοντας ἕτοιμα τὰ μεγάλα τους βελόνια καὶ τὶς πύρινους
                                    [ἀνθούς.
Ἀσούμπαρα οἱ ἀρχαῖες νιότες, χορδὲς μιᾶς ἄρπας
                                    [ἀντηχοῦν ἀκόμη....

Γαλήνη.
— Τί μπορεῖ νὰ μοῦ θύμισε τὸν Ἀρδιαῖο ἐκεῖνον.
Μιὰ λέξη στὸν Πλάτωνα θαρῶ, χαμένη στοῦ μυαλοῦ
                                    [τ' αὐλάκια
Τ' ὄνομα τοῦ πύρινου θάμνου
δὲν ἄλλαξε ἀπὸ ἐκείνους τοὺς καιρούς.
Τὸ βράδυ βρῆκα τὴ θερμοπίη:
"Τὸν ἔδεσαν χειροπόδαρα" μᾶς λέει
"Τὸν ἔριξαν χάμω καὶ τὸν ἔγδαραν
Τὸν ἔσυραν ἀπάραμερα τὸν κατεξέσκισαν
πάνω στοὺς ἀσπαλάθερους ἀσφάλαθους
καὶ πῆγαν καὶ τὸν πέταξαν στὸν Τάρταρο, κουρέλι."
Ἔτσι στὸν κάτω κόσμο πλέρωσε τὰ κρίματά του
ὁ Παμφύλιος Ἀρδιαῖος ὁ πανάθλιος Τύραννος.

                            31 τοῦ Μάρτη 1971
ΤΑ ΝΕΑ 23/9/71   ΓΕΩΡΓΙΟΣ ΣΕΦΕΡΗΣ

C'est ainsi qu'aux Enfers il payait ses crimes,
Ardiée de Pamphylie, le misérable tyran.

Les mots grecs ont une charge, une pesanteur historiques dues à l'ancienneté de la langue, ils sont gros de
mille messages spécifiques et c'est pourquoi le choix de
telle ou telle des langues grecques est si essentiel à
quiconque veut écrire. Choisir la langue démotique, c'est
élire une histoire, un phyllum, un axe qui font de
l'écrivain l'héritier d'un verbe millénaire, contre la tradition écrite – et récente – des puristes. En chacun des
poètes, des écrivains que j'ai connus en Grèce – Séféris,
Elytis, Sinopoulos, Ritsos, Vassilikos, Taktsis, Plaskovi-
tis, Penzikhis et bien d'autres – j'ai retrouvé cette
question – cette réponse aussi – au choix esthétique,
culturel et politique qu'est celui d'une langue. Ce qui
explique sans doute que depuis Solomos, les chemins de
la création poétique aient toujours mené vers l'usage,
l'approfondissement, l'enrichissement et la maîtrise du
clavier démotique. En France – aujourd'hui encore – on
dirait que les poètes ne s'intéressent pas à la langue ou
plutôt qu'ils ne s'y intéressent qu'à travers le biais
abstrait de la linguistique : pas à *leur* langue mais à *la*
langue. Depuis le siècle dernier, la poésie française va
d'école en école, de salon en salon, de revue en revue,
de secte en secte, chacune avec ses obsessions, ses
diktats et ses exclusives. On va moins de poème en
poème que de théorie en théorie. C'est là un phénomène
spécifiquement français – et même typiquement parisien
– qui serait impensable en Grèce. Là, il n'y a, il n'y eut
jamais d'école au sens littéraire du terme et si l'on va de
théorie en théorie, c'est au sens étymologique du mot,
c'est-à-dire de cortège en cortège. Cortège de ceux qui,
de Calvos à Valaoritis, de Palamas à Elytis ont apporté
chacun à sa langue les dons de leur création, de leur
incantation, comme si leurs mots s'inséraient au fur et à
mesure dans le grand édifice corallien de la grécité.

Cette grécité, cette *romiossyni*, dans son sens le plus
large de *réinvention quotidienne de la tradition grec-*

que, qui est à la fois magie et conscience du verbe, recherche, découverte et redécouverte d'une identité grecque d'autant plus nécessaire qu'elle fut toujours étouffée par les tragédies de l'histoire, elle existe chez tous les poètes, en filigrane ou proclamée, comme un Graal ou comme un fusil. Un ami grec me dit un jour : « Le soleil qu'aiment les touristes, ce n'est pas nous qui l'avons fait. La mer bleue, ce n'est pas nous qui l'avons faite. Notre pays, ce n'est pas nous qui avons fait ses plages, ses côtes et ses montagnes. Nous avons eu la chance, nous autres Grecs, de naître là, un point c'est tout. On nous aime, on nous recherche pour des choses dont nous sommes irresponsables. Quand nous cherchera-t-on pour ce que nous avons vraiment créé ici ? Ce qui ne se voit pas, ne s'entend pas, ne se touche pas, ne se mange pas : la grécité ! En dehors de ce pays – et même au sein de ce pays – qui nous écoute et qui nous croit ? »

Il y a plusieurs années, un journaliste qui m'avait interrogé sur la littérature actuelle de la Grèce donnait à son article le titre idiot de : Peut-on être romancier grec ? A cette question, il n'y a même pas à répondre. Autant demander, ce qui serait alors plus avisé : comment peut-on être grec ? Les milieux littéraires parisiens – qui ignorent à peu près tout de la littérature étrangère autre qu'anglo-saxonne – ont un principe fort simple : ce qu'ils ne connaissent pas n'existe pas. Paris étant pour eux le nombril du monde, il ne saurait se passer quoi que ce soit de sérieux ou d'important ailleurs, à Athènes ou à Salonique par exemple. Le pire est que beaucoup d'écrivains grecs pensent la même chose. Tant qu'ils ne sont pas traduits et publiés en France, ils ont l'impression d'écrire dans le désert. De fait, écrire en Grèce est un acte aussi problématique qu'ailleurs, plus encore même si l'on songe qu'au lendemain de la dernière guerre, l'analphabétisme n'était pas entièrement résorbé. A la question posée par Sartre il y a trente ans : écrire pour qui ? la réponse était très simple autrefois : pour les trois mille personnes qui s'intéressent en Grèce à la littérature. Depuis, les choses ont évolué et le livre n'est plus un objet de luxe ou de curiosité réservé aux élites de Kolonaki. Il y a maintenant en Grèce des éditions de poche, des éditeurs de grande valeur et, surtout il y a des écrivains. Je me demande même si la Grèce n'est pas le pays d'Europe comptant le plus grand nombre d'écrivains au mètre ou au kilomère carré. Si j'avais eu, toutes ces années grecques, l'idée saugrenue de dénombrer les auteurs auxquels j'ai eu affaire je crois qu'ils dépasseraient la centaine. Car les traductions publiées – celles que j'ai choisies moi-même – ne sont que la partie visible de l'iceberg. J'ai dû traduire plus de quarante romans, pièces de théâtre, essais en tous genres pendant mes séjours – à la demande instante des auteurs – ce qui d'ailleurs me permit de résoudre mes problèmes matériels. Mais l'essentiel n'est pas là. L'essentiel, c'est qu'en dépit des difficultés, des problèmes, des censures politiques, des conditions économiques désastreuses de la vie culturelle en Grèce, une littérature existe, une des plus riches, des plus variées (mais aussi des plus inconnues) d'Europe. Dans son *Histoire de la littérature néohellénique* (1), Constantin Dimaras écrit très justement qu'à travers sa culture, son histoire et son économie, la Grèce a toujours présenté deux tendances essentielles :

une tendance à la *diaspora*, à la dispersion, aussi puissante, aussi vivante aujourd'hui qu'il y a trois mille ans,

une tendance contraire à la synthèse, à l'unité, à la conscience de plus en plus nette d'une grécité irréductible à toute autre culture.

Historiquement parlant, il est frappant de voir en effet que l'Etat grec – autrement dit la coïncidence dans l'espace et le temps d'une culture et d'un pays aux frontières précises – ne s'est réalisé qu'à deux reprises, au cours de ces trois mille ans d'existence : sous Byzance et juste après la guerre d'Indépendance. Ce

(1) Institut français d'Athènes, 1965.

sont là les deux seuls moments historiques où *le mot Grèce et le mot Grec ont coïncidé* (1). En somme, l'histoire de la Grèce et celle des Grecs se présente comme une succession de diastoles et de systoles culturelles au cours desquelles le pays s'éparpille à travers la terre, de l'Australie au Canada, de l'Afrique à l'Europe (car la diaspora grecque s'étend partout) et se rassemble dans ses frontières mouvantes, peu à peu grignotées depuis 1829 sur les terres ottomanes, sur la terre de la grécité. De ses deux grands appels – l'Ailleurs et l'Espace intérieur – émane tout ce qui fait la singularité mais aussi la fragilité de la culture grecque. Tout Grec émigré – même pendant trente ou quarante ans – n'a qu'un rêve : revenir dans son pays. Ce retour au pays natal après les grandes migrations, l'écrivain le vit lui aussi, dans l'immobilité changeante de ses œuvres.

A quoi il faut ajouter que la Grèce, comme chacun sait, n'appartient en fait ni à l'Europe ni à l'Asie. Entre ces deux continents opposés et complémentaires(2), la Grèce apparaît comme une étrange éponge culturelle, tour à tour fondatrice de valeurs, de langue et de culture (pendant l'Antiquité classique et la diaspora hellénique) et imprégnée de tout ce que l'histoire lui inséra, à travers l'occupation ottomane, les ingérences des puissances occidentales – Russie, Angleterre, Autriche et France – et l'histoire politique récente de la Méditerranée orientale. Si bien qu'après trois mille ans d'histoire grecque et de vivante grécité, on pourrait *aussi* écrire une histoire franque de la Grèce, une histoire vénitienne, une histoire génoise, une histoire ottomane, une histoire russe, une histoire anglaise (dans les îles Ioniennes notamment) et une histoire française (avec l'expédition française de Morée en 1824 et les corps expéditionnaires qui débar-

(1) L'Antiquité a connu nombre de *cités grecques*, de Millet à Alexandrie, de Sparte à Athènes, à Thèbes et à Corinthe, jamais un *Etat grec* unifié dans sa langue et sa vie politique.

(2) Relation déjà perçue par Aristote qui note que les peuples d'Europe sont énergiques mais manquent d'acuité intellectuelle alors que ceux d'Asie manquent d'énergie mais sont doués d'une grande acuité intellectuelle.

quèrent à plusieurs reprises en Grèce entre 1829 et 1862).

Le miracle (je l'ai déjà dit quelque part dans ce livre mais je le dis une fois de plus car il ne cesse de m'étonner) c'est qu'à travers les flux et les reflux de son histoire, les aléas de sa culture, les continuels va-et-vient d'une population d'Argonautes éternels, la Grèce ait continué d'exister *et de rester la Grèce*. C'est là le vrai miracle grec à mes yeux : celui de ces enfants disant *charopalévi* ou celui que cite Séféris et qui, d'Homère à un paysan grec d'aujourd'hui formule avec des mots presque semblables : la lumière du soleil. Devant des choses aussi inaliénables, ajoute Séféris, *j'éprouve une familiarité qui s'apparente plutôt à une psyché collective qu'à un effort du savoir... car enfin nous parlons la même langue* (que les Grecs anciens) *et le sentiment d'une langue relève aussi bien de l'émotion que du savoir.*

Face à cet axe inaliénable, à ce cortège d'émotions, de sensibilités se développant, croissant et bourgeonnant de Thucydide à Makryannis, de Lycurgue à Vénizélos, et s'affirmant dans l'ultime et actuel combat en faveur de la langue démotique, il y eut – et il y a encore – l'influence des cultures étrangères. Curieusement – mais cela n'est curieux qu'en apparence – l'histoire de cette diaspora et du corps intérieur de la Grèce, de l'éparpillement millénaire et du reflux tout aussi millénaire de la grécité, se trouve au cœur des œuvres marquantes de la littérature comme si chaque poème, chaque prose, chaque message écrit retrouvait ou reproduisait – sur le plan cellulaire d'un livre – la grande respiration du corps historique de la Grèce. Il est frappant de voir que la plupart des poètes essentiels depuis un demi-siècle (et cela serait tout aussi vrai des essayistes et romanciers) sont tous nés aux marges de la Grèce, dans les îles Ioniennes ou en Asie Mineure, au cœur d'un pays grec qui n'avait pas de corps. Et le chemin menant chacun

vers ce corps reconstitué du message, vers la conscience
d'une grécité tour à tour visible et invisible, est un
chemin sinueux, une suite de méandres culturels qui
vont de Séféris à Séféris en passant par T.S. Eliot,
Valéry, Saint-John Perse ou d'Elytis à Elytis en passant
par Reverdy et André Breton. Là encore, en ces œuvres
si imprégnées de grécité (dont les thèmes sont l'éternel
exil, la recherche du pays corporel, d'une Atlantide
culturelle chez Séféris; l'exaltation, le délire maîtrisé de
l'Egée, du soleil héliaque et rayonnant, du verbe habité
par les phonèmes et frissons de Byzance chez Elytis), on
découvre ce long chemin qui n'a cessé de mener le Grec
de son village à son village à travers toutes les villes et
tous les mirages de la terre.

POSTFACE

RETOURS EN GRÈCE

1976-1982

PRÉLUDE

La dictature.

L'Eté grec prend fin à l'automne 1966. Après avoir séjourné dans le village de Pirghi et enregistré les chants traditionnels, je regagnai Athènes puis la France où je souhaitais passer l'hiver avant de repartir en Grèce au printemps suivant. Mais, le 21 avril 1967, éclatait à Athènes un coup d'Etat qui devait remettre en cause ces projets. Il était en effet hors de question pour moi de séjourner en Grèce sous un régime fasciste qui, dès son arrivée au pouvoir, avait arrêté et déporté des milliers d'opposants politiques, réels ou virtuels. Une période difficile, tragique, commençait pour la Grèce et pour ceux des Grecs qui, compromis par leurs opinions ou leurs activités passées, n'avaient pu quitter le pays à temps.

En France, de nombreux comités se constituèrent aussitôt pour lutter contre la dictature. Sept ans durant, je militai au sein de ces comités, aux côtés d'amis grecs de tous bords et de toutes les façons possibles : manifestations de rues, pétitions, articles dans la presse... C'est ainsi que dès le mois de décembre 1967 je publiais dans *Le Monde* un article intitulé « Un poète grec emprisonné, Yannis Ritsos », article qui fut évidemment censuré en Grèce mais dont je sus par la suite que beaucoup de personnes l'avaient recopié à la main et diffusé clandestinement. Au festival d'Avignon de la même année,

j'avais cet été-là organisé une journée en faveur de la
Grèce avec les comédiens du Théâtre National Populaire.
Je venais d'achever la traduction de *Grécité*, un des plus
beaux et des plus engagés des poèmes de Yannis Ritsos
et je me souviens encore avec émotion de la magnifique
lecture publique qu'en fit Jean Vilar, au verger d'Urbain V. Par la suite, je m'occupai de réunions d'information à travers la France mais il faut bien dire que les
Français avaient d'autres soucis en tête et ne s'intéressaient guère au sort de la Grèce. Aimer un pays (je l'ai
déjà écrit dans le cours de ce livre, mais je le répète ici
car cela m'apparaît essentiel) c'est l'aimer surtout dans
ses heures difficiles. C'est se sentir solidaire de ses choix
et de ses refus, c'est participer à ses passions au sens
païen et chrétien du terme, c'est vivre avec lui en totale
sympathie, en précisant que là encore sympathie est un
mot grec qui signifie étymologiquement : *souffrir avec*.

Ainsi, pendant ces sept années de dictature, je vécus
avec une Grèce en deuil. Le soleil de Patmos était loin et
les rires de la mer d'Icaria et les chansons des petites
filles de Pirghi! La Grèce redevenait ce pays meurtri
qu'elle n'avait jamais cessé d'être depuis des siècles, un
pays réduit au silence d'où ne me parvenaient que des
nouvelles sinistres.

Redécouverte de la France.

Cet éloignement forcé eut néanmoins une consé-
quence inattendue : me permettre de redécouvrir la
France. A force d'arpenter la Grèce pendant des années,
j'avais presque fini par oublier que j'étais français. Il
m'arrivait bien sûr de penser quelquefois à la France, à
ce village de Bourgogne, surtout, où mes parents
s'étaient retirés et où j'avais vécu une part de mon
enfance. Mais la France m'apparaissait lointaine, étrangère à mes désirs et à mon avenir. C'était là, en Grèce,
sur cette terre si chaleureuse et si hospitalière que je me
sentais pleinement chez moi et que j'envisageais alors de
vivre désormais.

Aussi, de retour en France, pressentant que je ne reverrais pas la Grèce de sitôt, décidai-je que mieux valait tenter de me réhabituer à mon pays, de le retrouver et de le re-connaître, en somme. Comment ? Eh bien, en allant vers lui, au cœur de lui-même par ses chemins, ses villages, ses visages oubliés ou endormis, en le parcourant à pied, lentement, à la façon des compagnons d'autrefois. Aussi, en août 1971, quittai-je Saverne, dans les Vosges, pour gagner tranquillement la Méditerranée où je parvins quatre mois plus tard à Port Leucate, dont le nom grec m'avait justement attiré. De ce parcours qui s'avéra si enseignant et si fécond pour moi, résulta deux ans plus tard un livre, une sorte de journal tenu pendant ces retrouvailles et que j'intitulai *Chemin faisant* (1).

Ainsi s'écoulèrent ces années françaises pendant qu'en Grèce la dictature continuait. Car je n'oubliais pas la Grèce, bien entendu, et le succès, inattendu pour moi, remporté par *Chemin faisant*, m'incita à témoigner alors, avec le recul nécessaire et dû à mon exil forcé loin de la Grèce, à témoigner, dis-je, de toutes ces années méditerranéennes. Je dis bien témoigner car mon intention n'était nullement d'écrire des Mémoires ou de tenir un journal autobiographique. Il s'agissait plutôt de faire le point de ces années d'apprentissage et la collection *Terre humaine*, que son directeur Jean Malaurie m'avait depuis fort longtemps proposée, convenait à merveille. C'est pourquoi je donnais à mon livre le titre d'*Eté grec*, dont je m'aperçois aujourd'hui qu'il a finalement prêté à confusion. Bien sûr, on peut y voir une référence à la lumière, à la chaleur et à la saison vacancière de l'été, mais pour moi il désignait avant tout le mois des moissons, le mois où l'on engrange tant bien que mal tout ce qu'on a semé. *L'Eté grec* – beaucoup plus que la saison des touristes et des plages – était pour moi synonyme d'engrangement des fruits et des saisons de ma mémoire.

En le relisant aujourd'hui, je constate qu'il porte bien

(1) Fayard 1974. Nouvelle édition : 1983.

en effet le poids de toutes ces années, que je pressentais à jamais disparues de ma vie. Même après la chute – tant attendue – des colonels pendant l'été 1974, j'hésitais à me précipiter en Grèce, à revenir sur les lieux aimés. D'autant que la plupart de mes amis qui, eux, n'avaient cessé de visiter la Grèce, me décourageaient tous d'y retourner : le pays avait tellement changé, me disaient-ils, il était devenu si touristique et différent de celui dont parle *L'Eté grec* que mieux valait rester ici et garder mes souvenirs intacts. De tous, le plus formel, le plus catégorique était l'écrivain Lawrence Durrell, que j'avais connu quelques années plus tôt et qui avait été un des premiers lecteurs de mon livre. Il passait son temps à me dire : faites comme moi, n'y retournez plus. La Grèce aujourd'hui, pour nous autres ses vieux amants, c'est comme Eurydice pour Orphée. Si l'on retourne à elle, on la perd à jamais. Changez d'amour, changez de vie, découvrez d'autre terres et d'autres Eurydices...

Mais en écrivant ces lignes aujourd'hui, je dois avouer qu'il s'empressa, tout le premier, de trahir ces conseils et qu'il ne tarda guère à retrouver son Eurydice à lui : l'île de Corfou. Et de m'envoyer de là-bas une lettre mi-contrite, mi-humoristique. « *Mea culpa*, m'écrivait Durrell, *mea maxima culpa*. Oui, je suis revenu à Corfou. Je n'ai pu m'empêcher de retourner sur les lieux de mon crime, de mes anciennes passions. Mais, pour vous dire la vérité, j'en suis bien puni car j'ai retrouvé une Eurydice très fardée ! »

Alors, me dis-je, si le Maître lui-même file à l'anglaise vers la Grèce, pourquoi n'en ferais-je pas autant ? Libre à moi d'assassiner mes rêves, et de me retourner vers Eurydice, quitte à la perdre ou... à ne plus la reconnaître. Oui, libre à moi ! Et c'est ce que je fis, pendant l'été et l'automne 1976, deux ans exactement après la chute des colonels.

LE RETOUR

Grèce, Saronis (près de Sounion). Octobre 1976.

C'est vrai. Eurydice a beaucoup changé. Elle s'habille maintenant à l'occidentale, parle grec avec des anglicismes, utilise des cartes de crédit, mange quand elle est pressée dans des self-service, prend des bateaux volants pour se rendre à Hydra ou Spetsai et préfère le whisky au ouzo. J'ai même eu quelque mal, tout de suite, à reconnaître son accent, sa façon de parler du soleil, de la mer et des rébétika qui sont devenus maintenant tout à fait à la mode. Pourtant, c'est elle, c'est toujours elle, indiscutablement. Je la retrouve au regard de ses yeux, à cette façon de devenir soudain un feu blessé ou embrasé. Tous ces signes me disent qu'en ce corps transformé, apprêté et paré à l'occidentale, demeurent malgré tout le cœur et l'âme de la Grèce. Mais cette âme se cache et se masque. Pourquoi ? A-t-elle peur d'avoir congédié si vite son passé, de s'en être trop facilement déchargé sur les touristes, ces voyeurs de ruines qui accourent du bout du monde pour contempler la nudité des marbres et des statues ? A-t-elle peur, au contraire, de cet avenir si neuf, si prometteur maintenant que la démocratie est revenue sur cette terre mais qui se manifeste aussi – déjà – par ses nuisances : pollution, embouteillages, engorgement des vacances, rendement à tout prix de la chaleur solaire et extinction concomitante de la chaleur humaine ?

Je n'ai pas osé la questionner encore sur son long

séjour aux Enfers, sur ces sept années obscures de la dictature. J'attends qu'elle le fasse d'elle-même. Car le changement pour moi le plus notable, le plus sensible depuis mon arrivée, c'est le nouveau langage d'Eurydice, ses manières enfin délivrées des censures, la liberté conquise de sa parole. Elle aborde des thèmes et des questions dont la simple mention eût été impensable il y a dix ans : l'homosexualité, le communisme, la guerre civile, le divorce, l'avortement, la libération de la femme, la liberté sexuelle... Eurydice est sortie des Enfers, fardée certes, avec des rides dues aux années de la vie clandestine mais libérée enfin des vieux tabous comme des oripeaux du folklore. Je dirais – même si cela paraît curieux pour Eurydice – libérée des mythes. Oui, elle a bien changé, Eurydice, elle a même vieilli (comment ne pas vieillir dans les prisons du Temps?). Mais, parce que justement, elle a su, elle a pu remonter des Enfers, je la devine au seuil d'une sorte de résurrection.

La maison sur l'Hymette.

Avant mon retour en France, mon dernier domicile en Grèce avait été, juste au pied de l'Hymette, la maison « de l'ami dont je tairai le nom ». Au cours des années précédentes, quelques autres maisons s'étaient édifiées à l'entour mais la campagne attique restait toujours présente. Lorsque j'avais besoin de thym ou d'origan pour la cuisine, j'allais les ramasser devant ma porte. Quand j'y revins en 1976, je n'en crus pas mes yeux. Là où j'allais cueillir le thym, là où broutaient moutons et chèvres, il y avait des dizaines de maisons et d'immeubles, des magasins, des tavernes et même une succursale de la Banque nationale de Grèce! Le village champêtre était devenu une véritable ville.

Le même étonnement m'attendait partout ailleurs, y compris à Athènes. Les vieilles tavernes que je connaissais bien, les petites échoppes d'artisans disparaissaient l'une après l'autre (sauf à Plaka et Monastiraki, quartiers typiquement touristiques) pour faire place à des restaurants à néon et des boutiques à carte bleue. Je ne le regrettais d'ailleurs pas du tout. Les Grecs se mettaient enfin à l'heure du modernisme, quittant archaïsme et folklore, réservés, préservés pour les touristes dans des quartiers spécialisés. Ils voulaient devenir des habitants du XXe siècle et non les figurants d'une terre folklorique. En un mot, ils voulaient vivre pour eux-mêmes (à défaut de pouvoir le faire entièrement par eux-mêmes) et pas seulement pour le plaisir des étrangers. Cela mérite d'ailleurs qu'on s'y arrête.

Les nouveaux touristes.

Quels que soient l'importance et l'apport du tourisme dans un pays, ses habitants ne peuvent vivre uniquement en fonction de lui. Le tourisme, par vocation, stimule l'infrastructure économique, l'évolution architecturale, le développement des communications et les échanges culturels, en un mot il est un facteur important de modernisation mais en même temps il implique (et donc il favorise) le maintien du passé, la survivance du folklore puisqu'il représente aussi un besoin d'ailleurs et d'exotisme ou un besoin d'histoire, de traditions et de passé. Il y a là une contradiction que les pays touristiques n'ont pas tous résolue à leur avantage. Tant qu'il demeurait artisanal, le tourisme favorisait les rencontres individuelles entre étrangers et autochtones, s'ajoutait ou s'intégrait – *sans les détruire* – aux structures d'accueils traditionnelles, à savoir l'hospitalité de l'habitant. Mais dès qu'il eut atteint le stade industriel (autrement dit le tourisme de masse), comme c'est le cas en Grèce (où, ces dernières années, le nombre de touristes, environ 8 millions, équivalait au chiffre de la population), les échanges économiques l'emportèrent sur les échanges et les rencontres culturels. Pour les Grecs, le problème ou plutôt le dilemme est simple : il s'agit de moderniser sans détruire, de transformer sans altérer. Mais comment est-ce possible ? Quand des milliers d'autocars se rendent chaque année à Epidaure, par exemple, et qu'il faut pour cela déboiser la forêt pour y tracer des routes, y aménager des parkings géants, peut-on dire que le site conserve encore son caractère? Cercle vicieux : « On » va à Epidaure pour visiter un site calme et retiré mais quand ce « on » représente des centaines de milliers de personnes chaque année, « on » modifie la nature même du site sous prétexte de le voir intact. A ce niveau, je veux dire avec un tel nombre de visiteurs, il ne peut plus y avoir de tourisme neutre ou innocent. C'est là un des phénomènes – d'ailleurs prévisible – de notre temps : une activité qui devrait permettre les rencontres humaines finit par les empêcher (puisqu'elle implique de cantonner les touristes dans des lieux, camps ou hôtels, prévus pour eux et donc isolés du reste de la population), et le désir de voir des sites sauvages les transforme tous en sites aménagés. Le voudrait-on qu'il serait impossible aujourd'hui de faire machine arrière, de supprimer en Grèce ces véritables enclaves étrangères, parfois même ex-territoriales, que sont les camps et les villages de vacances où, au cœur d'un pays, on vit entièrement à la française, à la suédoise ou à la bavaroise... Sans parler tout au long de la côte attique notamment, de ces immenses « complexes » touristiques, comme on les nomme, entièrement autonomes. Le hasard, il y a deux ans, me permit d'y passer quelques jours, au cours d'un séminaire – colloque qui se réunissait près de Glyphada. J'ai pu ainsi faire l'expérience de vivre quatre jours de suite en Grèce sans entendre une seule fois parler grec (sauf les femmes de chambre quand elles se rencontraient dans les couloirs de l'hôtel) et sans voir l'ombre sur les tables d'une bouteille de vin résiné. Quant à la musique dite d'ambiance, elle provenait tout droit des Etats-Unis, musique anonyme, cosmopolite, albinos dirais-je, fabriquée au mètre ou à l'heure pour, justement, qu'on ne l'entende pas. Inutile de préciser que nous étions exactement à deux cents mètres de la mer et que tout le monde prenait son bain dans la piscine. L'eau y était sûrement moins polluée, je l'accorde et puis, on n'y rencontrait pas de Grecs.

*
**

La maison près de la mer.

Je ne suis pas resté sur l'Hymette entre la blanchisse-
rie et la Banque nationale. « L'ami dont je tairai le nom »
avait entre-temps édifié une autre maison à Saronis, sur
la côte attique, à une vingtaine de kilomètres avant le
cap Sounion et c'est là que je m'installai pour mon
premier séjour de 1976. Mais, en m'y rendant, je ne
pouvais concevoir un seul instant ce qui m'attendait.
Imaginez, en pleine terre, non pas une maison, un
bâtiment, un édifice ou tout ce que vous voudrez ayant
quelque rapport avec une demeure mais une jonque, une
véritable jonque orientale, baroque et insolite, jetée là, à
coup sûr, à quelque cinq cents mètres du rivage, par un
tsunami gigantesque! Une jonque tout en bois, bien sûr,
avec des stores à glissière en guise de fenêtres. Et il est
vrai, comme j'en fis plus tard l'expérience en hiver, que
cette jonque était le rendez-vous de tous les courants
d'air de l'Attique, mais cette année, en cet automne
chaud et radieux, je ne me lassais pas, du haut du grand
balcon entourant le premier étage, de regarder la mer
grecque enfin retrouvée, l'île d'Egine juste en face avec
la masse triangulaire de l'Oros, le plus haut mont qui
sert d'amer à tous les marins du golfe Saronique et les
îlots déserts épars jusqu'à Sounion. De là, je pouvais,
d'un simple regard circulaire, saisir toutes les transfor-
mations subies par la Grèce au cours de ces dix ans.
D'abord le village de Saronis lui-même dont la surface a
quadruplé. Puis, autour de la jonque, des dizaines de
maisons de vacances, résidences secondaires d'Athéniens, poussées là ces dernières années. La mode des
résidences secondaires a désormais atteint les Athéniens
comme les Parisiens et il n'est plus, sur cette côte, le
moindre centimètre carré de terrain qui ne soit loti ou
construit. Puis, le long de la mer, une route moderne,
avec des lignes blanches, des parkings et des stations

d'essence. Et je ne parle évidemment que pour mémoire des nombreuses résidences et complexes hôteliers qui occupent le bord de mer. Presque toutes les plages sont maintenant aménagées, beaucoup sont d'ailleurs payantes et en cela aussi la Grèce a bien changé... Le tourisme, entre autres incidences, a rendu quasi inaccessible l'accès de certains lieux, réservés aux riches étrangers. Inutile, pour terminer, de mentionner l'existence, en presque chaque village de cette côte, de super ou d'hypermarchés. Les autres changements sont moins visibles et j'en parlerai par la suite.

Inventaire.

Que trouve-t-on en Grèce en 1976 (en plus des remarques précédentes), qui ne s'y trouvait pas en 1966?
Réponse
– des juke-box dans les cafés à la place des vieux phonos;
– la musique des rébétika sur des disques 45 tours;
– des banques à carte de crédit même dans des provinces éloignées;
– des self-service à la place de beaucoup de tavernes;
– des petits déjeuners à l'occidentale dans les hôtels, avec beurre et confitures conditionnés;
– du pain *choriatiko*, c'est-à-dire de campagne, dans certaines boulangeries;
– des adolescentes en pantalon jusque dans les villages les plus austères;
– le café qui ne se dit plus *turc* mais *grec* ou, mieux encore, *byzantin*;
– de la musique américaine dans les tavernes;
– trois chaînes à la radio;
– la télévision;
– des hydroglisseurs pour se rendre à Hydra et Spetsai;
– un nuage permanent de miasmes sur Athènes;
– des Caryatides artificielles à l'Erechtéïon pour rem-

placer les statues originales, transportées au musée de l'Acropole, en raison de la pollution;

– des pancartes, panneaux, inscriptions en trois langues dans les magasins, hôtels et sur les routes;

– des autobus, des navires *normaux* qui partent et qui arrivent à l'heure.

Ce dernier point est à mes yeux le plus sensible. Le plus grand bond effectué par la Grèce est celui de la modernisation des transports et surtout le respect des horaires. Finis, ces autobus à volaille et à *pitsirika*, à gamins dont je parlais dans *L'Eté grec*. Ils sont désormais à ranger avec les descriptions des voyageurs du siècle dernier. Là encore, je suis loin de m'en plaindre car enfin ces progrès profitent avant tout aux Grecs dont il convient de ne pas oublier *qu'ils habitent toute l'année en Grèce* à la différence des touristes. La Grèce, dans ce domaine, a aussi rattrapé son retard. Et elle peut maintenant savourer les délices – et les déviances – de la vie à l'occidentale : en moins de vingt ans, en effet, elle est passée, presque sans transition, du romantisme à la pollution!

*
**

Les Grecs et L'Eté grec.

Par la suite, je suis revenu en Grèce plusieurs fois jusqu'au dernier voyage effectué à l'automne 1982. *L'Eté grec* entre-temps avait paru en Grèce aux éditions Hadzinicoli et le livre avait suscité dans la presse des échos plutôt positifs. Bien sûr, les lecteurs de la jeune génération – celle qui avait grandi avec les colonels –, ne se reconnaissaient pas dans cette Grèce de papa. Et notamment dans les chapitres intitulés *Une autre Grèce* et *Les chants et les figures de l'ombre*. C'est qu'aux temps où j'arpentais la Grèce sac au dos et dormant à la belle étoile, le hasard m'avait fait rencontrer des musiciens – comme Markos Bambakaris – ou des artistes – comme le père et le fils Spatharis, montreurs de marion-

nettes – qui étaient encore peu connus du grand public
en Grèce. C'est surtout à partir des années 60 que les
rébétika et le karaghioze devinrent la coqueluche des
milieux athéniens. J'avais été, à mon insu d'ailleurs et
sans l'avoir vraiment cherché, l'un des tout premiers
étrangers à connaître cette musique et ce théâtre d'ombres vraiment grecs. Bien sûr, le livre proposait aux
Grecs, même à ceux de ma génération, une image
romantique de leur propre pays (on dirait plutôt
aujourd'hui une image *rétro*), image dont beaucoup
avaient d'ailleurs la nostalgie. A ces milliers de Grecs et
de lecteurs, je rappelais surtout leur enfance. Et j'appa-
raissais alors comme le témoin heureux et innocent du
« bon vieux temps ». C'est d'ailleurs la raison pour
laquelle, en concevant la couverture de l'édition grecque
de mon livre, je choisis délibérément un détail tiré d'une
peinture populaire contemporaine montrant des caïques
en bois alignés le long de la mer avec, à la main, une
inscription disant : *au temps des années heureuses.*

Car, pour en revenir au tourisme, les Grecs en sont les
premiers bénéficiaires mais aussi les premières victimes.
Les bénéficiaires puisque cet apport de devises profite à
tous et permet au pays de se moderniser. Les victimes
car les Grecs vivant en Grèce se trouvent l'été devant les
mêmes problèmes de surpopulation et de chambres
introuvables. Sans parler des prix vertigineux provoqués
par la demande étrangère que bien des Grecs ne peuvent
pas payer. Enfin, la qualité de la vie en Grèce a beaucoup baissé, en raison même du tourisme. Et l'on
retrouve là les problèmes évoqués plus haut. Au début,
on allait en Grèce, essentiellement l'été, pour flâner le
long de la mer et manger quelque daurade ou bar ou
mérou ou rouget tout frais pêché sous nos yeux. Soit.
Mais quand huit millions de touristes veulent manger
chaque soir huit millions de poissons, inutile de vouloir
les chercher ou les pêcher en Grèce. Les Grecs qui,
comme Prométhée, sont prévoyants, se prémunissent en
les faisant venir, congelés, de Suède ou du Canada. Pour
les mêmes raisons, deux moutons sur trois consommés
en Grèce viennent de Nouvelle-Zélande. Le bœuf vient

d'Argentine et le porc d'Allemagne. Même les tomates doivent être importées d'Italie, à la pleine saison. Il n'y a guère que le vin qui soit véritablement grec sans que sa qualité s'en ressente. Cet état de fait – qui est presque toujours entièrement caché au touriste – a profondément modifié l'état d'esprit du Grec, de celui tout au moins que son travail met en rapport chaque été avec des étrangers. La Grèce d'aujourd'hui regorge d'anecdotes savoureuses sur le profit – pas toujours matériel d'ailleurs – que les Grecs tirent de cette situation. Lors de mon dernier séjour à Spetsai, une île du Péloponnèse où mon éditrice possède une maison et où je séjourne fréquemment, elle me dit (l'éditrice) : « Toi qui aimes les *oktapodia*, les poulpes, surtout ne les prends pas chez X, le pêcheur mais chez Y. X a maintenant la flemme de pêcher les poulpes et il les achète surgelés. Ce sont des poulpes de Suède. Mais pour faire croire aux touristes qu'il vient de les pêcher, il va les battre chaque matin sur la jetée, comme des frais! » Toute la vie estivale de la Grèce tient dans ce genre de détail. Car il faut être conscient – voire cynique : un pays qui reçoit sur son sol chaque année l'équivalent de sa population ne peut le faire sans modifier un tant soit peu son genre de vie. Sans modifier aussi – un tant soit peu – sa manière de penser. Car aujourd'hui la Grèce n'a pas le choix, elle ne peut refuser cet apport d'êtres humains et d'argent qui viennent chaque été occuper ses plages et ses îles. Elle en accepte les devises. Alors, elle perd en échange un peu – ou beaucoup – de son âme.

UN SÉJOUR A CHYPRE

Au cours de ces retours successifs en Grèce, je ne me suis évidemment pas contenté de vivre sédentaire au cœur de la jonque immobile, malgré l'accueil si amical de mes amis grecs.Je la quittai souvent pour retrouver des lieux familiers, que j'avais connus autrefois comme Hydra, Sérifos, Nemée, Nauplie ou des régions encore inconnues pour moi comme le Pilion, au-dessus de Volo, ou l'Epire. Mais le voyage qui fut alors le plus révélateur et le plus instructif fut le séjour à Chypre. Je m'y rendis en novembre 1979, invité par le gouvernement chypriote pour visiter la partie libre de l'île, c'est-à-dire la partie non occupée par l'armée turque. Car si la Grèce, à partir de l'été 1974, retrouva la liberté et la démocratie avec la chute des colonels, il n'en fut pas du tout de même à Chypre. Dans la nuit du 20 juillet 1974, les armées turques envahissaient la partie nord de l'île, à la suite de la tentative de coup d'Etat organisée à Chypre par la junte d'Athènes pour renverser l'archevêque Makarios. Le prétexte de cette invasion – baptisée Opération ATTILA par les militaires turcs et les agents américains de la C.I.A. qui l'avaient préparée –, était de protéger les Chypriotes d'origine turque. En réalité, comme la suite le montra, la Turquie n'attendait qu'un prétexte pour occuper militairement une grande partie de Chypre et

contraindre les autorités chypriotes et les instances inter-
nationales à accepter le partage *de facto* de l'île. C'est
d'ailleurs à la suite de ce putsch manqué à Nicosie que le
régime des colonels s'effondra à Athènes. Mais entre-
temps, la Turquie occupait, incendiait, bombardait les
villages et les communautés grecques du nord de l'île,
faisant en quelques jours plus de 5 000 morts et des
centaines de milliers de sans abris. Le combat ne prit fin
que quelques jours plus tard, à la suite de l'intervention
d'une conférence tripartite, réunie en hâte à Genève.
Mais le mal était fait. Plus de deux cent mille Grecs
chypriotes se retrouvaient sans maison, sans terre,
expulsés de chez eux et contraints de se réfugier dans la
zone sud de l'île. Sans compter les six mille Grecs
disparus, dont on est toujours sans nouvelle aujourd'hui.
L'opération ATTILA aboutissait à couper l'île en deux, la
partie nord restant occupée par les Turcs, soit quarante
pour cent du territoire.

Le but de ma visite, au cours de l'automne 1979, était
de visiter les camps de réfugiés et d'en rendre compte
par la suite en France (1). Pour témoigner de ce qui fut
– de ce qui est encore – une véritable tragédie, je ne
peux que reproduire quelques extraits des notes prises à
l'époque. Et je redis ici une fois de plus qu'il n'est pas,
qu'il ne peut être d'autre moyen d'aimer un peuple ou
un pays que de sympathiser – au sens fort de ce terme –
à ses malheurs.

Jeudi 8 novembre. Avec ma femme Sylvia et Eléni,
notre accompagnatrice chypriote qui travaille au dépar-
tement de l'Information, nous quittons Nicosie de bonne
heure pour visiter le camp de Colossi au sud de l'île.
Paysage éblouissant de lumière mais lunaire par son
dénuement. A peine sortis de Nicosie, la guerre est là et
la ligne ATTILA : ces lignes de barbelés à travers champs,
ces tranchées. Là-bas, derrière ce village blanc aux
maisons désertées, un mirador où flotte un drapeau turc.
La frontière séparant les deux parties de l'île fut arrêtée

(1) « L'île mutilée », *le Monde* 13-1-1980.

aux positions occupées par les deux camps au moment du cessez-le-feu. Elle est si absurde, si arbitraire qu'elle passe parfois au milieu d'une maison ou d'une vigne! Tous ces barbelés, ces miradors, ces casemates sont les excroissances, le cancer visible de la guerre et des blessures de Chypre. Le paysage lui-même est occupé. Le paysage lui-même est violé.

Nous descendons sur Limassol à travers un terrain légèrement montagneux, un peu plus contrasté que les champs jaunes et durs entourant Nicosie. Limassol est un des principaux ports de Chypre près duquel est établi le camp de réfugiés de Colossi. En quelques jours, parfois en quelques heures, il a fallu dresser à la hâte des tentes pour recueillir les milliers de Chypriotes grecs chassés du nord puis, à mesure que s'éloignaient l'espoir d'une solution diplomatique et celui d'un retour dans les terres natales, édifier des baraquements plus résistants avant l'hiver. Aujourd'hui – cinq ans exactement après la tragédie – il reste encore beaucoup de tentes. Et pourtant, le gouvernement chypriote a fait véritablement l'impossible pour accueillir, nourrir, entretenir ces milliers de nouveaux venus. Quel pays a su ainsi absorber sans heurt le tiers de sa propre population puisque la partie sud de l'île n'a que six cent mille habitants?

Limassol-Colossi. Etrange contraste que celui des immenses hôtels pour touristes en bord de mer (vides à cette époque de l'année) et celui de ces milliers de réfugiés entassés dans des tentes à quelques mètres de là! Là, des résidences climatisées. Ici, des petites maisons préfabriquées, des tentes, des écoles improvisées. J'entre dans l'une des tentes: un grand lit où un vieillard est allongé, infirme. Des ustensiles, un mobilier de fortune. Et aux murs, éclairées par une veilleuse, trois icônes. Le vieux me dit, me murmure plutôt: « C'est tout ce qu'on a pu prendre. Avant que la maison tombe sous les bombes. On a juste pu prendre les icônes. Heureusement! Heureusement! » et il se signe. Je pense à ce passage du *Crétois*, un livre de Pandélis Prévélakis que j'avais traduit autrefois, où des paysans chassés de leur village par les Turcs n'ont que le temps d'emporter un peu de terre en souvenir ou des ossements déterrés à la hâte. A quoi (ou *en quoi*) se résume pour un paysan chypriote ou crétois ce qui demeure de son foyer ou de sa terre lorsqu'il en est chassé? A quoi se résume ce qui reste d'un lieu vital, d'un territoire aimé? *Icônes, poussière et cendres d'os.* Trois substituts, trois symboles plus chers, plus nécessaires parfois au cœur de l'homme traditionnel que sa maison ou que sa terre proprement dites. Car s'il conserve ces reliques, ces témoins sacralisés, c'est comme s'il conservait une part vivante du réel, comme si cette veilleuse, allumée devant les icônes, entretenait son passé et sa propre mémoire. Tant que ces cendres resteront dans leur urne, tant que cette poussière restera dans son récipient, tant que cette veilleuse illuminera les icônes, c'est comme si le cœur des lieux quittés battait toujours, qu'une semence, visible ou invisible, était prête à redonner ses fruits. J'étais certain que si un fou ou un criminel avait à cet instant, pris à cet homme ses icônes, il n'aurait pas survécu à ce vol. Car ce qu'on lui prenait alors, n'était pas un objet, une reproduction, une peinture, voire une icône, c'était le souffle même de sa mémoire et de sa terre, incarné dans la peinture et dans la flamme. Reliques fragiles, si dérisoires! Petite flamme de Colossi devant l'icône à quoi se raccroche l'espoir de cet homme, qu'es-tu devant le feu des bombes au napalm? Quand je quittai la tente après avoir bavardé un moment et bu avec la vieille paysanne un café de bienvenue, je me sentis au cœur une amertume, un serrement indescriptibles. Ce qui me bouleversait ainsi était moins, en un sens, la tragédie présente de cet homme – tout perdre à un âge avancé et se retrouver sous une tente sans famille – que cet espoir qui tout entier tenait dans une flamme, cet espoir sans espoir! Car il ne fallait pas attendre, il ne faut toujours pas attendre quoi que ce soit de ceux qui sont censés régir ces questions – diplomates, stratèges, fonctionnaires internationaux. Qu'ont-ils à faire, ces gens-là, des icônes, des poussières? Qu'ont-ils à faire des tentes et des vieillards? Qu'ont-ils à faire, surtout, des réfugiés quand les morts même les laissent indifférents ? La nuit de l'invasion, la nuit du grand massacre, les pays occidentaux membres de l'O.T.A.N. (France exceptée) réagirent si peu à la nouvelle que le secrétaire général de l'O.T.A.N. jugea inutile d'interrompre ses vacances en Forêt Noire. Brûle, petite flamme...

Vendredi 9 novembre. Visite au camp de réfugiés de Stavros, dans la banlieue de Nicosie. Bien qu'on soit en novembre, la chaleur est encore très forte et j'imagine la température sous ces tentes en plein mois d'août ! Je visite l'école, installée dans un baraquement. L'école primaire des petites filles. Dans l'entrée, sous un auvent, les enfants ont peint une grande carte de l'île de Chypre, en ajoutant au beau milieu deux yeux qui pleurent. Et juste au-dessus, ces mots :

> *Courage mes enfants*
> *La liberté reviendra*

Là encore, en cette école, il a fallu tout apporter. Les tables, les cartes, les livres. Et ce qui frappe surtout, c'est l'enseignement qu'on inculque, les devises que l'on a inscrites sur les murs ou dessinées ici et là. Aucune haine, bien au contraire, aucune exigence autre que la justice, le retour aux foyers, la coexistence avec les Chypriotes turcs. *Turc, mon frère*, est-il écrit sur l'un des murs. A côté, sur les ailes d'une colombe, les enfants ont marqué : *paix pour tous les habitants de Chypre.*

Au moment où je quitte l'école, après avoir bavardé quelque temps avec les enseignantes, une petite fille court vers moi et me tend un dessin qu'elle a fait la veille. Il représente deux enfants chypriotes, un Grec et un Turc, à côté l'un de l'autre, joue contre joue, et derrière, des fleurs, des fleurs... fanées et coupées en deux ! A six ans, cette enfant a trouvé cette image inouïe : une fleur coupée en deux pour dire les malheurs de l'île. Je l'ai précieusement conservé, ce dessin, et je le regarde aujourd'hui, en écrivant ces lignes. Je le regarde et je ne peux m'empêcher de penser aussi à la veilleuse

Κάνεle νουραχτο παιδιά μου
θά ξανάρθει ή χευlεριά

et à l'icône du vieillard de Colossi. Contre l'indifférence
générale, contre les complots conjugués des grandes
puissances impérialistes en Méditerranée orientale (et ce,
à quelque camp qu'elles appartiennent), contre la présence d'une armée d'occupation installée dans une île
qu'elle a violée et mutilée, je n'ai rien, absolument rien,
fou que je suis, rien à dire ou à opposer, si ce n'est ces
deux talismans, fragiles et dérisoires, ces deux espoirs :
une veilleuse, un dessin d'enfant.

> *Etre captif, là n'est pas la question.*
> *Il suffit de ne pas se rendre. Voilà.*

Je repense à ces deux vers du poète turc Nazim
Hikmet. Ne pas se rendre. Et pour cela prendre appui
sur une veilleuse et un dessin d'enfant.

CARTE D'IDENTITÉ GRECQUE

1981/1982.

Si, comme je le souhaite *vivement*, je suis toujours de ce monde en 1987 et que je me trouve de nouveau en Grèce cette année-là, quarante années se seront alors écoulées depuis mon premier voyage. A ce stade, ce n'est ni du tourisme ni même de la fidélité. C'est de l'obstination, certains diront peut-être du gâtisme. C'est qu'à force de fréquenter la Grèce – et surtout après cette éclipse involontaire de dix ans – ce pays a cessé pour moi d'être un territoire différent, une terre de visite ou même de voyage. Aujourd'hui, quand je retourne en Grèce, je ne rencontre pas seulement les enfants de mes amis grecs connus depuis 1950 mais leurs petits-enfants. Me voici devenu – là seulement d'ailleurs – un grand-père imprévu et parfois putatif. Car il va de soi que j'ai changé moi-même en même temps que la Grèce puisqu'entre-temps je suis devenu écrivain (mais au sens goethéen du terme, lorsque Goethe écrit *deviens ce que tu es*). Pourtant, bien que beaucoup de choses aient changé dans la Grèce – au point de rendre de prime abord Eurydice méconnaissable –, beaucoup de choses aussi ont continué à être, à demeurer immuables et à dire toujours ce pays. Ce sont elles que j'ai recherchées, ces objets, ces attitudes, ces détails, ces odeurs, ces goûts, ces couleurs, ces instants, ces sons qui tant d'années ont su combler ma vie. Non pas, précisons-le, par nostalgie pour le passé mais au contraire pour inventorier, affirmer ce qui a su rester intact, sans être une survivance folklorique. Ce qui a su rester intact et immuable en conservant son sens et sa nécessité.

Il se trouve que cette quête, les Grecs commencent eux-mêmes à l'entreprendre (1). Cet ami architecte notamment, dont j'ai parlé au début de ce livre, rencontré à Athènes en 1950 juste avant mon départ pour Athos, qui se nomme Aris Constantinidis et qui a publié en 1975 un admirable album en grec intitulé *Eléments d'auto-connaissance*, cet *auto* s'adressant évidemment aux Grecs eux-mêmes. Pour ma part, je le traduirai plutôt, ce titre révélateur, par *Matériaux d'identité*. Car il montre, ce livre, sous forme de photos prises par l'auteur au long de trente années, il montre tout ce qui fait la permanence et la singularité de la Grèce, cette alliance exceptionnelle des matériaux et du paysage, du détail et de son ensemble, cette insertion lumineuse des éléments dans la grande toile vivante du paysage. Bref, ce sentiment éprouvé surtout ici et qui fait paraître parfois naturel ce qui est l'œuvre de l'homme. Dans les notes accompagnant les photos, l'auteur raconte d'ailleurs une anecdote révélatrice. Il se trouvait au cap Sounion, près du temple, lorsqu'arriva un groupe de touristes. L'une des femmes – anglaise ou américaine – posa alors au guide cette question inouïe : *Mais ça*, fit-elle en désignant le temple, *est-ce naturel ou fait par l'homme? Et l'auteur d'ajouter en note : « ...question incroyable! Mais au fond c'est cela, le miracle de l'espace grec. Se trouver devant n'importe quelle construction (ancienne ou moderne) et se demander si elle est faite par l'homme ou par la nature. Puisque chaque architecture authentique dans notre pays est toujours à l'échelle du lieu, pour ne plus faire qu'un avec lui. »*

Donc – et pour résumer l'essentiel de ce que veut montrer ce livre, montrer et non prouver car les photos parlent d'elles-mêmes –, je me contenterai de dresser, au

(1) Notamment avec le très beau livre de Dimitri T. Analis, *La Grèce hors saison*, publié en 1982 aux éditions Plasma.

fil des pages, l'inventaire de la mémoire, du génie populaire et de la permanence de l'invention en Grèce :

– les rochers et les îlots déserts en mer (« *un rocher au-dessus de la mer, et encore au-dessus un ciel éclaboussé de bleu, voilà la Grèce* »);

– la nudité rocailleuse des collines et des éminences;

– les cannelures des colonnes de marbre parentes de celles, naturelles, de certains rochers;

– les chapelles byzantines et leur seuil ouvragé;

– le tourment des oliviers tordus (sous l'immobile tempête du soleil);

– les aires de marbre pour le battage du grain;

– les murets de pierre sèche recouverts d'une pincée de chaux;

– les agencements cyclopéens des murs antiques (roches immenses encastrées sans mortier);

– les cubes blancs des cabanons devant la mer;

– la chaux aveuglante des chapelles aux portes ourlées d'outremer sur la mer;

– les reposoirs au bord des routes;

– les chandeliers dans les églises de campagne;

– les mosaïques de Délos;

– les pigeonniers de Mykonos;

– les marches peintes des escaliers dans les Cyclades (ce que le poète Elytis appelle : *les marches de pierre du mois d'août*);

. – les alignements et dessins de galets à Siphnos et à Spetsai;

– les vieilles demeures de Janina avec les grands balcons vitrés;

– les auvents de bois ouvragés du Magne et du Pilion;

– les tavernes *choriatikès* – champêtres – avec leurs toits de feuilles de maïs ou de vigne séchées;

– les talismans des ânes et des mulets contre le mauvais œil;

– les caïques en construction en pleine terre;

– l'ombre des tables en fer sur les terrasses en chaux;

– les filets ocre des pêcheurs près des coupoles bleues;

– les balcons des *archontika*, des maisons de notable;

– les dessins naïfs ornant les murs des tavernes provinciales;

– les grandes mains peintes sur les murs et montrant la direction du Vrai;

– les inscriptions publicitaires en grosses lettres colorées, comme des poèmes-graffiti :

POULIETAI RETSINA DIA OIKIAS
Vin résiné à emporter

DROSIA Fraîcheur
EBIBA
YGHEIA Santé

MAKARONIA KORONIA (1)
Macaronis koroni

– et les mille détails d'une beauté jamais apprise et toujours sue.

Après tous ces retours, les années ont passé. Ce qui demeure, ce qui a changé de la Grèce, ce qui est moribond, ce qui demeurera, n'est pas pour le moment l'essentiel de ses préoccupations. En dehors des problèmes proprement politiques, il en est un qui est nouveau, tragiquement nouveau et qu'il est impossible de passer sous silence : celui de la pollution. Particulièrement autour d'Athènes, dans tout le golfe Saronique. Car là, sur un périmètre restreint allant du Pirée à Mégare et de Salamine à Eleusis se sont concentrées depuis ces dernières décennies toutes les sources de pollution imaginables : raffineries de pétrole, usine de traitement du

(1) Quelle magnifique allitération !

soufre, chantiers de construction et d'entretien pour les cargos, arsenaux de la marine militaire...

A Eleusis, l'odeur de l'air est pestilentielle, la mer inapprochable. D'ailleurs, tout au long de la baie, des panneaux vous avertissent tous les kilomètres :

BAIGNADE FORMELLEMENT INTERDITE
EAUX POLLUÉES

Or le problème n'a évidemment pas de solution toute faite. Il est vain de penser que les sociétés d'armement maritime, installées là depuis des générations, vont déplacer tous leurs chantiers. Il est encore plus vain – comme le bruit en avait couru un moment – de penser déplacer la ville d'Eleusis elle-même en la reconstruisant à 50 kilomètres à l'intérieur des terres ou de déplacer les raffineries. Si elles sont là, c'est parce qu'elles sont rentables, ainsi groupées. Le problème est technologique et politique. C'est pourquoi l'attitude actuelle des habitants est encourageante. Car, avec l'appui et même l'impulsion du maire et des comités de défense de l'environnement, ils veulent rester sur place en combattant la pollution, en rendant leur lieu de vie *vivable*.

Au cours de mon dernier séjour, à l'automne 1982, je suis allé à Eleusis, la veille de mon retour en France. Je n'y étais jamais revenu depuis ma première visite, en 1950. A cette époque, le site antique était déjà absorbé en partie par la ville moderne et la proximité des usines mais ni l'air ni l'eau n'avaient la moindre pollution. Et j'avais gardé de l'endroit le souvenir d'un mariage imprévu – mais inévitable –, d'un mariage de raison dirions-nous entre les exigences du présent et la protection du passé. Aujourd'hui, le problème est sensiblement différent car la pollution s'est accrue dans des proportions inquiétantes. Ce matin-là, me promenant sur le port en grande partie désuet (un cargo rouillé à moitié englouti, des barques mouillées, une mer souillée), en bavardant avec des pêcheurs, des habitants, j'ai éprouvé un curieux sentiment d'optimisme. Car partout j'ai rencontré des gens conscients, décidés à lutter, à se maintenir à Eleusis et à y vivre décemment. Manifestations, tracts, réunions, se sont succédé ici tout l'été. Comme la devise occitane si souvent entendue, je dirai qu'*Eleusis veut vivre*. Ici même où est née la plus ancienne sagesse et la plus vieille initiation, ici, en ce lieu devenu aujourd'hui un des points cruciaux du pays, peut naître une nouvelle sagesse, adaptée au monde d'aujourd'hui. Pas celle qui refuse ou accepte inconditionnellement le passé ou le présent. Mais celle qui saura maîtriser le futur en préservant justement le présent. Oui, en un sens, ce court séjour à Eleusis m'a réconforté. Il y a là un des lieux restreints, mais intenses, où se joue le sort de la Grèce de demain : industrielle, rurale, cycladique et humaine. Concilier tout cela, c'est beaucoup demander. Mais on a toujours beaucoup demandé à la Grèce et toujours elle a su répondre. C'est pourquoi j'achèverai cette postface au nouvel *Eté grec* par quelques lignes écrites au lendemain de mon séjour à Eleusis. Il s'agit là, pour moi, de ma dernière impression de la Grèce. D'un retour aux sources, en somme, après le premier séjour d'il y a trente ans. A des sources qu'on voudrait tant un jour voir resurgir limpides.

Eleusis 1982.

En 1950, je me rendis à Eleusis. Les Mystères – ou plutôt leur ombre – m'attiraient. Je n'avais pas encore désencombré mon âme des dieux morts qui y résidaient. Poussière achéenne de la mémoire. Irisations ioniennes du temps fossilisé. Et j'écrivis alors ce poème (prophétique, hélas!) :

Un cheval mutilé guette l'arrivée
De cortèges qui ne reviendront plus.
D'autres viendront, hommes en blouse blanche
Ingénieurs, ouvriers, indifférents à ces mystères.
Et les usines crieront à heure fixe
L'arrivée du cortège des ombres et des secrets
Perdus dans les yeux d'un cheval
Veillant sa propre mort.

En 1982, je suis retourné à Eleusis. Trente-deux ans pour dépouiller un lieu de sa mémoire. Les usines se sont multipliées et les raffineries, les chantiers navals, les fumées, les miasmes, les nappes de pétrole sur la mer.

Eleusis aujourd'hui c'est partout ces panneaux disant

MER INTERDITE

Eleusis aujourd'hui c'est :
tankers poutrelles ferrailles mortes cargos à l'agonie
cimetière de gorgones égorgées de néréides mazoutées
    pestilence
    pourrissement
    pourriture
    putréfaction
    Mais c'est aussi :
l'espoir de ceux qui veulent y vivre coûte que coûte
le nouveau combat des autochtones contre les Monstres
                        [de la mer
l'affrontement des Désarmés contre les Armateurs
    A Eleusis j'ai vu
une femme arroser sur son balcon des bougainvillées,
    et exorciser l'avenir.
J'ai vu des fleurs pousser contre les jours stériles.
    A Eleusis j'ai vu
le combat du futur vrai contre le faux présent.

TABLE DES ILLUSTRATIONS
ET CARTES DANS LE TEXTE

ILLUSTRATIONS

20. – Alexandre le Grand et le Serpent Maudit. On peut voir sur cette marionnette tous les détails indiqués dans le texte : le casque antique à crinière, la cuirasse byzantine, la fustanelle, les janmbières décorées de figures apotro

CARTES

TABLE DES MATIÈRES

RACINES

LE MONT ATHOS
Trois voyages dans la Montagne Sainte

LA TERRE GRECQUE

444

LES ILES NUES

L'AUTRE GRÈCE

TERRE HUMAINE

Terre Humaine a créé dans les sciences sociales et la littérature, depuis quarante ans, un courant novateur dont on n'a pas fini de mesurer la fécondité. Traquant la vie, cette collection de regards croisés a, d'abord, renouvelé la littérature de voyage et construit, livre après livre, une anthropologie à part entière, toute interprétation ne s'élaborant que sur une expérience vécue et même un engagement. L'exploration de l'univers n'a pas de fin. Le spectacle de la vie reste une découverte, et les théories concernant les sociétés humaines s'avèrent, les unes après les autres, toutes aussi fragiles. L'homme est un inconnu pour lui-même.

Les auteurs les plus célèbres (Zola, Lévi-Strauss, Ramuz, Segalen, Balandier, Duvignaud, Hélias, Lacarrière, Thesiger, Ripellino, Lucas) rejoignent, avec un air de famille, ouvriers, paysans, marins les plus anonymes – certains parfois même illettrés (témoignages en direct d'autochtones) – pour faire prendre conscience au lecteur, non seulement de la complexité des civilisations et des sociétés, mais de sa propre intelligence des problèmes. Elle est stimulée par une totale indépendance des auteurs.

Dans une vivante interdisciplinarité, dans un brassage de milieux et de classes, à niveau international, Terre Humaine propose, ses lecteurs disposent.

Toujours d'avant-garde avec ses 80 ouvrages parus et tous disponibles dont 45 édités dans Terre Humaine/Poche, cette collection pionnière saluée par toute la presse et l'opinion – et qui comporte de nombreux best-sellers traduits dans le monde entier – se veut, dans un combat résolu en faveur des minorités, un appel à la liberté de pensée.

Impression réalisée sur Presse Offset par

BRODARD & TAUPIN

GROUPE CPI

15792 – La Flèche (Sarthe), le 15-11-2002
Dépôt légal : février 1998

POCKET – 12, avenue d'Italie - 75627 Paris cedex 13
Tél. : 01.44.16.05.00

Imprimé en France